BIBLIOTHECA SARDA

N. 12

In copertina:
Giuseppe Biasi, illustrazione per novella di G. Deledda
pubblicata nel *Giornalino della Domenica*, 1910

Grazia Deledda

NOVELLE

VOLUME SESTO

a cura di Giovanna Cerina

ILISSO

In collaborazione con la SFIRS
e le Province di Cagliari, Sassari,
Nuoro, Oristano

Riedizione delle opere:
Sole d'estate, Milano, Fratelli Treves, 1933;
Il cedro del Libano, Milano, Aldo Garzanti, 1939.

Deledda, Grazia
Novelle / Grazia Deledda ; a cura di Giovanna
Cerina. - Nuoro : Ilisso, c1996.
280 p. ; 18 cm. - (Bibliotheca sarda ; 12).
I. Cerina, Giovanna
853.912

Scheda catalografica:
Cooperativa per i Servizi Bibliotecari, Nuoro

ISBN 88-85098-55-X

SOMMARIO

PREFAZIONE

In questo volume sono comprese le raccolte *Sole d'estate* (1933) e *Il cedro del Libano* (1939). La prima completa la serie delle novelle pubblicate in volume dalla scrittrice, la seconda è uscita postuma e dunque senza il suo *imprimatur*.

Dalla mappa variegata di queste novelle, con le quali si conclude la sua parabola narrativa, emerge una fisionomia più sfaccettata della Deledda che ormai compone le sue storie brevi con l'abilità di una professionista di lunga esperienza.

Vi ricorrono ambienti e temi in gran parte già noti, mentre variano le prospettive, i ritmi narrativi, i paesaggi e le atmosfere che sfruttano ora l'esuberanza di colori, ora i contrasti e le sfumature della luce con una competenza espressiva sensibile e controllata.

Negli ultimi anni, turbati da una grave malattia che si accompagna ad acuti momenti di crisi, non viene meno anzi si accentua il suo interesse per la vita osservata sia nei suoi aspetti quotidiani sia nei momenti di inquietudine che si agitano nel segreto della coscienza: una duplice prospettiva che richiede soluzioni narrative diverse, orientate su due tipi di procedimento. Uno, oggettivo, rinnova modalità più tradizionali sulla linea della narrazione pura tessendo trame, tendenzialmente concise, che disegnano esperienze o eventi colti dalla realtà o evocati nel ricordo; l'altro elabora soluzioni più moderne nella scelta di un'angolazione soggettiva che coincide col punto di vista di un "io" narrante o del personaggio. La conseguente restrizione del campo percettivo riduce l'incidenza narrativa dell'evento a vantaggio di uno spazio situazionale sospeso nel tempo dove il personaggio segue il corso dei suoi pensieri attraverso il monologo interiore, svelando nelle sue pieghe segrete la realtà. La stessa pena di vivere accomuna la scrittrice ai suoi personaggi; anche lei è coinvolta nel groviglio di ansie e conflitti che si dipanano sul filo di pressanti o pacati soliloqui. Le risorse del discorso lirico-meditativo, che tende a prevalere sul discorso narrativo, inducono a una riflessione più generale che trasforma la natura e il significato di una crisi individuale nell'espressione emblematica della condizione umana. La Deledda s'interroga sul «mistero dell'essere», cerca risposte sul significato da dare alla vita, non in chiave intellettualistica, ma confrontandosi con l'esperienza e seguendo una propensione antica, quella dei pastori sardi «contemplatori e filosofi».

In quest'ottica anche la ricerca di sé non si esaurisce in un momento di ripiegamento interiore ma percorre, nel ritorno al passato, un intermittente itinerario conoscitivo. I momenti pressanti e problematici di un presente precario hanno come contrappunto l'evocazione del passato (da quello remoto dell'infanzia a quello più recente) nelle forme rasserenate di esperienze concluse, sedimentate nella memoria. I due tempi della sua esperienza umana e letteraria, pur nella discontinuità dei singoli episodi, sembrano predisporsi come le tessere di un disegno complessivo (realizzato solo in parte nella struttura di un romanzo di formazione in *Cosima*).

Da una serie di racconti memoriali (da *Ballo in costume* a *Elzeviro d'urgenza*) emerge più chiara una linea autobiografica già presente, ma in forme sotterranee o indirette, in altre novelle e romanzi. Nelle diverse proiezioni di sé, adolescente, scrittrice, donna, Grazia interpreta alla stregua degli altri personaggi il suo ruolo nella varia rappresentazione della vita, dove si alternano casi lieti e tristi, cronache e incontri, avventure e giochi, idilli e drammi, beghe, capricci, gesti delicati o atti crudeli: una miriade di piccoli eventi che la scrittura riscatta dalla loro insignificanza stemperando la realtà con i colori della fantasia o del sogno, con modulazioni dell'idillio e, sovente, con divertita ironia o autoironia.

Ritornano i luoghi dell'infanzia, Roma, i paesaggi di Romagna e del Mantovano: la strada, la spiaggia, stazioni termali, stanze con finestre sul mare, chiese, ville, viali, ma anche il giardino-orto della casa romana, l'antica casa paterna e i boschi di lecci dell'Isola lontana moltiplicano gli scenari a misura dei vari personaggi, solitari, talvolta eccentrici; figure comuni, spesso senza nome, coinvolte nei loro piccoli casi, impigliate nella rete dei loro pensieri o estraniate nella lontananza dei sogni o dei ricordi, occupano lo spazio breve di una scena, comunicano un'emozione o una breve esperienza, poi scompaiono lasciando un'impressione viva, un attimo di gioia innocente o di commozione, la scoperta di qualcosa di insolito, di sorprendente che si cela nelle cose o in uno scampolo di vita.

Comprende venticinque novelle la raccolta *Sole d'estate* (che amplifica il significato della parola greca *théros*, scelta come titolo dell'ultima novella) da cui riprendiamo un esempio di cronaca familiare che registra le schermaglie tra suocera e nuora, il tutto allietato da un buon profumo di caffè in un interno borghese, arredato con cuscini e lampade liberty, come in una scena da commedia (*L'anello di platino*). Si colorano invece di sfumature fantastiche – con una variazione di tono che si avverte già nel titolo – novelle come *Lo stracciaiolo del bosco* e *Il tappeto*. L'assunzione consapevole e decisa di un'ottica femminile conferisce valore a esperienze casuali, a piccole cose che danno gioia e colore all'insignificanza quotidiana della vita: ora è l'incontro con insoliti personaggi che vengono da lontano e come eroi fiabeschi portano nel loro sacco umili oggetti che appaiono preziosi agli occhi incantati della narratrice; ora è l'arrivo di una vecchia che appare, figura rossa, nella solitudine della spiaggia di Cervia e porta nella sua cassetta trine, merletti e un coloratissimo tappeto. Qualcosa di misterioso si riverbera sul giovane stracciaiolo dagli occhi verdi di diaspro, col suo sacco simile a una magica cornucopia. Ma subito dopo, con umoristico contrappunto, il personaggio si ridimensiona, perde lo smalto del suo fascino, quando realisticamente si scopre che il mistero delle sue mercanzie è nella loro dubbia provenienza. E anche il tappeto, che la pittrice dilettante compra con entusiasmo, appare agli amici di cattivo gusto. Ma questo non conta; il tappeto ha il valore di un'illusione con i suoi colori e i suoi simboli, portatori di significati che lei sola riesce a decifrare.

Con analoghe trame lievi sono costruiti altri racconti che hanno il tono dello scherzo o di beffe innocenti, esempi modesti di *divertissements*, come *Una creatura piange* e *Leone o faina*: storie di animali che s'intrecciano con racconti africani di sapore esotico. Più suggestiva è la novella *Scherzi di primavera* dove la Deledda osserva il comportamento degli animali sviluppando uno spunto etologico (suggerito dallo scrittore

Salvatore Cambosu) sull'origine dei cani volpini: complice il risveglio primaverile, sullo sfondo di una natura edenica, quella dell'Isola lontana, la volpe maschio mette in atto la sua astuta strategia di caccia mandando avanti la volpe femmina che, per distrarre il cane dalla guardia dell'ovile, lo attira e lo coinvolge in un esuberante gioco d'amore.

In una particolare tipologia si inscrivono le novelle *La grazia* ed *Elzeviro d'urgenza*, che si distinguono dalle altre non tanto per la resa narrativa, che non è rimarchevole, ma in quanto sviluppano in modo più articolato una linea metanarrativa di cui si sono individuati gli spunti in testi precedenti e in particolare nella novella *Il sesto senso*. La Deledda si adegua alle istanze autoriflessive che si diffondono soprattutto nel Novecento nelle forme del metateatro, del metaromanzo, del metaracconto, del metafilm, dove l'autore riflette su se stesso, sul codice espressivo, su come nasce o si costruisce un testo: nel nostro caso un racconto nel racconto o un racconto sul racconto.

Sul potere che esercita la parola scritta è incentrata *La grazia*, dove l'autrice in prima persona rievoca, con garbata ironia, un episodio dei suoi sedici anni, in Sardegna, al tempo dei primi successi letterari e delle prime impietose critiche. L'incontro fortuito con una vecchia, «vestita di nero» e col rosario nero, ha la funzione di introdurre un punto di vista in contrasto con l'atteggiamento di condanna dei malevoli compaesani, che ribalta radicalmente la situazione: la donna attribuisce alla giovane un potere quasi magico perché possiede il dono della scrittura che può toccare il cuore della regina e riparare l'ingiustizia. Non sarà la lettera a ottenere la grazia, ma questo non conta; conta invece la fede ingenua della madre analfabeta che ha la forza inoppugnabile di una credenza superstiziosa tale da fugare, come per incanto, l'ombra dello sconforto trasformando i dubbi della giovane in una ritrovata fiducia in se stessa e nell'arte della parola.

Più marcata l'istanza metanarrativa di *Elzeviro d'urgenza*, in linea col modello novecentesco di racconto "critico". La richiesta urgente di un elzeviro per un grande giornale mette in crisi la scrittrice, ormai affermata, che racconta l'episodio con schietta autoironia, avviando una serie di riflessioni sparse sull'arte del raccontare.

Innanzitutto si sofferma sul travaglio del processo creativo, mosso da un'intrinseca necessità che lo rende libero, non condizionabile né da un'urgenza esteriore, né dalla lusinga di onorifici inviti, e senza indulgenza alcuna nei confronti del lettore né autocompiacimenti dell'artista. L'opera d'arte nasce da un germe, insediato nella fantasia dello scrittore, nel suo subcosciente (la creazione artistica come nascita naturale è immagine presente in autori come Pirandello); poi s'apre e fiorisce come una ninfea «nei misteri notturni di un lago». I germi provengono dal mondo dell'esperienza: fatti di cronaca, spunti giudiziari, drammi, idilli, incidenti di cui si è stati testimoni o storie che si sono sentite raccontare; ancora, resoconti di viaggio o fatterelli di vita familiare. Anche i personaggi che acquistano vita nel racconto sono colti dalla realtà o nascono direttamente dal cuore, con quell'accento di verità che l'artista ha loro trasmesso. Svariati sono i temi: padri e figli, tragedie coniugali, passioni, inquietudini, tradimenti e altro.

La Deledda non trascura di riflettere anche sui rischi che corre lo scrittore e sembra mettere in guardia se stessa dalla vischiosità di abbandoni lirici, insidiati dall'autobiografismo, che può scadere in incauti e penosi esami di coscienza: rischi che sono presenti anche in novelle di queste raccolte.

Tutto è ricondotto a una concezione ideale dell'arte non lontana da una visione religiosa: la forza segreta, concentrata dell'artista è fede in Dio e fede in se stessi. Da questo travaglio interiore l'opera nasce libera, ma la sua costruzione viene descritta con dettagli e con concretezza "fabrile": c'è da fabbricare una casa, piantare una vigna, seminare un prato, creare un'atmosfera, far nascere e morire uomini e altre creature. E non manca una notazione sulla scelta del titolo, che è importante perché dà l'avvio alla costruzione. La novella è scandita dalla sequenza analitica dei problemi che concernono il lavoro di ideazione e costruzione del lavoro. Completa il discorso autoriflessivo una notazione sulla componente psicologica che è all'origine del processo creativo: l'angoscia della pagina bianca, la vastità nuda della cartella da riempire simile a un deserto lunare che l'artista trasformerà in pagine di vita. Riflessioni sorprendenti, che rivelano il grado di consapevolezza raggiunto nella costruzione dell'opera letteraria, misurabile a livello concreto e artigianale (nel senso alto del termine) della sua esperienza; e in quanto tale lontana da una concezione ingenua o ispirata dell'opera d'arte di matrice romantica o crociana.

La riflessione sui problemi di una donna artista occupa uno spazio narrativo privilegiato ma circoscritto; si allarga invece il campo nel passaggio all'osservazione dei piccoli casi quotidiani ma non meno sofferti. Le donne comuni non coltivano ambizioni artistiche ma sogni innocenti e illusioni per sfuggire al grigiore della loro vita (*Il vestito nuovo*) o trovano insolite vie d'uscita alle loro angosce (*Lo spirito della madre*). Non senza implicazioni personali la Deledda tratta il tema della vecchiaia che offre l'occasione per nuovi scandagli. La vecchiaia, con un'ottica moderna, è intesa non come senescenza ma come senilità: condizione esistenziale vissuta in una dimensione interiore di malinconia e solitudine, di estraneazione dalla vita e di rifugio nel passato, e non già come decadimento fisico. Attraverso alcuni personaggi, nei quali si riconosce esplicitamente, si coglie una tensione conoscitiva ed etica nella ricerca di un significato da dare alla vita, quando il tempo, che già sta per scadere, si consuma nelle spire ovattate della malinconia e del rimpianto o nel tormento della malattia: un problema tenuto segreto con il consueto riserbo che tradisce un comportamento autocensorio (un tratto del suo carattere ma anche una persistenza antropologica), affrontato in forma indiretta nel personaggio-schermo della novella *La chiesa nuova* e nella figura di Maria Concezione, protagonista del romanzo *La chiesa della Solitudine* (1936). Un modo per prendere le distanze e insieme per colloquiare con se stessa e con gli altri, attraverso lo specchio della finzione letteraria, da una zona limite tra presente e passato, tra la vita e l'oltre. Il pensiero della morte spesso si insinua nei pensosi e intensi soliloqui di alcuni personaggi o si proietta nella dolcezza triste di paesaggi autunnali (*Bonaccia*). Qui la spiaggia dopo la burrasca quasi esibisce immagini di morte: alghe, vuote corazze di granchi, ossi di seppia, neri pezzi di legno. Poveri pezzi di legno che pure servono alla vita, a riscaldare le fredde e misere giornate del signor Nilo e della «vecchia col naso rosicchiato da un male del quale non si osa neppure pronunziare il nome» (ancora col solito pudore censura il nome della malattia che è anche la sua). E la vita continua, in quel tenero sole d'autunno e nell'immagine dei pescatori, contenti dei pochi avanzi della pesca. Nella tensione tra la morte e la vita è la vita che sopravanza, anche quando essa si affida al sogno o a un'illusione. E quando in rari casi la morte compare, come nella novella *Nozze d'oro*, essa mostra un volto pietoso e come una grazia si concede ai due vecchi sposi unendoli per l'eternità.

Ma la vecchiaia talvolta si nutre di amarezze e di rancori: chiusa dentro la sua casa dinanzi a una finestra che guarda il mare, cova la sua inquietudine in un atteggiamento che rifiuta la vita la signora della novella *Occhi celesti*. Una visita imprevista, una bambina dagli occhi chiari scuote la sua apatica solitudine offrendosi a lei come un dono insperato che per un attimo sembra accettare. Ma il fondo cupo dei suoi pensieri la ricaccia nel suo egoismo e nella sua solitudine.

In spazi di evasione trova invece un conforto seppur breve alla sua solitudine il vecchio poeta della novella *Luna di settembre*, ora abbandonandosi al fluire lento dei ricordi e delle fantasticherie, ora cedendo al vizio del bere. La suggestione del titolo si riverbera e si amplifica nella dolcezza malinconica di un paesaggio autunnale: nella notte la luna si riflette nel mare «translucido di poesia» accentuando il senso di lontananza che isola il vecchio poeta dal mondo. Nel gioco di luci e di ombre è di grande effetto visivo lo scintillio di smeraldo della bottiglia di liquore verde, colpita da un raggio di luna, che ammicca «come l'occhio di una civetta», «dolce e diabolico». L'immagine ha un'ibridazione fantastica, che anticipa e richiama l'emozione inquietante suscitata dall'irruzione improvvisa di uno sconosciuto apparso, simile a un fantasma, nell'ombra della notte lunare.

Gran parte di queste novelle si allinea nella misura e nella tonalità ad altre dell'ultimo decennio, in cui si coglie una sensibilità più intensa, una malinconia più raccolta, che si accompagna, nella ricerca di sé, a una meditata accettazione del dolore, esperienza ineludibile e salvifica in una rinnovata concezione religiosa della vita.

In questa linea di discorso si colloca *La chiesa nuova*, una novella fra le più suggestive e interessanti, che punta dritto a un'investigazione scavata della coscienza, e più ancora, dell'inconscio, sotto l'urgenza di una scelta cruciale. Il motivo scatenante la crisi del personaggio è la richiesta di un veleno da parte di «una carissima persona» gravemente ammalata. Dietro questo schermo si proietta sdoppiandosi la stessa scrittrice, in un momento disperante di rinunzia alla vita. Il vagabondare senza meta, secondo un modulo che ritorna, favorisce il dipanarsi dei pensieri in un tormentato soliloquio; il viaggio spazializza le tappe di un percorso psicologico e coscienziale: in compagnia della sua disperazione, di pensieri sinistri, di angoscia mista a spavento, «cammina e cammina», come un bimbo smarrito. È il punto di crisi, una situazione limite, che esige una chiarificazione di sé con cruda sincerità, senza infingimenti o rimozioni, per operare una scelta che dia significato a una difficile prova e riconciliarsi così con la vita.

La novella è costruita con contrasti forti tra il presente angustiato e confuso, e il passato lontano, luminoso e felice; contrasti che visualizzano gli stati d'animo in un gioco di corrispondenze spaziali, con passaggi quasi in dissolvenza che fanno riemergere dalle immagini crepuscolari dei paesaggi romani le immagini luminose dell'Isola: al bosco di lecci nel crepuscolo si sovrappongono, complice la memoria, i boschi dell'infanzia lontana. E all'uscita del bosco (come in un viaggio fiabesco) si arriva all'ultima tappa di un percorso in qualche modo iniziatico: il punto d'approdo è la chiesa nuova che in una metamorfosi fantastica si trasforma nell'antica chiesetta del Monte. Il primo affondo nel passato vince l'angoscia del presente, lenita dalle immagini sognanti dell'infanzia, quando la sua gioia era azzurra, e anche il peccato, da cui non si è mai esenti, era «coperto di porpora e d'oro come un principe d'Oriente». La malia della vita appartiene all'infanzia, al passato; il presente ha dinanzi il mistero della morte, che isola la donna nella sua pena. Mentre l'ombra copre le cose lei guarda con invidia le ville illuminate, inghirlandate come spose, che sembrano immuni da ogni sofferenza.

Ora il soliloquio si fa più raccolto, si concentra sul peso e sul significato del dolore, mentre il percorso si dilata nella durata interiore, assumendo il valore mistico di una *Via crucis*: nella chiesa parata a lutto per la morte di Cristo, i simboli della passione sono investiti dai riflessi azzurri della vetrata, in un gioco simbolico di contrasti, che interpreta visivamente il chiaroscuro della coscienza ormai prossima alla salvezza. Dio, che è sopra di noi e non dentro di noi (tappa ultima di una ricerca religiosa che ha un forte radicamento nella religiosità biblica della sua cultura d'origine), ha guidato i suoi passi, ha illuminato la sua coscienza, e ora dà un senso alla sua sofferenza. A casa, nella sua stanza, l'aspetta un ospite che le porgerà cibo e bevanda, e un unguento per sanare il suo male: il dolore ospite terribile e sacro, intermediario tra noi e Dio.

Il cedro del Libano è una raccolta pubblicata postuma da Garzanti. I trentuno racconti hanno, con leggere variazioni, un'uguale misura breve e i temi, nella loro varietà e nell'ambientazione geografica, si richiamano alle raccolte precedenti. Di nuovo c'è un allargamento della tipologia sociale: artigiani, meccanici, salinari, un'operaia, una levatrice, un guardacaccia, emigrati, ciascuno con la sua pena che sovente coinvolge la sfera etica. Il malessere ha spesso radici nella miseria o nell'emarginazione, nell'abbandono o nell'insoddisfazione del proprio stato. Ma la vita appare precaria perché non ha sostegni etici sicuri. Questo spiega il ricorso a racconti che ripristinano una funzione didascalica originaria sul modello di forme narrative come l'*exemplum* o la leggenda. Alcune novelle nascono da spunti casuali e persino banali o da motivi usurati di tipo tardoromantico, fuori tempo, o da un repertorio memoriale più ricco e interessante. Ciò che colpisce è la duttilità narrativa e stilistica che varia i ritmi, le tonalità e i significati di temi già trattati: si notano differenze nel passaggio dall'approccio narrativo a episodi e figure della vita a novelle che nascono sul filo della memoria, tra il passato recente della maturità e il passato remoto dell'infanzia. La variazione dei piani temporali è dettata da un'ottica della distanza, psicologica ed esistenziale, da cui la Deledda guarda con saggezza antica al passare del tempo, delle stagioni della vita e delle generazioni: una temporalità che ha il suo simbolo da una parte nel leggendario cedro del Libano e dall'altra nel pino «superstite forse di antichissime foreste».

Nella ricca galleria dei personaggi uno spazio privilegiato è, anche in questa raccolta, riservato ai bambini e agli animali, esseri spesso egualmente indifesi e maltrattati.

Bambini che vivono nella strada fra botte e bravate, che cercano nella fuga o nell'avventura il loro spazio di libertà, come il ragazzino borghese della novella *La fuga di Giuseppe*, che ricorda nel ritmo e nella ripresa di alcuni elementi le peripezie di

Pinocchio (la fame, l'uva acerba, il grosso cane nero «con gli occhi di brage» che «urla con un boato di mostro»).

Le adolescenti paiono più protette nello spazio domestico. Gina, protagonista della novella *La lettera*, ha come sua confidente e complice la "servetta" venuta dalla campagna, e nutre i suoi sogni leggendo di nascosto fiabe e storie d'amore. I segni dell'età difficile sono nella goffaggine del suo corpo, nei repentini mutamenti d'umore, e soprattutto nell'attesa dell'amore. Il sogno si fa concreto con la lettera di un innamorato sconosciuto che riaccende tra le due ragazze un gioco di sotterfugi, dispetti, maliziose complicità.

Specialissimo è il rapporto che la Deledda ha con gli animali la cui vita si confronta e si intreccia alla vita degli uomini. Essi rappresentano una riserva innocente di «poesia» e di simboli, di saggezza istintiva e di preziosi insegnamenti che richiamano gli uomini alle loro responsabilità. Nel bestiario deleddiano «gli animali costituiscono una sorta di reattivo, una cartina di tornasole per fare emergere vicende e caratteri, comportamenti e consapevolezze, di una galleria variegata di personaggi» (C. Lavinio). Spesso gli animali sono vittime degli uomini, delle loro beghe e soprattutto della loro ottusa insensibilità, come nelle novelle *Ornello* e *Il gallo*: la prima rappresenta con brio un mondo rusticano, rozzo e litigioso in cui si trova coinvolto anche il cavallo Ornello, ignara vittima di una sfida insensata. Nella seconda un gallo col suo canto terribile provoca una lite da cortile, di cui è il solo a farne le spese in una malinconica fine.

Svolgono il ruolo canonico di amici dell'uomo un cane e una cornacchia (*I guardiani*), che confortano la solitudine di un salinaro e smascherano una vecchia imbrogliona e ladra. Implicito nel titolo *L'esempio* è il significato di un'intricata trama di caccia. Ma, più dell'esempio, giova alla novella il fascino del paesaggio, che pare irradiato dagli influssi astrali della Pietranera, «monolito caduto al tempo della rivolta degli angeli».

È divenuta familiare l'intelligente e amatissima cornacchia, che riemerge da «zone di vita che si credevano oramai dimenticate», al grido lamentoso d'amore e di gioia delle gracchie che ritornano dai freddi paesi del Nord; ma anche dalla lettura di pagine, luminose di «poesia», dedicate a questi uccelli e al «loro mistero quasi di favola vivente» da Ivan Bunin.

La citazione ribadisce il suo costante interesse per gli scrittori russi, Tolstoj, Dostoevskij, Turgenev, Gor'kij, Puškin, Čechov fino a Bunin, premio Nobel nel 1933.

Nella novella *Le bestie parlano* si rappresenta uno scenario festoso, rusticano, favoloso e insieme idillico, di ambiente romagnolo nell'attesa di un prodigio da leggenda che riprende un motivo della tradizione popolare.

Si passa dall'idillio al dramma con *Caccia all'anatra*. Protagonista è un vecchio guardacaccia, da sempre soggetto all'arroganza dei padroni, che tenta di salvare l'ignara nipote, «più stupida delle anatre», dalle insidie dell'ultimo erede. La novella è incentrata sulla figura del vecchio, eccessivamente carica di buoni sentimenti; riprese dal suo punto di vista scorrono efficaci immagini del passato fino alla drammatica scena finale della pretestuosa caccia alle anatre. Si salva, invece, dal pericolo di una scelta sbagliata una giovane operaia che vuole cambiar vita (*L'angelo*). La scena dell'appuntamento su una spiaggia solitaria si illumina misteriosamente con la presenza di una giovane dai capelli biondi, fasciati da un nastro azzurro, che si accompagna a lei, ostinatamente, in silenzio. E come in un incantesimo la coscienza della protagonista s'illumina, scossa da un sentimento di orgoglio e di vergogna: le tornano in mente la nonna, «povera e irsuta come una vecchia bestia da fatica», col peso di molti dolori, e il ricordo del padre, morto annegato; e l'ammonisce la vista delle paranze, governate da uomini della sua razza, simili a statue di stracci e sale in lotta con la povertà e la morte. La novella, intreccio fra racconto popolare e leggenda, ha efficacia narrativa nei passaggi di ritmo, nel contrasto tra piani realistici e atmosfere incantate, nella modulazione stilistica di tinte trasparenti e sfumate e di crudi richiami a esperienze vissute.

Più aderente a una realtà che la Deledda conosce da vicino è la condizione di un giovane emigrato, giunto in città alla ricerca di lavoro (*Il posto*). L'impatto con la realtà urbana lo sospinge in una condizione di precarietà e di emarginazione, che si rivela agli occhi del giovane compaesano, attratto dalla stessa illusione, in tutta la sua desolazione. Un emigrato, che, invece, ha fatto fortuna, ispira una delle novelle più suggestive della raccolta,

L'uccello d'oro, svolta in forma quasi di parabola. In veste di vagabondo, quasi portato dal vento che infuria, ricompare nel suo paese, cercando ospitalità presso i parenti ricchi e quelli poveri. Sia il mistero che lo circonda, sia il suo comportamento richiamano la figura di Gesù che viaggia nelle plaghe del mondo per mettere alla prova il buon cuore della gente in novelle-parabola di tipo evangelico. Ma l'uomo, come il grande uccello d'oro della leggenda che soccorre solo la «buona gente», deluso scompare, così come era venuto, nel vento.

Meglio caratterizzano questa raccolta il gruppo di novelle ispirate a motivi autobiografici e costruite sui percorsi della memoria. Non è più solo la Sardegna la riserva dei ricordi, ma anche i primi anni di vita romana, quando ancora il suo villino di via Porto Maurizio non era costruito. In quella periferia, minacciati dal progetto di nuove costruzioni, c'erano i ruderi di un viale «assiepato di bossi fioriti» e la villa rossa, soggiorno di cardinali e luogo di una «gaudente beatitudine». Ne serba il ricordo un vecchissimo vaccaro, solitario abitante dei luoghi, di cui la via Cupa è quasi un emblema. L'uno e l'altra destinati a scomparire sotto la spinta della nuova logica costruttiva, organizzata da grossi impresari e da cooperative (*Via Cupa*).

Ma non sempre i ricordi cedono alla malinconia. Alcune novelle raccontano con piglio festoso ed espansivo episodi felici di un passato più recente, come una gita indimenticabile nel Mantovano nella novella *Nel mulino* che ritrae in forma idillica la vita patriarcale sulla riva del Po: il mulino, lo scorrere dell'acqua, il banchetto e la trasfigurazione di Justin nell'immagine mitica di un dio del fiume «con la barba di schiuma, gli occhi color d'acqua e la bocca di pesce»; o il ricordo di una stagione agostana nella spiaggia di Cervia (*Agosto felice*).

Una riflessione retrospettiva sui suoi anni romani si tramuta in parabola nella novella *Il cedro del Libano* che dà il titolo alla raccolta. L'albero, cresciuto nel giardino della casa, compie il suo venticinquesimo compleanno, circondato da un alone mistico e dal fascino orientale della sua leggenda che vuole fiorisca ogni cento anni. Nel racconto si respira un'atmosfera elegiaca, pur increspata da elementi di un fantastico macabro, come quel teschio trovato nel terreno della nuova casa, dove ancora «si sentivano cantare le civette e l'assiolo» e il rumore della città era lontano ma dolce come la voce del mare. L'albero, che ha visto crescere alla sua ombra figli e nipoti, è il simbolo della vita che si rinnova nelle generazioni; come «una bandiera azzurra» sfida il tempo con la promessa di una vita millenaria.

Il cedro rinvia, con sotterranea simmetria, a un altro albero, un pino solitario, che cresce nella vigna lontana, alla periferia di Nuoro, l'altro polo della memoria. Luogo dell'infanzia, la vigna è un «paradiso terrestre», di cui artefice e nume tutelare è il vecchio Arcangelo (il misterioso eremita, rievocato in *Cosima* col nome di Elias). Nella novella *Sotto il pino* il ricordo, che asseconda il punto di vista infantile, ha il sapore di un'avventura: all'improvviso l'eden si trasforma in un inferno sotto la furia della tempesta che scuote con violenza inaudita la casa e trasforma il pino in un essere mostruoso invaso «da innumerevoli biscie». Evocata in un alone mitico, la figura del padre reintegra il quadro idillico iniziale con l'immagine della cesta che accoglie una nidiata di leprottini.

L'idillio tiene lontana l'insidia della nostalgia, in una prospettiva memoriale senza accenti di rimpianto per un mondo perduto, ma imbocca la strada del ritorno: rivivono luoghi, figure, immagini, colori, suoni, nella loro freschezza originaria, nella luce incantata dell'infanzia. In questa linea si colloca una serie di novelle che si presentano come tessere sparse non di un mondo perduto, ma di un mondo ritrovato.

Nella novella *Il giuoco dei poveri* la casa di Nuoro è animata da giochi infantili che riflettono in modo innocente il contrasto tra ricchi e poveri. Chiude la scena, come un colorato sipario vegetale, l'immagine di un autunno dolce: «Faceva ancora caldo: cadevano, sì, le foglie scarlatte degli alberi, ma i peri, dai quali pendevano ancora i frutti gialli, lucidi e grossi come piccole campane d'ottone, s'erano rimessi storditamente a fiorire».

Un'insolita animazione si respira in *Ballo in costume*: le ragazze impazienti si preparano per andare al ballo nella sala del vecchio convento. Anche a Nuoro era arrivata la moda delle danze moderne, valzer e mazurke, segno dei tempi che cambiano e della modernità che scuote il vecchio mondo patriarcale. Mutamenti che la Deledda coglie anche nell'abbigliamento femminile (un aspetto che la incuriosiva fin dai tempi in cui leggeva riviste per signorine, come "L'Ultima Moda"): lei e le sorelle hanno goffi vestiti borghesi, le signore, invece, vestono elegantemente alla moda, mentre le ricche e pretenziose cugine indossano orgogliose i costumi locali, per giunta ridicolizzando le altre. Certo al ballo fa più bella figura il fastoso costume delle cugine, a cui, pur non senza riluttanza, lo chiedono in prestito.

Una festosità primitiva caratterizza *Ferro e fuoco*: nella casa paterna felice il padre e la madre sovrintendevano a momenti rituali della vita domestica. Balza con forte evidenza il ricordo del rito selvaggio dell'uccisione del maiale. Il destino dell'animale è segnato fin da quando lascia la foresta di elci per essere accolto nella casa, dove la madre gli dedicherà le sue cure, persino affettuose, come si conviene a una vittima designata. L'evento cruento e terribile, descritto con minuzioso e crudo realismo, si stempera nella compostezza e nella serenità di un rito omerico (i riferimenti al mondo greco sono nel testo) dove l'animale è la vittima necessaria. Riti e pratiche sono legati all'esperienza dell'infanzia, come quelle di *Medicina popolare* dove si dà conto dell'origine e degli effetti dei rimedi tradizionali. Sapiente guaritrice, comare Marghitta, come la Sibilla, vive in un antro, ma non è una maga; è una donna semplice, quasi materna, dotata di potere di suggestione e di esperienza medica, che ottiene risultati anche in casi difficili per la scienza ufficiale (quasi alle origini di una moderna medicina alternativa).

Dal mondo rasserenato della memoria sembrano banditi gli inquieti soliloqui sulla vecchiaia, le crisi tormentose, la malattia e la morte. In questo senso è esemplare la novella *Agosto felice* dove la vita ha il sopravvento e sono come un inno di gioia la bellezza della natura e la felicità di uomini e donne che offrono i frutti della terra e del mare nello scenario cervese di una stagione agostana. E anche se il pensiero della morte s'insinua, non è più «agitato e pauroso», ma dolce e lontano, rinviato, «come nei racconti delle antiche genti, alla più tarda età; andarsene per l'ultima passeggiata in carrozza verso la pineta una sera di ottobre, accompagnati dall'inno sacro del mare, fra i candelabri accesi dei pioppi d'oro: fermarsi nel piccolo camposanto all'ombra glauca dei pini, tra i fiori azzurri del radicchio e le pigne spaccate che sembrano rose scolpite nel legno. Alla più tarda età».

Giovanna Cerina

NOVELLE

VOLUME SESTO

SOLE D'ESTATE

BONACCIA

Anche le burrasche sono buone per i poveri. Il mare, come un padrone rabbioso che impone alla serva di fare una buona pulizia alla casa, rigetta a terra tutti i detriti che non gli garbano: e questi rifiuti formano la ricchezza dei poveretti della spiaggia. Ecco, per esempio, il signor Milio, proprio il signor Milio in persona, antico proprietario di un piccolo cantiere, percorrere il lido quanto è lungo, dallo sbocco del fiume al molo, con un suo misterioso sacchetto, bianco come la fodera di un guanciale: e come un guanciale la foderetta si gonfia, ma di bitorzoli duri che sembrano davvero batuffoli di lana schiacciata. Ognuno di questi bitorzoli neri è costato un ripiegamento della schiena del signor Milio, che oramai d'altronde è abituato ai ripiegamenti di ogni sorta: anzi l'aria freschina del mare, ritornato buono, giova all'antico armatore: il suo viso rosso congestionato si scolorisce un poco, le gambe, da prima incerte come quelle di un bambino che comincia a camminare, si rinforzano sempre più: gli occhi, oh, gli occhi, all'ombra del vecchio panama che sembra ritagliato dalla scorza scabra di un merluzzo salato, rivaleggiano, per l'azzurro e lo scintillio dorato, col colore del mare.

Ritornano amici, il mare e il signor Milio; ed egli si sente felice: la sbornia della sera prima è completamente smaltita, e l'uomo si promette con fermezza di non bere più, di riprendere a lavorare sul serio, e a poco a poco ricostruire la sua fortuna di un tempo. Per adesso continua a raccogliere, fra le alghe, fra i granchi morti, fra gli ossi di seppia e i barattoli arrugginiti, solo i suoi pezzetti di legno nero, che sono schegge di navi e barche naufragate, fossilizzati dal sale, ottimi per alimentare il fuoco nei giorni bianchi e gelati che a inesorabili passi si avanzano.

In attesa di questi giorni, anche la vecchia col naso rosicchiato da un male del quale non si osa neppure pronunziare il nome, tuttavia dicono che essa ha quasi cento anni e non vuole entrare nell'ospizio dei vecchi, fa la provvista per il fuoco, raccogliendo gli sterpi dell'arenile, tenendosi però a rispettosa distanza dal bel Luigino, già decorativo cameriere di alberghi estivi, che adesso si diverte, dice lui, ad estirpare i cardi selvatici, argentei e duri come minerale, dalle cui radici si estrae uno squisito liquore per marmellate.

Ma le vere ricchezze, i doni viventi del mare, se li prendono i pescatori a vela e con la sciabica: questi ultimi sono venuti anche di lontano, con la loro barca biblica, rossa, nera e azzurra, vigilata dalla Vergine Santa: e sono dodici, come gli Apostoli, tutti rossicci, chi calvo, chi ricciuto, con occhi chiari, glauchi, che a lungo andare hanno preso la trasparenza liquida di quelli di certi pesci. Anche la loro pelle, aspra di salsedine, ha il colore delle triglie: e tutto intorno a loro sa di frutta e di erbe di mare.

O era il profumo dei giunchi e delle gramigne che riprendevano un possesso quasi primaverile fino all'estremo limite della terra. Le dune ne erano già tutte ricoperte, e certi piccoli banchi di sabbia, rivestiti del loro tappeto, sembravano sedili da salotto. Una infinità di germogli di cocomeri e meloni, – ricordo di fresche scorpacciate estive, – verdeggiava inoltre fin sotto la schiuma tenera delle onde: e un cespuglio di radicchio vi fioriva in mezzo, tranquillo come in un prato, coi suoi fiorellini che davano l'illusione delle viole. E quante vespe, dorate e cattive come donne tradite! Perseguitavano, e questo è naturale, il bel Luigino, tentando di succhiare almeno la sua zappa; ma che cosa volessero dagli sterpi della vecchia, e sopratutto dal sacchetto del signor Milio, precisamente non si sapeva.

Egli le lasciava fare, perché a scacciarle è peggio; anzi era contento anche del loro ronzio, che annunziava la durata del tempo bello. E finché c'è il sole all'orizzonte è come esista ancora sulla terra una persona il cui affetto ci riscaldi il cuore. Egli invece era solo, sulla terra, in uno stambugio salvatosi a stento dal naufragio del cantiere come quelle schegge che egli raccoglieva religiosamente. Lo stambugio, una stuoia, una coperta, un fornello di pietra, una bottiglietta d'olio e un'altra sempre piena e sempre vuota di vino piuttosto che di acqua: ed egli pensava a questa sua casa come a una reggia.

Sì, il tenero sole di autunno fa bene al cuore. Ed anche i pescatori, nel tirare le corde della lunga rete che pareva venisse dall'altra riva del mare, si sentivano tutti caldi di bontà, di allegria, di appetito. È vero che nella mattinata avevano preso e subito spedito al mercato un bel quintale di pesce quasi tutto grosso e fino: adesso toccava a loro, e già ciascuno di essi faceva conto di succhiarsi uno sgombro e una fetta di razza, oltre il pane inzuppato nel brodetto. Uno dei più anziani, quello coi riccioli rosso-argento intorno alla nuca e i pantaloni con cento e una toppa di tinte diverse, aveva già fatto concorrenza alla vecchia dal naso rosicchiato, radunando un mucchio di sterpi in una buca della sabbia; e su due pietre appoggiò un recipiente che poteva essere una padella o un catino, a volontà: ci versò l'olio e attaccò fuoco. E il grande tulipano delle fiamme avvolse il recipiente, e parve guardarvi dentro come desideroso di travolgere nella sua gioia di vita l'olio che rispondeva friggendo: ma le manciate di cipolla tritata e poi la conserva rossa come sangue denso, che il cuoco versò senza risparmio nel soffritto, calmarono l'invito del fuoco. Sulle ginocchia piegate egli sorvegliava la sua opera, e intanto affettava un grosso pane quadrato, che pareva di pietra pomice e invece si apriva morbido e si sfogliava come un libro. Il coltello a serramanico, aiutato da uno stecco, serviva per rimescolare il sugo, il cui profumo attirava le vespe, subito però respinte dall'alito fumante del fuoco. Allora esse tentarono di assalire un disco di polenta fredda, posato come una torta su una carta pulita; ma l'uomo lo tirò accanto al fuoco, e con un filo più tagliente del coltello cominciò ad affettarlo.

Si accorgeva però che i compagni, già tirata la rete, mentre la scuotevano e la restringevano per i lembi, formando una specie di sacco in fondo al quale si ammucchiava il pesce, stavano insolitamente zitti e preoccupati. Pareva avessero pescato qualche cosa di triste, anzi di funebre: quasi un annegato. E in realtà non avevano pescato niente: niente in proporzione della vastità del loro stomaco vuoto. Infatti, sbattuti sulla sabbia, guizzarono molti granchi e pochi pesciolini che invero avevano l'argento vivo addosso; e, come capi della meschina famiglia, solo due sgombri di platino verdastro, che il pescatore più vecchio, quello mezzo nudo fasciato di cuoio come un guerriero barbaro, sgozzò subito con l'unghia del pollice, quasi per vendicarsi della miserabile pesca; mentre i granchi se la svignavano intorno simili a piccoli rospi grigi.

Il signor Milio, il bel Luigi coi capelli lucenti di un avanzo di brillantina, e più in là la vecchia degli sterpi, s'erano fermati a guardare la pesca irrisoria; e i due primi si permisero di scherzare.

– Un pesciolino per uno non fa male a nessuno.

Ma il pescatore che aveva sgozzato gli sgombri alzò il dito insanguinato e disse:

– Se volete ce n'è anche per voi.

L'ex-cameriere, abituato ai pranzi dei signori, fece una smorfia: la vecchia si scostò ancora di più, perché sapeva di non dover accettare: il signor Milio, invece, accolse evangelicamente l'invito; poiché tutto quello che Dio manda è buono. Per rendersi utile si offrì di andare a prendere l'acqua alla fontana, ma uno dei pescatori rispose:

– A noi piace l'acqua rossa.

E bastò questo perché l'allegria tornasse in tutti, mentre il vecchio sollevava, fingendo un grande sforzo, il lieve cestino dei pesci, e un altro tirava su dalla barca tre fiaschi dell'acqua rossa che a loro piaceva e piaceva anche al signor Milio.

Il pane, la polenta, il sugo erano abbondanti: furono lanciati bocconcini anche alle vespe, che si attardarono fino al tramonto nel posto ove rimanevano le orme dei pescatori e il profumo del loro brodetto e della loro bontà.

CINQUANTA CENTESIMI

In una bellissima novella di Gorki, c'è un vagabondo affamato, che nelle nuvole leggere e vaporose sull'orizzonte della steppa, vede vassoi fumanti e colmi di squisite vivande; ma quando nel suo delirio stende la mano per toccarli, quelli dileguano crudelmente, divorati dallo spazio. «Non toccare» «non toccare» «non toccare» era almeno scritto sui cartellini applicati come farfalle alle favolose piramidi di pere e di mele, ai graziosi pergolati d'uva perlata, alle coppe di melagrane e di cotogne, ed anche ai sacchetti di fichi secchi che parevano pasticcini, della mostra di frutticoltura: altrimenti Giulio, Marino e Gregorio, i tre inseparabili amici e compagni di scuola – prima tecnica – si sarebbero lasciati cogliere anch'essi da un delirio simile a quello del vagabondo.

– E se io dovessi toccare, che mai accadrebbe? – domandò Giulio, allungando la grossa mano traboccante dalla manica corta della giacca stremenzita.

– Ti mettono in gattabuia – rispondono i compagni a una voce, certi di canzonarlo. Poiché tutto era per loro canzonatura, derisione, anche cattiveria: quella cattiveria particolare in quel periodo dell'adolescenza chiamato l'età ingrata, che in fondo, con tutti i suoi turbini e i suoi splendori, è l'età più felice dell'uomo. Anche le meravigliose frutte esposte con sapienza sui banchi e sulle mensole erano giudicate da loro, per la forma o per il colore o per la posizione, con espressioni beffarde e piccanti: e tutto era buono per provocare risate e commenti salaci.

Non replicò, Giulio, alla minaccia della gattabuia; ma sapeva che poteva vendicarsi, e aspettò il momento con un sincero palpito di gioia.

– E adesso, carissimi amici, vi farò vedere come si può toccare questa roba, senza disturbare la benemerita arma, con le relative manette.

Erano arrivati in fondo alla lunga sala dove, come l'altare in una chiesa, s'innalzava una mensa con trofei di frutta ed anche di fiori ornamentali. In mezzo, su una coppa di cristallo, era deposta una pera gigantesca, di un colore quasi incandescente: e sulla parete un quadro di natura morta a tinte vivaci pareva uno specchio che riflettesse tanto ben di Dio. La folla vi si addensava intorno, con adorazione estetica, ma anche golosa, che si sarebbe volta in martirio se subito dopo l'altare, all'angolo della sala, sopra un banco ricoperto di sacchetti e barattoli, incoronato da un festone di grappoli d'uva, nel cui arco dominava una bella ragazza che pareva una di quelle figure allegoriche dei pittori coloristi, – pomi le guancie, ciliegie le labbra tinte, crespa e arancione la zazzera, come certe zucche esotiche lì accanto, – non si fosse notato un cartellino ristoratore: *Vendita al pubblico.*

E fu qui che Giulio consumò la sua vendetta. Aveva una lira in tasca; la palpava, con le dita nervose e ossute di figlio d'operai, la scaldava, pareva volesse fonderla un'altra volta. I suoi occhi rapaci correvano da un sacchetto all'altro: scartavano quelli su cui c'era segnato un prezzo superiore alle sue possibilità, e infine si fissarono su certi sacchetti di carta rossa che davano l'idea di lampadine giapponesi. Non la sola ristrettezza del loro costo attirava però la sua attenzione: l'attiravano sopratutto il colore e la forma dei frutti che i sacchetti contenevano; e tutto un mondo lontano, ma radicato nella sua carne con l'indistruttibile nervatura della razza, si chiudeva per lui nel sacchetto. Ecco il cortile del nonno, prima che il padre di Giulio emigrasse e facesse anche una certa fortuna in città: il cortile è ingombro di laterizi, perché anche il nonno è capomastro: ma in mezzo sorge un albero bellissimo, con le foglie di un verde come ritagliato in una seta tinta col vetriolo: e tra una foglia e l'altra innumerevoli frutti piccoli e scarlatti, che sembrano duri e invece a mangiarli sono dolci e teneri, d'una tenerezza un po' resistente che si prolunga, si fa succhiare, si concede a poco a poco per meglio farsi godere.

È l'albero delle giuggiole.

Quando il sacchetto fu suo, egli dunque si godette piena anche la sua vendetta: cominciò a palparlo, ad accostarselo al viso, ad accostarlo al viso allungato dei compagni. Domandò:

– Dove sono i carabinieri?

Un po' avviliti, gli altri si palpavano a loro volta le saccoccie, scambiandosi sguardi d'intesa: ma in tutti e due non possedevano che dieci soldi. Con questi dieci soldi si poteva, è vero, comprare un grappolo d'uva; l'uva, però, non li tentava, eppoi, non essendone indicato il prezzo, avevano timore di fare la figura della volpe sotto la pergola.

Andarono dunque dietro al compagno, che aveva almeno la delicatezza di non aprire ancora il sacchettino, e usciti fuori dalla sala ripresero animo, rallegràti anche dal sole che riscaldava le panchine dello spiazzo e dalla bellezza di tutto. Passavano frotte grigie di collegiali, guidate da lunghi preti melanconici; passavano rubicondi pensionati, che, dopo aver assaggiato il vino del chiosco accanto, sorridevano ancora alla vita e alle belle ragazze coi baschi birichini messi alla sghimbescia sulle testoline matte: l'erba dei prati luccicava come verniciata, e il cielo sembrava uno studio di scultore, con blocchi di nuvole marmoree abbozzate genialmente: ma sopratutto bella era la fontana, coi suoi portentosi fili di diamanti, ora alti ora bassi, che la vasca di alabastro si divertiva a mandar su e a ringoiarsi con un piacevolissimo gioco di prestigio.

I tre si misero a sedere su una panchina accanto al chiosco e ricominciarono a scherzare. Giulio fu generoso, ma non troppo, offrendo agli amici due giuggiole per uno. Marino, che era buono e dolciastro come il frutto che masticava, ringraziò abbastanza cortese, mentre Gregorio sputò con disprezzo la seconda giuggiola dicendo che era amara come un'oliva.

Fu in quel momento che una grossa signora con una ricca pelliccia di lontra, all'antica, e con una mazza d'uomo alla quale si appoggiava zoppicando, si avvicinò alla panchina, con l'evidente desiderio di riposarsi. E fu Marino a ritrarsi garbatamente, per farle posto, addossandosi a Gregorio, che lo accolse con una gomitata. La signora ansava lievemente, ma pareva tutta beata di aver trovato finalmente da sedersi e di vedere davanti a sé, nella luminosa fantasmagoria dello sfondo, il miracolo della fontana: la maschera cascante e pelosa del suo viso s'illuminava a tanto riflesso; e di sopra gli occhiali a stanghetta pareva sollevarsi come un arco azzurro: era lo sguardo dei suoi occhi buoni e beati.

I ragazzi non badavano a lei, che a sua volta non pareva curarsi di loro. Avevano cominciato a urtarsi sul serio e si scambiavano parole cattive.

– Le mie giuggiole sono amare? E allora sùcchiati quelle dei quattrini che ti dà tuo padre. Oppure sputa anche queste – dice Giulio, porgendone altre due a Gregorio, ma mentre questo sta per prenderle e buttarle via con sdegno, l'altro le ritira e per maggior dispetto le offre a Marino.

Marino le accettò, sebbene anche lui irritato e umiliato; se le cacciò in tasca e tirò fuori una monetina da quattro soldi che fece vedere a Gregorio.

– Tu, Gregorio, quanto hai?

– Un milione.

– Sì, quello del signor Bonaventura. No, davvero, Gregorio, dimmi proprio, quanto hai?

– Mannaggia, lo vuoi sapere? Poiché mio padre è un povero archivista e non un mangiacalce arricchito, io possiedo solo trenta centesimi.

– È già qualche cosa più di me – commentò Marino: e parvero diventare serî, ma anche feroci, poiché quello delle giuggiole li umiliava di nuovo brontolando:

– Micragna, micragna.

Gregorio balzò in piedi, coi pugni stretti; Marino intervenne, pacificandoli.

– Senti, poiché non abbiamo la lira per comprare il sacchetto dei fichi secchi (continuavano a disprezzare le giuggiole) andiamo a bere una limonata in due.

– Fa legare i denti al solo pensarci: e già me li sento di coccodrillo, i denti – disse Gregorio; e poiché il sole era scomparso dietro i blocchi di marmo, e la fontana, che sembrava di stalattiti, mandava un soffio di freddo, egli finse di rabbrividire, o rabbrividì davvero, nel suo vestito ancora estivo di ragazzo povero.

Fu allora che alla grossa signora, la quale da un pezzo frugava nella sua borsa, cadde per terra una monetina da cinquanta centesimi. Marino fu pronto a raccoglierla e a offrirla alla padrona. Ella disse, con accento distratto e sommesso:

– Puoi tenertela, se vuoi, carino.

Ed egli, senza tanti complimenti, se la tenne: anzi fece un lieto cenno a Gregorio, e Gregorio una smorfia a Giulio; poi i due paria corsero d'accordo a comprare il sacchetto, proprio di giuggiole, non di fichi secchi, essendo questa la migliore rivincita. Quando tornarono, la grossa signora era sparita; ed essi cominciarono a sbeffeggiarla.

– Accidenti, per generosa è stata generosa, la vecchia balena.

Questa è la riconoscenza umana.

LO SPIRITO DELLA MADRE

Perché le inalazioni salso-iodiche a secco riescano più efficaci, durante la loro azione è bene chiacchierare, anzi possibilmente cantare, e meglio ancora, con perfetta licenza del vicino di cura, sbadigliare senza riguardi. E sbadigliava, pur con molto riguardo e mettendosi il dorso della mano sulla bocca, la giovane sposa Lula: sbadigli involontari e nervosi erano però i suoi, provocati dal torbido malessere fisico e morale che la riempiva, fin dentro l'anima, di una nebbia più acre ancora di quella delle esalazioni dell'iodio.

Tossiva, nello stesso tempo, e questo giovava alla sua gola corrosa dal lungo pianto e, più che dal pianto, dalle lagrime rientrate e ingoiate in silenzio, per la morte della sua mamma.

La mamma era morta di una malattia di cuore, della quale soffriva da anni: ma Lula credeva di averla uccisa lei, scappando di casa col figlio del padrone, che mai e poi mai l'avrebbe sposata. Per otto giorni i due ragazzi, lei quindici, lui diciassette anni, avevano trovato da nascondersi in modo che neppure la polizia, sguinzagliata sulle loro orme, era riuscita a pescarli: in quegli otto giorni la madre di Lula era morta e il padrone aveva lanciato una specie di bando, con ordine ai due colombi di tornare a casa per sposarsi.

E tornati essi a casa, aveva perentoriamente ingiunto a Lula di non spargere neppure una lagrima; anzitutto perché a lui non garbava la gente triste, e poi perché i morti anch'essi non vogliono che si pianga per loro, onde il dolore dei vivi non li disturbi nella loro eterna pace.

– Sì, mamma, – gemeva fra sé Lula, agucchiando veloce un suo piccolo lavoro di lana, mentre il vapore che si addensava intorno, il rombo del motore e la luce crepuscolare che svaniva dai vetri appannati, le davano l'angosciosa impressione di un imminente uragano, – tu pure lo dicevi: appena morti, si rientra nella gloria di Dio: non bisogna quindi lamentarsi, perché la pena dei vivi richiama al mondo le anime beate, che ne soffrono, e così non possono confortare i loro cari, come quando sono lasciate da essi in pace. Eppure, mamma, eppure...

Eppure essa non poteva non soffrire, specialmente in quei giorni di lontananza dalla sua grande casa patriarcale, in questa dimora estranea, sebbene bella e lieta, fra gente di una razza ben diversa dalla sua; e alla solita preoccupazione si era aggiunto il senso d'inquietudine e quasi di terrore della sua incipiente maternità.

Intanto la sala si pienava di gente. Chi erano? Fantasmi. L'uscio a bussola girava silenzioso come una ruota fantastica, e di volta in volta ne sbucava una figura che, nella nebbia ancora diafana dell'inalazione, cercava cautamente un posto dove sedersi. Il tavolino centrale, coi suoi mazzi di carte e le scatole dei dadi, era già tutto occupato da persone il colore delle quali a poco a poco si spegneva in una nota grigia vaporosa. E adesso, poiché non ci si vedeva più, ai commenti ed alle esclamazioni dei giocatori di dadi succedeva un silenzio quasi imbarazzato: a scuoterlo si alzò d'un tratto una voce di tenore, in sordina. Era Rodolfo, che da una lontananza iperborea, dalla fredda altezza di una soffitta, vedeva il fumo dei comignoli di Parigi, infiammato dal riflesso della sua poesia: a un certo punto, però, irritata dal pizzicorino dell'inalazione, la voce si fece rauca, si spense in uno strido d'alcione ferito. Tutti applaudirono e risero: ma bastò questo perché Lula sollevasse fino agli occhi la cuffietta di lana infilzata nei ferri; e le sue lagrime vi caddero dentro come le goccie della nebbia notturna in un nido ancora vuoto.

Poi una voce di donna fece una proposta, che a dire il vero non stonava in quell'ambiente nebuloso.

– Si fa il tavolino?

Accettato, con unanime allegro entusiasmo. Stridettero le sedie smosse: riprese la voce:

– C'è un medium, fra di voi?

– Io, signorina –. Era la voce calda e commossa di Rodolfo: alla quale si rispose con certi sogghigni cagneschi: ad ogni modo fu accettata l'offerta, e il silenzio che ne seguì fu appena violato da lievi trilli di riso, quando un'altra voce disse:

– Mi raccomando la mano di Mimì.

Lula si era sollevata dalla sua pena, e con curiosità infantile aguzzava gli occhi per distinguere qualche cosa. Capiva che si giocava "agli spiriti" ed era contenta di questa novità. Non ci credeva, lei, no, che gli spiriti dei morti possono ritornare nel mondo per semplice divertimento di gente sfaccendata: eppure un certo brivido le tremò fra scapula e scapula, quando Rodolfo, con voce sommessa e convinta, annunziò:

– Si chiama Napoleone.

Non c'era da scherzare: ma Napoleone, evidentemente stanco di essere chiamato da tutti gli spiritisti del mondo, non risponde: risponde invece Cagliostro, che nonostante il lungo suo martirio di sepolto e murato vivo nella buca della rocca di San Leo, dice di essere nell'inferno. Non è però questa notizia che impressiona gli astanti: è un'avvertenza benevola, che arriva fino a Lula e la fa ripiombare nella sua pena.

Dice il dannato: – Appena andato via io, chiudete il passaggio, poiché può venire un demonio e farvi del male.

Ma il demonio era già forse penetrato nella sala e vagava nella nebbia ormai fittissima, perché d'un tratto Lula si sentì come sollevata da una mano formidabile che la tirò su, in piedi, rigida e folle. Con una voce strana, che neppur lei riconosceva per sua, supplicò:

– Chiamate la mia mamma.

Si rimise a sedere, chiuse gli occhi e piegò la testa, nascondendola col braccio, come fanno con l'ala gli uccelli quando stanno per addormentarsi. Una pietosa signora domandò:

– Come si chiamava, la sua mamma?

Ma ella, già pentita e vergognosa, non osò più aprir bocca.

E il gioco proseguì egualmente, cullato dal rullìo del motore, che piano piano si affievoliva.

Lula teneva sempre la testa piegata sul petto, e sentiva il suo cuore pulsare più forte della macchina: le pareva, il suo cuore, un grappolo d'uva nera, che una mano schiacciasse facendone gocciare sangue. Eppure quest'impressione le dava un senso arioso, di respiro, come se quello fosse il cattivo sangue del suo dolore e la liberasse finalmente dal suo male. E le sembrava di veder la vigna del suo podere, tutta pesante di uva già matura; e che una voce la chiamasse per vendemmiare.

– La mamma! La mamma!

Questa volta il brivido era profondo; le saliva dalle viscere, le percorreva ogni vena, la chiudeva in una rete incandescente. E d'un tratto ella sentì di nuovo la voce della madre, ma dentro di sé, e le parve che lo spirito evocato fosse venuto a raggiungerla, per non lasciarla mai più.

Riaprì gli occhi. Il motore s'era fermato, la nebbia si dileguava: già si rivedevano, intorno al tavolo, note di colore: rossi, verdi, lilla; e la perla di un orecchino pareva una stella fra le nubi.

Ella non seppe mai spiegarsene il perché, neppure quando qualcuno le disse che forse davvero lo spirito della madre era in quel momento penetrato in lei per animare la sua creatura; ma sentì una gioia indicibile sollevarla tutta. Pensò che fra pochi giorni sarebbe tornata a casa, guarita; e tutto le apparve bello e luminoso. Tutto: l'altissimo pioppo che, come una sentinella corazzata d'acciaio, vigila giorno e notte la bianca fattoria; le galline che più svelte delle scimmie saltano sul gelso per passarvi la notte, il puledrino baio che introduce la testa sotto il braccio del padrone, per essere accarezzato, mentre il cane geloso gli sbatte la coda dura sulla zampa, il fazzoletto rosa svolazzante al collo del marito, il sole che tramonta sul fienile come sopra la cupola di una chiesa.

LUNA DI SETTEMBRE

Era melanconico, quella sera, il vecchio poeta. Vecchio? Lo diceva lui, per un'estrema civetteria maschile, o meglio per l'abitudine di dare una lieve patina di pessimismo alle cose troppo chiare, e spesso belle, della realtà: ma i suoi folti capelli avevano ancora un'increspatura giovanile, che nascondeva il bianco sotto il nero, e che il riflesso della luna, già alta sulla veranda della villa, dov'egli si abbandonava ai suoi pensieri, accendeva della stessa argentea tremula chiarità del mare.

È vecchio, anche il mare, eppure non è mai apparso, fra gl'intercolunni dei pioppi del giardino, più translucido di poesia, di pace, d'illusione. Immobile, frugato solo dai raggi della luna, dà l'idea di un ghiacciaio azzurro sul quale si possa trasvolare, in un'atmosfera di freschezza e di allucinazione.

Un senso di allucinazione lo prova anche il poeta: la sua stessa tristezza ha un fondo di sogno. E non lo è stata, e non lo è ancora, tutto un sogno, la sua vita? Per quanto ricordi, egli ha sempre sofferto e sempre goduto: come il mare, tempeste che sembravano implacabili, e calme simili a quella di questa notte d'incanto, hanno smosso e fermato i suoi giorni. Un tempo egli aveva adottato per suo motto la celebre strofa biblica: *povero son io ed in affanni fin dalla mia prima età; cresciuto poi fui umiliato e depresso*; e invece ricorda che i più alti onori gli furono concessi, che fu amato e lodato da milioni d'uomini; e l'oro colò fra le sue dita come l'acqua e la polvere nella clessidra del tempo. Anche adesso la sua giornata passa in quiete salutare, spesso in letizia: perché dunque, questa sera, la melanconia lo riveste coi raggi della luna? La luna, dicono nei paesi del nord, è il sole dei giovani: ecco perché adesso egli sente la fredda lontananza del pianeta, il cui viso lo sbeffeggia col sogghigno di un cattivo fantasma. Da questo mistero di lontananza, che d'altronde lo distaccava anche dalle cose più vicine, e lo isolava come uno a cui nessuno più possa accostarsi, arrivano tuttavia voci, suoni, vibrazioni, segni di vita intensa e commossa. Il gemito di passione di un violino sgorgava dalla radio di una villa accanto, e dal lido arrivavano, come stridi appassionati di gabbiani, le risate delle giovani coppie in amore. *Povero son io ed in affanni fin dalla mia prima età...*

Ecco che i desolati versetti della sua prima giovinezza gli affioravano alla memoria, con un rigurgito acre: sì, tutto si era sciolto fra le sue dita: il tempo, l'oro, la speranza, la fede: in mezzo alla ricchezza del suo giardino, della sua casa, della notte di meraviglie, egli si sentiva al punto di partenza della sua vita: povero fra i più poveri, umiliato e depresso dalla gioia e dall'indifferenza dei suoi simili.

Volle scuotersi: si alzò, alto e come marmoreo nel suo vestito della chiara estate; guardò dentro la sala che dava sulla veranda: la luce vi era spenta, ma s'intravedeva egualmente un lieve splendore di cristalli, di mattoni lucidi, di vasellame e di metalli: in una bottiglia di liquore verde, sul marmo di una mensola, una scintilla di smeraldo ammiccava come l'occhio di una civetta.

Bere! Tante volte, nelle sue solitudini notturne, egli era stato tentato da quell'occhio dolce e diabolico: resisteva, e ne era compensato dal limpido sonno che segue alle astinenze volontarie, e sopratutto dal fresco riso dell'alba che lo richiamava al lavoro e alla vita della nuova giornata.

Ma quella notte la tentazione era più forte del solito: ed egli fece un passo per rientrare nella sala; lo fermò un lieve scricchiolìo della ghiaia del vialetto sotto la veranda. Il vialetto finiva nel cancello che si apriva sull'arenile; e nel volgersi, egli vide il cancello aperto e un'ombra che vi si era introdotta e che con lentezza sicura e familiare si avanzava verso gli scalini della veranda.

Era una figura esile e piccola, vestita di turchino chiaro, coi pantaloni lunghi e larghi: i capelli di rame brillavano alla luna. Sulle prime egli la credette quella di una donna, in pigiama da spiaggia, come se ne vedevano in quei mattini ancora caldi di settembre: ma a misura ch'ella si avvicinava egli ne distingueva il viso brunito, gli occhi piccoli, fissi, e due baffetti neri che lasciando completamente scoperto il labbro superiore, davano l'impressione che fossero finti, agganciati per scherzo alle narici.

Furono questi baffetti che indispettirono il poeta: sapeva bene che erano di moda, come di moda, ai suoi tempi, erano i virili baffoni di alcuni suoi compagni d'arte: ma appunto il paragone lo irritò maggiormente. Pur nel sentire che lo sconosciuto importuno era innocuo come un sonnambulo, si abbandonò a immaginarselo pericoloso, anzi spinto da intenzioni criminose: quindi gli si rivolse ostile, chiedendogli con voce grossa:

– Chi è lei? Che cosa vuole?

Il fantasma era arrivato fin sotto la veranda, e si apprestava a salirne gli scalini: la voce del poeta lo fermò, fra spaventato e stupito: poi il suo ginocchio destro si piegò; tutta la sua persona parve volesse genuflettersi davanti alla grande figura bianca illuminata in pieno dalla luna, come davanti alla statua di un santo sull'altare: la voce sempre più sdegnata del santo fermò anche il rispettoso ginocchio.

– Le proibisco di inoltrarsi. Che cosa vuole?

– Scusi, per cortesia...

– Che cosa vuole? – ripeté tonante l'idolo disturbato, mentre la testa riccioluta di una donna si affacciava a una finestra della villa.

Lo sciagurato visitatore ebbe forse paura: forse vide tutta la servitù minacciosa del poeta che gli si precipitava addosso per cacciarlo via a suon di pugni: ma si sollevò subito, ripescando dal profondo dell'anima mortalmente offesa tutto il suo coraggio. Gridò anche lui, e la sua voce risonò davvero come quella di un sonnambulo crudelmente risvegliato: il suo viso fu tutto un sogghigno.

– Maestro, sì, sono un ladro, sì, sono un malfattore. Qualche cosa volevo rubarle, sì. Passavo, come tante altre volte, davanti al suo cancello: il cancello era aperto...

Già in fondo placato, l'altro ribollì ancora di sdegno, sia nel sentirsi chiamare ironicamente "Maestro", sia nel raccogliere dalle ultime parole del giovine una piccola bugia.

– Il cancello era fermato con la maniglia, – disse, spingendo il braccio col pugno chiuso, – e fosse stato anche aperto, lei doveva suonare, prima di entrarci.

– Signore, lei mi offende...

– Tanto meglio: le sarà di lezione. E adesso mi faccia il favore di andarsene.

Ma l'intruso non la intendeva così: un furore ben più scottante e profondo di quello del poeta lo sollevava tutto: quasi per una forza di difesa contro un nemico mortale, balzò sulla scalinata, fu quasi petto a petto con l'idolo, parve volesse attaccarlo e infrangerlo; ma alle voci era precipitata giù la cameriera, e fu la vista della elegante fanciulla nero-bianca trinata che ricompose immediatamente il maleducato visitatore. Senza affrettarsi, egli ridiscese retrocedendo gli scalini, fece un segno di saluto, e andò via: la cameriera lo raggiunse, e mentre ella apriva e poi chiudeva a chiave il cancello, il padrone si accorse che il giovine, nell'uscire, le diceva qualche cosa.

– Sa che cosa mi ha detto? – ella esclamò, sollevando con un bel gesto teatrale il lembo diafano del grembialino. – Che voleva solo farle omaggio, e che un giorno anche lui sarà un grande uomo.

– Tanto meglio per lui – brontolò il padrone; e sarebbe ricaduto in una più profonda melanconia senza il pensiero che forse la lezione di quella notte avrebbe giovato alla futura grandezza del giovane sognatore.

UNA CREATURA PIANGE

Da molto tempo non andavo in chiesa: e quella volta vi andai per una ragione apparentemente pratica. Mio figlio prendeva parte ad un concorso importantissimo, dall'esito del quale dipendeva il suo avvenire economico e sociale. Più che sicuro di sé, rifiutava sdegnosamente ogni raccomandazione: ma una piccola, diretta raccomandazione alla Madre di Dio non costa neppure la spesa del francobollo, non corre pericolo di gentili rifiuti o di vane promesse.

Vado dunque in chiesa. Scelgo una chiesetta che un tempo frequentavo, in un sobborgo della città: è vecchia, povera, ma con avanzi di mosaici e di vetri istoriati: dai finestroni aperti si vedono due pini, avanzi anch'essi di un antico parco; si sente l'ultimo garrire delle rondini; e le cantilene dei bambini che giocano e danzano nelle strade accompagnano il mormorio delle preghiere. La sera è calda, rossa, odorosa di polvere, ma sa anche di un lontano profumo campestre: sembrerebbe anzi di essere in un villaggio, per la genterella che affolla la chiesetta, se subito dietro i pini non si intravedessero le facciate di quelle bianche costruzioni popolari, a molti piani, con le finestre e le terrazze festonate di stracci, che solo a guardarle stringono il cuore ai vecchi poeti e alle ricche donne sentimentali.

Dentro la chiesetta, però, nella rosea penombra dei ceri e del tramonto, si stava bene. Si ha un bel dire: ma la casa di Dio è sempre la miglior casa dell'anima nostra ancora bambina: ci si rifugia e ci si riposa, sicuri della protezione di un padre al quale nulla sfugge dei nostri più intimi desiderî.

Di queste cose parlava, sporgendosi dal piccolo balcone merlettato dell'antico pulpito, il giovane frate bruno e calvo, quando nel silenzio intenso che accompagnava il suo sermone vibrò, prima lieve e sottile, un lamento che pareva quello di un bambino malato o abbandonato. Veniva da una delle case più vicine, usciva libero da una finestra aperta e pioveva giù dal finestrone a sinistra della chiesa: pioveva, sì, con una forza naturale, come un filo d'acqua, un raggio melanconico di luna.

Credetti di essere io sola a sentirlo, ma subito, accanto a me, nella folla delle donne, tutte con la testa coperta di poveri fazzoletti, ne distinsi una, ancora giovane, con un velo di merletto nero messo alla spagnola sui capelli chiari, che porgeva un'attenzione quasi angosciosa al lamento infantile, mentre questo si faceva sempre più alto, supplichevole e insistente.

Tutte incantate ad ascoltare la bella voce profonda e grave del predicatore, le altre donne non sentivano altro: fu piuttosto un sospiro della signora dal velo nero che fece volgere la testa ad una vecchia accanto a noi, e spalancare come al segno di un pericolo i suoi occhi verdicci stralunati. Nell'accorgersi che noi si fissava il vuoto del finestrone, anche lei sollevò il viso, allargandosi sulle orecchie il fazzoletto: e si raggrinzì tutta, di pietà e di sdegno, mentre la creatura che emetteva il lamento, quasi accorgendosi della nuova attenzione, lo raddoppiava, facendolo scoppiare in un pianto sconsolato, sibilante di richiami urgenti e disperati. Parevano gridi di un infelice, tormentato sveglio dai ferri di un chirurgo: e la vecchia disse a voce alta: – Ma è un bambino! Povera creatura, che le fanno?

D'un colpo tutte le donne intorno volsero la testa verso il finestrone: visi arcigni di zitellone disturbate nell'estasi, visi di vecchie buone nonne, e di madri sofferenti e amorose, occhi pieni di ansia, di curiosità, di pietà, di ostilità, tutti furono rivolti verso il punto dal quale l'innocente domandava soccorso. Soccorso, soccorso! Come uno che, abbandonato, rinnegato dalle persone sue più care, anzi da esse condannato a una fine crudelissima, si rivolge, per aiuto, alla comunità degli uomini.

Allora la donna dal velo nero gemé; le rispose il gemito di altre donne; ma il suo era diverso dal loro, e ben lo capì la vecchia dagli occhi verdi. Lucciole nel buio parevano, questi occhi, quando ella domandò:

– Ne sa niente, lei, di questo pianto?

La presunta spagnola non risponde; anzi si alza sdegnosa, fa un profondo inchino verso l'altare; con la mano bianca e fina si sfiora il viso e il petto con un grande segno di croce, e fa per andarsene. Una curiosità morbosa si era diffusa però intorno a lei e le donne la guardavano come una indemoniata; la vecchia, poi, che aveva intorno alle iridi verdi la larga sclerotica bianca delle persone destinate alla pazzia, fece il gesto di afferrarla per le vesti: si rattenne, ma appena l'altra si avviò, anche lei balzò in piedi e la seguì cautamente.

Lì per lì le altre donne non osarono muoversi; anzi la maggior parte, già ricomposte, rispondevano con un dolce belare di caprette commosse alle preghiere che il frate, tornato davanti all'altare, intonava con la sua voce potente di basso. Voce che disperdeva intorno e via per lo spazio, non solo il pianto della creatura travagliata, ma tutte le miserie e tutti i dolori del mondo, e tutti li rimetteva a Chi li manda e li rivuole, a Chi affligge l'uomo per poi consolarlo.

Non tutti i cuori potevano capire quest'armonia divina, e forse neppure il mio era in quel momento capace di intenderla, poiché la mia curiosità umana si rivolgeva piuttosto alle donne inquiete che, appena uscite di chiesa le due principali protagoniste di questo dramma, se la svignavano anch'esse, furtive, con gli occhi bassi, ipocritamente sospirose.

Ed ecco che sono pur io nel loro numero; con la punta delle dita sfioro l'acqua benedetta, e nell'antica pila di marmo ingiallito dal tempo mi sembra di vedere il favoloso vaso nel cui fondo verdeggia l'immortale chimera della speranza. A dire il vero la speranza che il dramma del bambino martoriato andasse a finir bene mi galleggiava fin da principio in fondo al cuore: tuttavia seguii fuori le donne, che si dirigevano tutte verso la casa a sinistra della chiesetta, come fosse la loro legittima abitazione: tutte però si fermarono davanti al portoncino spalancato, mentre la vera padrona della casa, la signora dal velo nero, saliva lentamente le scale, lasciandosi pedinare dalla sua inquisitrice.

Il pianto misterioso, che usciva appunto da una finestra del primo piano, si affievoliva e si placava come il lamento di un bambino che si addormenta. Poi tacque. Allora la donna che si era tolta dai capelli d'oro e d'argento il velo nero si affacciò alla finestra: e la risata che scoppiò giù tra la piccola folla dei curiosi parve quella dei ragazzi al teatro delle vicende comiche: poiché la signora teneva fra le braccia il suo bel cagnolino Toti che, dopo aver così a lungo e desolatamente pianto per l'abbandono di lei, adesso guaiva di gioia e le leccava con riconoscenza appassionata le mani.

IL VESTITO NUOVO

Per undici mesi e mezzo dell'anno la signora Lea risparmiava fino al centesimo, facendo anche qualche piccolo imbroglio sulle spese domestiche, per lasciarsi a sua volta rapinare, una volta tanto, dal sarto e dalla modista. Sarto di grande stile, modista elegantissima, celebre per le sue creazioni, che, secondo la sua espressione, *donavano* alle sue clienti. Uno solo era il vestito, uno il cappello; ma di quelli che veramente avrebbero donato leggiadria e giovinezza a qualsiasi donna, non alla povera signora Lea, già grigia e curva, sebbene non brutta, anzi con un colore di rosa appassita sul viso fine e dolce, e un pallore di gemme sbiadite per mancanza d'uso, negli occhi azzurri e nei denti fra le labbra stanche.

Per il viaggio, poiché, si capisce, si trattava di un viaggio, ella intanto indossò il vestito dell'anno scorso, anche per non far vedere il nuovo al marito, che con premura paziente e affettuosa l'accompagnò alla placida stazione delle ferrovie vicinali.

– Non hai dimenticato nulla, Lea?

– Nulla, nulla, caro.

Nulla aveva dimenticato, di quello che voleva portare con sé: e d'altronde il treno partiva subito, premuroso e nello stesso tempo tranquillo: treno fatto apposta per viaggiatori come la signora Lea, gente cioè equilibrata e calma, con figli grandi già ben sistemati, con la coscienza pura: gente la cui giornata è trascorsa sempre un po' grigia, con uno di quei cieli velati che fanno sperare e mai dànno il sole, ma il cui tramonto si presenta mite, con la promessa di un crepuscolo e di una notte infinitamente sereni.

Eppure, appena il piccolo treno s'è arrampicato sulla prima altura, e il vento d'occidente ha chiuso le sue ali fastidiose, la signora Lea che lo sa, che lo aspetta, sebbene trepidante come i fedeli che attendono il rinnovarsi di un miracolo, rivede il sole nel suo più indicibile splendore. È il sole al tramonto, già lievemente roseo, ma ancora con tutti i suoi raggi; e l'anfiteatro immenso delle valli, e le corone dei monti se ne illuminano con una gioia d'aurora. Il treno adesso sfiora appunto la costa di un poggio, soverchiato da altri ed altri poggi ancora, e la donna, che s'è alzata quasi senza accorgersene e drizzata sulle spalle, rivede dal finestrino, sotto i suoi occhi iridescenti, la fantasmagorìa dei versanti coltivati, con radure che sembrano tappeti orientali, e orti sanguinanti di pomidoro, e vigne e distese di grano dorato: ma sopra tutto la incanta la cresta delle chine verdognole ancora sparse di reliquie vulcaniche che l'orafo del tempo ha lavorato come filigrane d'argento.

Fantasmagorìe, sì; poiché alla svolta della strada tutto sparisce: sparisce il sole, l'orizzonte si fa quasi scuro, la valle si ritira e sprofonda dietro le siepi d'acacia della scarpata, e, d'improvviso, a sinistra, sopra la linea ferroviaria, si solleva un paesaggio più che infernale: uno di quei paesaggi che si vedono riprodotti in qualche giornale illustrato popolare, in mezzo all'articolo di un geologo da strapazzo, col titolo, per esempio: «Paesaggio del pianeta Sirio».

Nei panorami lunari e in quelli di Marte, c'è almeno la speranza di un colore equoreo, di una trasparenza di luce: qui tutto invece è morto, opaco e arido. Monti di sassi ferrigni chiudono il breve orizzonte, e da essi precipitano, come getti vulcanici, cascate di pietre scure, che giunte al basso si accumulano, formando colline, promontori, baluardi, e altissime dune in cima alle quali, in un'atmosfera fumosa, uomini neri si agitano come demoni.

Un tetro edifizio sorge in mezzo a questa bolgia: una specie di torre del tormento, un luogo misterioso di supplizio; una scala di ferro, mobile, sale e scende sui fianchi della torre, con un rumore di torrente; e un torrente vi precipita, infatti, accompagnato da nuvole di un fumo denso che altro non è che polvere di pietre stritolate: e pietre stritolate sono le onde del torrente, e tutto è pietra, intorno; anche gli uomini intenti a quest'opera diabolica, e i bovi, i carri, le macchine, tutto sembra balzato dalle viscere del monte, e che sia la forza di espulsione del monte, e non la volontà industre dell'uomo, a creare quel caos che però, a misura che il piccolo treno vi procede sotto scivolando quasi timido, si placa, si ricompone, si armonizza, quasi, prendendo, sul margine alto della strada, forme di piramidi compatte, alle quali il sole, d'un tratto ricomparso sull'orizzonte, dà luccicori di brage.

Sono i cumuli delle selci destinate alle grandi strade del traffico umano.

Col sole erano riapparsi i boschi di castagni, le valli, i monti che nelle linee degli altipiani turchini davano l'illusione del mare. La donna però guardava sempre a sinistra, come affascinata dal tragico incanto delle piramidi e dei bastioni di selci: finché ai suoi occhi velati, eppure splendenti di una gioia lagrimosa, non apparve una casetta rossa, triangolare, con tre alberelli davanti. Aveva anch'essa qualche cosa di cabalistico, la casetta a punta, con i tre alberi a punta, incisa sul grigio della roccia, sulla quale anzi, tranne la facciata, pareva si sprofondasse.

E alla volta di essa, appena scesa nell'attigua stazione, dove uno sgangherato autobus aspetta invano qualche viaggiatore, la signora si avvia, coi suoi due lievissimi fardelli, seguendo un sentiero in salita, a volte formato di scalini di pietra, a volte pianeggiante sul dorso erboso della china. Anima viva non la precede né la segue: solo l'accompagna la sua lunga ombra che sembra un uccello fantastico, con le ali grottesche dei due allegri fardelli. E di un uccello che ha perduto l'uso e la potenza del volo, ma ancora ne ricorda l'ansito e la voluttà, la signora Lea sente la leggerezza, o almeno la nostalgia: e il profumo delle acacie, i gridi dei fringuelli che salgono dalla valle, quello stesso odore di pietra che emana da ogni cosa, le pare esalino dal suo cuore, col suo respiro ansante di beatitudine.

Poiché ogni sasso, ogni ciuffo di erba, ogni ruga del luogo, e il luogo stesso, tutto è di nuovo suo, come trenta, come cinquanta anni prima. La casetta rossa è di nuovo sua; là è nata, là è morto suo padre, che è stato il primo a scavare le pietre dal monte; là vive ancora la sua vecchia mamma, per la quale ella è sempre la fanciulla di quindici anni che dall'orlo del muricciuolo fissa, al tramonto, i mucchi di selci e sogna di scendere con essi, dalla cima solitaria dei monti, alle grandi strade battute dal ritmo delle passioni umane.

Oltre il muricciuolo, prima di arrivare alla casetta, in una svolta ripida, ella un tempo aveva un punto di osservazione, sicuro e riparato anche nei giorni d'inverno. Era una buca, un tentativo di scavo non riuscito, a poco a poco trasformatosi in una specie di grotta: una frangia meravigliosa di ginestre fiorite ne inghirlandava l'apertura, e il sole ne verniciava l'interno col suo ultimo chiarore. Ella si fermò là: depose il suo bagaglio su una sporgenza di roccia, si volse a guardare. Laggiù, sotto la linea della strada ferrata, è il piccolo paese già tutto nero nella sua conca, con la chiesa arcigna, la piazza dove stazionano come cariatidi i vecchi che pare non debbano morire mai, la fontana che sembra un grande calamaio traboccante inchiostro sbiadito: un brivido di tristezza ancora le raffredda il sangue al pensiero di dover passare una sola giornata in quel luogo di lenta agonia; e per riconfortarsi solleva gli occhi e guarda di nuovo il sole. Il suo disco di rubino è sospeso sul calice di cristallo viola della cima del monte: un attimo, e tutto si scioglie in una fiamma che a sua volta lentamente si spegne.

Ma la luce era rimasta dentro di lei: e le traspariva dagli occhi, dai capelli, dai denti, dalle labbra ancora pure. Con incoscienza, anzi con un po' di follìa adolescente, ella aprì la valigietta e ne trasse il vestito, scuotendolo contro l'orizzonte, del quale aveva un po' il colore rosso già smorto, come una vecchia bandiera di giovinezza. E lì, nella nicchia che già conosceva altre sue trasformazioni, si tolse il vestito logoro di un anno di vita affaticata, e indossò il nuovo. – Per la mamma, – brontolava, – perché la mamma mi veda sempre giovane e viva.

Sentiva bene, però, che si trasformava così per lei stessa, come ad ogni nuova stagione anche i vecchi uccelli si rivestono di nuove piume, per riprender forza al volo della vita.

IL MOSCONE

Un appezzamento di terreno coltivato, del valore di ottocentomila lire, non è da disprezzarsi: e non lo disprezzava il suo proprietario, il vecchio signor Massimo, che anzi gli dava un prezzo ancora più inestimabile: poiché vi fermava le basi della sua vita giornaliera, ed anche la sicurezza economica per l'avvenire: sebbene quest'avvenire non si prospettasse straordinariamente spazioso, contando il signor Massimo i suoi bravi ottantacinque anni; vegeti, però, e sani e, diremo, anche freschi come gli alberi, le agavi, i rosai del suo giardino. Ed era appunto questo giardino che costituiva il suo prezioso patrimonio: ottocento metri quadrati di terreno, considerato fabbricabile, nel centro della città; a lire mille il metro quadrato.

La città gli batteva intorno sulle alte cancellate rivestite di reti metalliche e foderate di edera: gli batteva intorno, giorno e notte, come un mare in continua risacca: e al signor Massimo pareva, a volte, di essere davvero sul ponte di una nave, che andava lieve e sicura verso un porto ancora lontano. Seduto sulla panchina verde, al margine del praticello inglese, sulla cui erbetta vellutata ondulava il riflesso azzurro del cielo di giugno, aveva anche l'illusione di vedere un po' d'acqua marina; e si cullava in questo sogno, sebbene l'atmosfera fosse alquanto inquinata dal caratteristico odore fumoso delle metropoli; puzza di asfalto, di carbone, di benzina, di macchine e veicoli in rotazione: che del resto poteva essere appunto l'odore della grande nave in rotta.

Quella mattina, però, soffiava una brezza fresca, che veniva dal nord, e spazzava l'aria, lasciando che i tigli in fiore, intorno al praticello, esalassero tutto il loro magico profumo.

Nulla quindi mancava, al gaudio innocente del vecchio: neppure la speranza che la signora Annetta, la sua fedele governante, andata di persona al mercato, portasse a casa una bella aragosta piena, – poiché si era appunto al plenilunio, – e la cucinasse come lei sola sapeva fare.

Ed ecco infatti la signora Annetta ritorna: egli ne sente la voce maschia, e si volge a guardare verso la casa che s'intravede fra gli alberi come nel fitto di un bosco: poiché gli alberi sono grandi e la casa è piccola, tale quale era quarant'anni prima, col tetto spiovente, i comignoli dei molti camini, la loggia di ferro panciuta e dorata; la cucina e le stanze terrene al piano del marciapiede intorno, comodissime per chi è vecchio e non ama salire neppure un gradino di scala: quasi una casetta di campagna, insomma, color caffelatte; che pare si nasconda tra le fronde, vergognosa e paurosa delle grandi costruzioni che la circondano.

– Ecco l'aragosta: venti lire al chilo, se le piace.

È sempre la voce della signora Annetta, chiara e potente, anzi prepotente in modo insolito. Anche il viso di lei, placido e grasso come quello di un canonico, è increspato di sdegno: si direbbe ch'ella sia irritata per il prezzo dell'aragosta; ma il padrone, sapendo ch'ella, pur di contentarlo, non lesina sulla spesa, la guarda inquieto, prevedendo qualche cosa di peggio. Il brivido di una oscura minaccia turba la dolce quiete intorno alla panchina, sulla quale si è assisa, con tutto il peso solido dei suoi novanta chili, la brava signora Annetta. Ella tiene in mano, come un granchio enorme, l'aragosta grigia che ha ancora qualche guizzo di vita, e la fissa con gli occhi bovini, inquieta pur lei e quasi ansante. Il padrone non fiata; anzi fa il finto tonto, sapendo per esperienza che questo è un ottimo sistema per scongiurare pericoli e minacce.

Non è la prima né la seconda né la trentesima volta che la signora Annetta minaccia di andarsene: egli sa che è un proposito senza fondamento, eppure ogni volta gli desta un occulto terrore; non perché, dati lo stipendio e la cresta abbondante di cui la donna usufruisce, non sia facile sostituirla con un'altra, magari più svelta e piacevole di lei, ma perché ella rappresenta, per il signor Massimo, tutta un'era di abitudini quotidiane, di piccole gioie, magari anche di tribolazioni, poiché non c'è strada d'uomo priva di sassi e di spine; insomma un'epoca di vita che, andata via lei, si chiuderà melanconicamente e per sempre. Per adesso ella siede ancora accanto a lui, sulla panchina refrigerante, si piega sul grosso corpo caldo in subbuglio e respira forte; ma la minaccia è sulle sue labbra, viene, scoppia calma, sì, ma inesorabile e definitiva:

– Questa volta, caro il mio signor Massimo, è proprio vero che ce ne andiamo.

Egli perde la sua forzata prudenza: ed è lo strano, insolito modo di parlare di lei che più lo turba: batte il suo bastoncino di canna d'India sul piede della panchina, come si tratti di castigare un animale, e vuole, a sua volta, dimostrarsi sicuro, padrone di sé, anche lui prepotente.

– E buon viaggio – disse quasi gridando.

Ella lo guardò con una certa dignitosa compassione.

– A chi lo dice, buon viaggio?

– Ma a lei, pregiatissima signora Annetta. Tutti gli anni, di questi tempi, le vengono le smanie. Fin da quando è giunta dal suo bel paese natio, nel tempo dei tempi, arrivato il caldo, diceva che la sua famiglia la richiamava a casa, che suo padre la aspettava per aiutarlo nei lavori campestri. Balle. Tutte le ragazze di servizio, giunta la dolce stagione, tirano fuori questa scusa per tornare all'aperto e darsi un po' di sfogo. E si capisce: in campagna è un'altra cosa; c'è libertà sfrenata, ci sono i maschiacci, pronti a tutti i pizzicotti, e le notti fatte apposta per gli intrugli d'amore. Quando poi sono soddisfatte, queste signorine tornano dai padroni imbecilli. E anche lei, signora Annetta, tutti gli anni ripete la stessa storia. E che vada pure; ma la vorrei vedere a mietere, ad arrampicarsi sui gelsi per cogliere la foglia, ad attingere acqua dal pozzo, a... a...

Uno scoppio di riso satiresco gli sconvolse il viso congestionato: e avrebbe riso anche la signora Annetta se lo sdegno, ed anche la meraviglia per il coraggio impudente del padrone, non le avessero destato piuttosto un immediato desiderio di vendetta. Disse, a denti stretti:

– Parla di me? Ma lei si sente male, stamattina; e più male si sentirà quando le avrò detto che è proprio lei che deve andarsene, di qui, e in conseguenza deve sloggiare anche la povera Annetta.

– Ma dove vuole che andiamo? Al manicomio?

Allora la donna non parlò più: con lentezza crudele, dopo aver deposto per terra l'aragosta, si frugò nelle tasche profonde e ne trasse un ritaglio di giornale: lo spiegò, lo decifrò, come cosa che riguardasse lei sola, infine lo mise sotto gli occhi del vecchio. Ed egli vide un disegno topografico, con strade, muri, piazze, edifizi, segni cabalistici: aveva le branche come l'aragosta; e sotto c'era scritto:

«Nuovo piano regolatore».

Allora capì; e gli parve che la rete del disegno gli si riproducesse sugli occhi, velandoli di nero: sì, altre volte anche quella minaccia lo aveva atterrito, ma vaga e superficiale come quella della sua governante: adesso era lì, palpabile, paurosa, e gli tagliava il cuore con la spada delle due grandi strade che segnavano una croce attraverso la sua casa e il suo giardino. Quando si riprese dal suo stordimento si accorse che la donna era rientrata in casa: ne sentiva di nuovo la voce che brontolava come un tuono lontano contro la giovane serva sorniona, anche questa sempre sulle mosse di partire: e adesso capiva il perché del malumore della signora Annetta, e si pentiva di averla maltrattata; ma in fondo le serbava rancore per la cattiva notizia, quasi fosse dipesa da lei. Cattiva notizia? Ma no, ché un grosso moscone di metallo verdazzurro piomba a picco da un tiglio, come un minuscolo uccello ronzante, e gli volteggia attorno, gli sfiora la testa, gli ricama rasente alle orecchie una musica insistente, con vibrazioni quasi di chitarra: una musica che gli ricorda qualche cosa di remoto, nel tempo, e nello spazio, come di una vita anteriore, dolce e meravigliosa. Sì, è il moscone che porta le buone notizie, ai bambini, come anche lui lo è stato, ai cuori che aspettano, alle donne innamorate, ai vecchi, come lui, che sono pur essi ancora innamorati della vita e pur essi aspettano…

Ripreso da questo alito di speranza rilesse meglio il giornale: e infatti l'inizio dei lavori del piano regolatore era di là da venire: c'era tempo da sloggiare con calma, forse anche con gioia, e tornarsene, come le giovani serve di passaggio, al bel paese natio, dove il grande Padre ci aspetta.

CACCIA ALL'UOMO

Da otto giorni Bernardo il Nero, nero, in verità, di pelle, di capelli, di peli fitti fin sulle mani grosse e nodose, si aggirava nei boschi di castagni e di quercie della sua regione, come un orso fuggito dalla gabbia. E a volte avrebbe ringhiato come un vero orso, di ira e di ferocia, se la sua missione non lo avesse costretto ad esplorare nel più perfetto silenzio le macchie e gli anfratti del luogo precipitoso. Cercava un nemico. Nemico in questo senso che egli, Bernardo, custode carcerario, padre di famiglia, integerrimo nelle sue funzioni di guardiano d'uomini, era stato sospeso per tre mesi dall'impiego, accusato di aver favorito, o almeno permesso, la fuga dal penitenziario, e precisamente dall'infermeria dove giaceva malato o finto malato, di un giovane pericolosissimo delinquente suo conterraneo.

Le ricerche delle autorità rimaste senza risultato, adesso egli le continuava per conto suo, e non tanto per riabilitarsi e riavere subito il posto, quanto per odio e desiderio di vendetta contro lo sciagurato per il quale aveva in realtà dimostrato qualche segno di benevolenza. Mai proposito d'uomo era stato più fermo del suo: di trovare cioè quello che oramai egli considerava come un nemico personale, e ricondurlo vivo o morto nel carcere.

Vivo o morto: questo era il singulto esasperato del suo cuore, che rispondeva a quello del cuculo nascosto nel bosco. Armato di fucile e di rivoltella, di pugnale, di bastone, e di un nerbo di bue più temibile delle palle stesse, egli percorreva in lungo e in largo tutte le vene dei sentieri che serpeggiavano nei luoghi scoscesi e ombrosi. Belli, d'altronde, erano questi luoghi, allietati dalla primavera inoltrata: gli usignuoli vi cantavano come in tenzone, l'uno più melodioso dell'altro, con un accompagnamento corale di acque correnti; e lungo le fratte le aspre robinie e le miti ginestre, intrecciate in un eguale desiderio d'amore, mescolavano il bianco lunare e il chiarore di sole dei loro fiori.

Di tutto questo nulla importava a Bernardo: avrebbe anzi preferito un tempo invernale, con la neve che conserva le impronte delle bestie randagie; e l'ombra che, se nasconde il nemico, nasconde anche l'inseguitore: e nell'ombra egli cercava di camminare, rasentando i tronchi scavati da nicchie scure dentro ognuna delle quali pareva si celasse lo spirito di un eremita, o anche il suo corpo santo, poiché ne veniva fuori un misterioso profumo di solitudine e di purezza: ad ogni rumore che avesse un'eco di passaggio umano egli si buttava a terra, dietro i cespugli, e i suoi occhi luccicavano come quelli dei cani in agguato. Poi riprendeva disilluso a camminare, pronunziando entro di sé parole di scongiuro e di maledizione. Gli rispondevano, sbeffeggiandolo, i fischi delle gazze, sopra le capanne deserte dei cacciatori, intorno alle quali cresceva alta l'erba che egli scrutava quasi filo per filo.

Nessuno. Eppure egli non disperava ancora; anzi pareva si attardasse nelle sue vane ricerche per scrupolo verso sé stesso, o forse anche per gustare poi meglio la vittoria finale. Poiché sentiva bene, e lo sapeva inoltre per indizî altrui, che il punto buono per la sua caccia era più in alto, più lontano. Ed ecco che egli arriva finalmente al minuscolo pianoro che forma come la chierica del cocuzzolo del monte: intorno le quercie si slanciano con più gioia verso il cielo tutto loro, e, sotto, i ciclamini e le genziane sembrano fiori di gemma. In mezzo allo spiazzo, una chiesetta col tetto spiovente, tutta in legno verniciato di scuro, spande anch'essa un odore di resina, come una cosa vegetale spuntata per miracolo della natura sulla sommità del monte. E intorno tutto ha, del resto, un senso di miracolo o almeno d'incantesimo. Il sole trasfonde una luce quasi mistica nell'atmosfera senza alito: e sotto quell'esaltazione di silenzio le cose pare s'ingrandiscano e mettano le ali. Ogni filo d'erba, ogni insetto riflette i colori dell'iride; ogni foglia ha una pupilla vivissima che risponde a quella del sole come all'occhio stesso di Dio.

E Bernardo, senza volerlo, senza saperlo, rientrò in quel cerchio magico, preso da uno stordimento piacevole come quando beveva un bicchiere di vino forte. Era più che mai fermo nel proposito di catturare la bestia fuggita, ma senza massacrarla col suo nerbo inesorabile: e anzi prometteva di dire un paternostro al piccolo Cristo della chiesetta, se la sua pena riusciva ad aver fine.

Ma un po' di sconforto lo provò ancora nell'accorgersi che la porta dell'oratorio era socchiusa: ne veniva fuori un mormorio di preghiere e quell'odore d'incenso che imitava il profumo della resina. Egli capì che vi si celebrava la messa: scivolò quindi lungo il muro, fino alla piccola finestra della sagrestia. Era un po' alta, la finestruola munita di una inferriata in croce; facile però fu all'uomo arrampicarvisi, come già molte volte lo aveva fatto da ragazzo, quando, pur sapendo che nella sagrestia non c'erano che un armadio e due panche, vi guardava dentro cercandovi misteri più profondi di quelli dei boschi intorno.

E ancora gli pare di esserlo, ragazzo agile e selvatico, figlio di cacciatori avventurosi dalla movimentata fantasia, e di trovare finalmente un mistero, grande e terribile nella sua trasparente rivelazione, nella piccola sagrestia dalla quale esce l'odore delle nicchie dei tronchi mescolato a quello dell'incenso che penetra dall'uscio aperto comunicante con l'oratorio. Attraverso quest'uscio si vedeva di scorcio l'altare, con due stelle di candele e, deposto ai piedi del Cristo nero e sanguinante, un piatto di fiori di genziana che pareva colmo di uva violetta. E vi si intravedevano anche due fraticelli, uno che celebrava, l'altro che assisteva la messa: calvi tutti e due, ma ancora uno biondo e l'altro bruno, simili a San Francesco e Sant'Antonio eremita.

Ma non era questo il mistero che colpiva Bernardo, e che egli già conosceva da lungo tempo: quello che non conosceva era lì, sotto i suoi occhi, dove l'ira si spegneva per dar posto a uno stupore infantile: poiché l'uomo che egli cercava, vivo o morto, gli si offriva docile e vinto, disteso sulle due panche riunite della sagrestia, come ucciso dal solo desiderio di lui. Scappando dall'infermeria, il prigioniero aveva avuto modo di penetrare nei magazzini del penitenziario, dove si conservano le vesti dei condannati, e si era camuffato con un pantalone e una giacca troppo larghi per lui: adesso il suo corpo stecchito vi si disegnava dentro come uno scheletro rivestito un po' buffonescamente da qualche spirito mattacchione. E anche le scarpe, logore e fangose, ben vicine l'una all'altra, parevano messe apposta sotto l'orlo dei pantaloni.

Il viso non si vedeva, poiché i fraticelli, come al solito saliti a celebrare la messa nella chiesetta, trovato l'uomo già morto nella sagrestia, lo avevano ricoperto con una tovaglietta d'altare. Sì, la stessa della quale si servivano per coprire il calice con l'offerta del sacrifizio. Solo le mani del morto rimanevano scoperte, incrociate sul petto: lunghe, pallide di prigione e di malattia, ma d'un pallore giallastro, con le unghie dure, le dita rigide scagliose come gli artigli degli uccelli di rapina.

E Bernardo guardava quelle mani con un senso quasi di fascino: ecco, erano quelle che avevano saputo infrangere anche le inferriate del penitenziario e per le quali egli portava in tasca le manette. Adesso il laccio che ne fermava i polsi in eterno era un rosario dei fraticelli, che pareva fatto di bacche di mirtillo.

E quando ebbe finito le sue contemplazioni, ed anche certe sue speciali considerazioni filosofiche, il buon Bernardo saltò giù e si scosse tutto, aggiustando le sue armi. Si sentiva vuotato, e gli pareva quindi di avere anche lui gli abiti d'un tratto slargati. Si accorse, infatti, che in tutto quel tempo di ricerche, di rabbia, di fatica, si era dimagrito: e aveva fame, come quando da ragazzo scappava anche lui di casa per salire lassù alla ricerca di cose introvabili.

Ma prima di rifocillarsi volle compiere tutto il suo dovere: si accertò anzi tutto se la morte del condannato non era simulata: poi recitò il paternostro di ringraziamento a Cristo salvatore degli uomini; e infine discusse coi fraticelli sul miglior modo di ricondurre il morto fino al punto donde il vivo era fuggito.

OCCHI CELESTI

Come spesso le piaceva fare, la signora andò a sedersi sul divano del salotto, nell'angolo dal quale meglio si vedeva la finestra sul giardino.

Era quasi sera; una sera di maggio, ancora fresca, ma con già lievi rossori estivi ad occidente. Nel vano della finestra aperta, attraverso la tenda di finissimo tulle, che dava al quadro di fuori come un'impressione di arazzo, si disegnava una palma, nera, sempre più nera nel rosso stemperato dello sfondo, con le foglie un po' pendule, come grandi ali stanche: dalla vigorosa colonna del tronco pendevano cespuglietti di erbe selvatiche, ed anche un tralcio di pervinca che piano piano chiudeva i suoi fiori come occhi di fanciullo che si addormenta. Questo istinto di sonno vinse anche la signora: ma era un senso di sonno fisico, di rilassamento, di abbandono alle forze crepuscolari che vincevano la natura. Aveva lavorato anche lei tutto il giorno, non per necessità assoluta, ma per un bisogno di moto, di sfogo della sua energia interiore, ancora viva e potente; e adesso il corpo non più giovane si risentiva della fatica inutile e si ripiegava su se stesso, tentando di trascinare nella sua stanchezza alquanto disperata lo spirito sempre vigile. Questo però si ribellava tutto, respingendo quel principio di fine, di annientamento notturno: di morte, insomma. Ma a misura che la luce mancava, ella sentiva l'ombra addensarsi anche dentro di lei; sebbene in fondo al cuore le rimanesse, come appunto nel centro delle cose intorno, una scintilla di fuoco, che era quasi il seme del rinnovarsi della luce di domani.

Fu suonato con una certa violenza il campanello della porta di strada. Ella si sollevò, fra sdegnata e ansiosa. Non aspettava nessuno, e neppure desiderava visite, a quell'ora: e il portalettere o il fattorino degli espressi o del telegrafo non potevano recarle buone o cattive notizie, poiché ella non aveva parenti né amici e tanto meno nemici sparsi per il mondo. Eppure, perché questo senso di risveglio e di attesa, più che di curiosità, fra l'andare e il venire della cameriera alla porta e da questa all'uscio del salotto?

– Signora, c'è una bambina che deve consegnarle una lettera.

– Una bambina? A quest'ora?

– Non è sola. L'accompagna una signora piuttosto anziana che l'aspetta alla porta.

Un breve silenzio. La signora piega la testa, la solleva con sùbita calma.

– Fatele entrare.

Entrò solo la bambina: era piccola, esile, con le gambine scarne e i piedi grandi: grandi anche le mani, ch'ella tentava di nascondere entro le maniche di un paltoncino rosso troppo largo per lei. Un berrettino a maglia, dello stesso colore, ardeva come un fiore in mezzo al cespuglio dei suoi capelli crespi di un nero dorato. Del viso non si vedeva che l'uovo del mento, poiché ella si avanzava a testa bassa, quasi spinta benevolmente, anzi con incoraggiamento, dalla mite cameriera: e appena consegnata alla signora la piccola lettera che aveva tratto dalla manica del paltoncino parve volesse fuggire.

– Ma no, ma no; mettiti qui, carina; adesso la signora legge.

Era la cameriera che parlava; la fece sedere quasi per forza, sul divano, accanto alla padrona, e stette lì quasi per impedirle di scappare. La signora leggeva, fredda, diffidente: aveva già veduto, alla luce della prima lampada accesa dalla domestica, la busta umile: e su questa l'indirizzo scritto con quella caratteristica grafia popolaresca le cui lettere sembrano piuttosto segni e ghirigori.

– Accendete bene – ordinò alla cameriera, e la bambina sollevò d'istinto, riabbassandolo subito, il viso stupito, quando anche le lampade aderenti al soffitto sparsero una luce vivissima sulle cose belle che riempivano la stanza: ma più fulgido fu il baleno dei suoi grandi occhi celesti, che parve accrescere l'improvvisa luminosità del luogo.

La signora leggeva.

«Signora, si ricorda di Augusta la Sua cameriera di dieci anni fa, quando ancora viveva il Suo buon Consorte? Andata via da Loro, trovai, sebbene non più molto giovane, da accasarmi:

pur troppo però anche mio marito è morto, e anch'io forse sono sulla sua strada, perché domani devo entrare all'ospedale per subire una gravissima operazione. Perciò le mando i saluti con la mia unica bambina, e la prego di scusarmi se, in quel tempo, qualche volta ho mancato. La Sua devotissima serva Augusta».

Finito di leggere, anche la signora rimase col viso piegato sul foglio con un atteggiamento che rassomigliava a quello della bambina: e, invero, anche il suo era un senso di smarrimento profondo, come se ella si trovasse, spintavi a forza, in casa d'altri, in un mondo nuovo e sconosciuto, che al solo guardarlo di sfuggita destava meraviglia e timore insieme.

Ombre e luci, fantasmi e angeli, altezze e abissi la circondarono: le passarono davanti fantasmagorie di nuvole nere e fiammanti, come quelle che dopo un temporale estivo marciano sull'orizzonte, in lotta col sole.

Augusta. Sì, la ricordava. Bruna, formosa, con la bocca e gli occhi ardenti, i fianchi ondulanti come quelli della Sposa del Cantico dei Cantici: e anche come quelli delle tigri.

Ella si era persino ingelosita della sua serva possente e felina e del "buon consorte" che in gioventù era stato biondo e aveva gli occhi celesti come quelli della bambina seduta al suo fianco.

Ombre fuggenti; passato cancellato dal tempo e dalla morte. Sollevò il viso e guardò la piccola messaggera come la vedesse solo allora. Il rosso stonato del vestitino povero e pretenzioso le destò quasi una vampata di odio.

Domandò con voce dura:

– Come ti chiami?

– Rosa.

La voce esile tremò come uno stelo, con in cima il fiore di quel nome luminoso.

– La signora che aspetta di fuori è la tua mamma?

– Sì.

La cameriera, che attendeva ordini ferma nell'angolo del salotto, credette che la padrona mandasse a chiamare la sua antica collega.

Nulla. La signora disse:

– Adesso ti darò la risposta.

Si alzò, rigida pur nella persona pesante che sembrava intagliata, anche per il colore del vestito, in qualche legno duro: lenta e calma andò nella stanza attigua, della quale l'uscio era sempre aperto; lenta e calma rientrò nel salotto, con in mano una busta chiusa. La risposta alla donna, che forse implorava sul serio, tragica sulla sua porta come sulla soglia della morte, e che le offriva la vita della bambina come una eredità inestimabile, – o forse la ingannava ancora come dieci anni prima, – era un biglietto da cinquecento lire.

La bambina prese la busta e si alzò di scatto, sempre in atto di fuggire. La signora, adesso, fu lei a fermarla; anzi la colse quasi a volo come una farfalla.

E come una farfalla la sentì davvero vibrare fra le sue mani, tutta tremula, morbida, di una bellezza irreale eppur vivida e calda come l'essenza stessa della vita. Quel tremito, quella impressione di volo fermato, di gioia e terrore confusi in uno stesso mistero, le penetrarono fino al cuore, le sfiorarono il sangue. Un gesto, e la divina farfalla poteva fermarsi lì, e quella vita poteva rinnovare e illuminare la sua, con l'eterno miracolo dell'amore.

La bambina sentì questo soffio avvolgerla tutta in un'onda di luce: sgusciò dalle mani rallentate della signora, corse fuori ma tornò subito: portava una rosa rossa: gliela porse e le sorrise. Sembravano due fiori sullo stesso stelo, adesso, la rosa e la bambina: e gli occhi di lei scintillavano come la rugiada al primo sole.

Ma la signora già di nuovo si era ripresa e irrigidita. Disse alla cameriera, che seguiva sempre la bambina con una certa aria di complicità:

– Spegnete, e accompagnate la signorina.

E a questa, che si era anch'essa di nuovo tutta oscurata e chiusa, disse:

– Addio.

SCHERZI DI PRIMAVERA

Notte d'aprile, improvvisamente calda, dopo un lungo prepotente inverno che non si stancava di torturare la terra coi suoi furori. Adesso finalmente se n'era andato; e la terra dormiva tranquilla: ma era il sonno fecondo della primavera. Si sentiva l'alito tiepido dei suoi sogni di eterna fanciulla; nel silenzio si aprivano furtivi i fiori degli alberi, e quelli dei prati si sollevavano a spiare il mistero ancora non conosciuto delle stelle. L'orizzonte era fasciato da un vapore di luce, e pareva che il profumo e il tepore della notte esalassero di laggiù, da un fuoco invisibile, alimentato di legno odoroso. Era l'annunzio del sorgere della luna.

Anche il cane dell'ovile sonnecchiava, raccolto come un cercine di felpa biondiccia sulla soglia dello stabbio. E dormiva anche il servo, nella capanna, profittando dell'assenza del padrone che era tornato in paese per sposarsi. Era sicuro del cane, il servo, più che di sé stesso. Da quando la bestia, forte, giovane, agilissima, guardava l'ovile, nulla più di male vi era accaduto. E infatti, mentre il sonno del servo era opaco e profondo, quello del cane poteva dirsi trasparente, vigile e anche inquieto: pareva che la bestia sapesse di essere sola a vegliare il bestiame, e ne sentisse la responsabilità; ma nello stesso tempo il suo istinto non sfuggiva all'influsso della notte, della stagione; e di tanto in tanto un tremito gli faceva ondulare le vertebre, sotto il pelo che pareva agitato da un alito di vento. Allora guaiva, in sogno, per uno spasimo fisico che era pure una dolcezza indefinita, un desiderio inafferrabile, come quelli degli adolescenti.

E infatti anch'esso era un cane quasi cucciolo, che ancora non conosceva l'amore.

Le due volpi, invece, maschio e femmina, giù nell'anfratto dove avevano a loro disposizione tutto un labirinto di roccie coperte di cespugli, non potevano dormire. Avevano fame, stremenzite da quelle ultime giornate di pioggia e di carestia; e il vuoto dello stomaco raffinava la loro fantasia come il digiuno l'esaltazione dell'asceta solitario.

Il volpone sentiva però il cambiamento del tempo, e che era giunto il periodo della giustizia. Poiché se Dio lo aveva messo al mondo, regalandogli anzi con prodigalità quasi paterna tanti mezzi per farsi valere, bisognava pure che si aiutasse. Uscì dunque all'aperto, subito seguito dalla compagna: era piuttosto piccolo e quasi nero, con una coda più lunga e più grossa dello stesso corpo: gli occhi brillavano come le stelle. La volpe era più grande, bionda, morbida: lunghissima, sapeva tuttavia farsi piccola come una martora di nido.

Seguiva il compagno senza una volontà precisa, imitandolo nel modo di camminare, cioè mettendo le zampe posteriori sull'orma di quelle anteriori, in modo che l'impronta se la coda non riusciva a cancellarla del tutto, sembrava di una bestia con due sole zampe.

Scesero fino alla riva del fiumiciattolo, in fondo al pendio, e stettero in ascolto. L'acqua, ingrossata dalle ultime pioggie, sviava qua e là tra i giunchi del greto, con leggeri brontolii come di protesta: il luogo odorava di menta. Il maschio bevette, più che altro per tastare l'acqua; poi si volse e rinculando cominciò a sbattere la coda nella corrente, finché non l'ebbe tutta bagnata, come fanno le donne quando si lavano i lunghi capelli.

La volpe sapeva già quello che il compagno voleva fare; e quando esso si rimise in viaggio, su per il pendio e poi attraverso i prati del sovrastante altipiano, lo seguì avendo cura di spazzare il terreno con la sua coda asciutta. Del resto l'erba si beveva i loro salti, e la rugiada lavava l'erba. Tutto era ad essi favorevole. Arrivati al margine dei pascoli dove era attendato l'ovile, il maschio si fermò: si fermò anche la compagna e di nuovo stettero in ascolto. Non la più lieve incrinatura rompeva lo specchio del lucido silenzio notturno: anche le stelle erano ferme come pupille incantate; e solo parlavano, quasi comunicandosi scambievolmente un segreto, i diversi profumi della vegetazione: erba marzolina e festuca; paleino e ranuncolo selvatico: persino la volpe odorava di mentuccia.

E sapeva benissimo quello che doveva fare. Lasciando il compagno immobile in mezzo ad un rovo, si slanciò sola in avanti, con agilità prodigiosa. Sentiva un'ebbrezza di volo, un senso di libertà, di fanciullezza, quasi d'innocenza. Aveva voglia di correre e di giocare: null'altro. Anche la fame era sparita dalle sue viscere sobbalzanti di gioia. E poiché non aveva nessuna intenzione di rubare, ma solo di divertirsi e trovare per i suoi giochi un compagno meno famelico e criminale del suo tetro compagno, si avvicinò all'ovile con la disinvoltura di un amico di casa.

Il cane la sentì: e sentì quello che essa voleva. Quindi non abbaiò, ma si alzò d'impeto, le fu addosso, l'afferrò per il collo, senza morderla. Anch'essa volse rapida la testa e gli morsicò, un po' più forte di quanto esso facesse, la punta di un orecchio. Il cane rabbrividì tutto, come scottato: dalla schiena gli si irradiarono per tutto il corpo i razzi di questo brivido incandescente: si sciolsero in scintille di piacere. Sentì anch'esso un folle desiderio di giocare, di liberarsi dall'opaca schiavitù verso l'uomo, verso le bestie, verso il suo vuoto modo di vivere. Lasciò la volpe, ma la riprese subito, e si avvoltolarono sull'erba, si morsicarono a sangue, sempre in silenzio, con gioia crudele. Poi, d'improvviso, essa fuggì, parve dileguarsi nel crepuscolo dell'orizzonte. Ma il cane vide sull'erba come una scia di luce, e vi andò dietro, pazzo di piacere. La volpe lo aspettava dove appunto il prato aveva una linea d'argine sopra un vuoto azzurro che pareva un fiume, con la vela gialla della luna sorgente: gli si avventò contro, tentò di saltargli addosso: il cane si drizzò; si drizzò anch'essa, e parvero abbracciarsi: poi si atterrarono a vicenda, e ripresero ad avvoltolarsi sull'orlo del declivio, con un gioco tenero e feroce nello stesso tempo.

Il maschio, intanto, penetrò a suo agio nel recinto del bestiame; ma lasciò in pace le pecore che dormivano, ancora tutte gonfie della spuma calda del loro vello, e col muso cercò i porcellini di una scrofa tardiva accovacciata con essi in un angolo dello stabbio. La madre tentò di difenderli: ma il volpone le sbatté sugli occhi la polvere fangosa della quale si era già imbevuta la coda, e la bestia ricadde accecata. Allora il nemico prese i porcellini, affondò nelle loro gole le spine d'acciaio dei suoi denti, e uno dopo l'altro ne portò via cinque, trascinandoli al ciglio del prato, e poi giù giù fino al covo delle roccie.

E lì, senz'altro, cominciò il banchetto, finché giunse anelante la compagna che divorò un intero porcellino, sgusciandolo dalla pelle ancora tenera, come un frutto dalla buccia.

All'alba il servo si accorse del vuoto nello stabbio: ma nell'osservare che il cane non aveva abbaiato e che ancora adesso dormiva tranquillo come se tutta la notte non avesse fatto altro che compiere il proprio dovere, pensò, anche lui calmo e coscienzioso: – Povera bestia, la lingua ti hanno legato; stregato ti hanno, i ladri, con le parole magiche. Che colpa ne hai tu? E neppure io ne ho colpa. E il padrone nulla avrà da dire, poiché anche lui è stato legato dalle parole magiche di una donna: e legato bene, lui, per la vita.

E si piegò, rassegnato e incoscientemente ironico, davanti alla inesplorabile potenza delle cose fatali. Un giorno però, qualche tempo dopo, esplorando i dintorni, arrivò al covo delle volpi e in un cantuccio vide due graziosi cagnolini che giocavano allegramente a rincorrersi e morsicchiarsi; e non solo non tentarono di fuggire, ma lo guardarono come riconoscendolo. Erano due bellissimi esemplari della razza dei cani detti volpini, di quelli appunto che non si lasciano abbindolare dalla volpe e sono i più adatti a cacciarla.

LA MADONNA DEL TOPO

Non che fosse strampalato il pittore che dipinse questa Madonnina, ma, forse, lo ispirò un bizzarro grottesco spirito francescano, che lo spingeva ad amare tutte le bestie create.

Il modello della Vergine era una sua bionda servetta, procuratagli da pochi giorni dal padrone di casa: una bimba quasi, con le lunghe trecce attorcigliate intorno alla testa, con la fronte d'avorio, grande, prominente, e i nerissimi occhi lunghi, pieni di languore e di sofferenza. Il resto del visetto scivolava giù con la bocca quasi invisibile e il mento giallino, non più grosso di una ciliegia acerba. Era triste, silenziosa, timida; e forse la sua morbosa paura dei topi aveva dato al pittore la prima idea del quadretto.

Anche il bambino non sembrava dei soliti: grasso, bianco, traboccante dalle braccia della servetta, si piegava però con naturalezza, tentando di scendere sul pavimento polveroso: e pareva guardasse davvero, coi tondi occhi azzurrognoli, tendendogli le manine pienotte, il topolino grigio. Questo era di maniera: poiché il pittore non poteva, per molte plausibili ragioni, pigliarne uno vivo a modello; ma era ben fatto, magrolino, con la coda molto lunga, i baffi, il muso di lupo in miniatura; e stava ai piedi della Madonnina, con le zampine anteriori supplici, gli occhi lucenti di adorazione o forse di voglia di rosicchiarle il lembo della veste stellata.

Eppure il quadretto trovò subito un compratore; il più imprevisto, se non il più competente e generoso: lo stesso padrone di casa del pittore.

Era un proprietario di case e di terre, delle quali egli stesso teneva l'amministrazione. Bell'uomo, alto, forte, aveva tuttavia, con quei suoi lunghi baffi biondi spioventi, un'aria quasi sentimentale, o meglio preoccupata, come se gli andassero male gli affari. E infatti la spiegazione che diede al pittore, per l'acquisto del quadretto, si riferiva ad un flagello dei suoi campi.

– Ho, in un podere di mia moglie, seminato molto frumento, per concorrere al premio: è già bello, alto, granito, ma quest'anno, come anche gli altri anni, meno però di questo, i topi campagnoli vi fanno strage. Si mangiano le spighe più mature, e rodono anche i gambi: un disastro. E non si trovano rimedi. E mia moglie piange sempre; già, ma lei piange anche quando l'annata è buona. Allora ho pensato che forse, mettendo questo quadretto nell'atrio della casa colonica, la Madonna potrà proteggere il campo, facendo morire i topi.

Il pittore si guardò bene dal ridere: solo osservò a sé stesso, che la sua intenzione nel dipingere il quadro non collimava precisamente con quella del padrone di casa: il quale, a sua volta, l'assicurò che, al riparo dell'atrio, molto in alto sul muro sopra la porta, con un bel vetro solido, l'opera d'arte non avrebbe mai sofferto danno.

– La prego di non dir niente a mia moglie, per adesso, tanto lei non viene mai al podere. Se sa che faccio questa spesa, sebbene ella sia molto religiosa, le scoppia l'itterizia.

– E allora si fa così: – aggiunse, – si va oggi stesso al podere, col mio biroccino: là si appende il quadro e si fa uno spuntino: alle sette siamo a casa.

– Va be' – disse l'artista, sedotto dall'idea della passeggiata e dello spuntino, ed anche dai modi mansueti e quasi ingenui del suo rustico mecenate. Decisero dunque di partire subito. La giornata di mezzo giugno sembrava fatta apposta per una gita di quel genere: spirava un vento fresco, di ponente, e i fiori dei quali i campi erano coperti gli si abbandonavano con gioia viva. Il podere, tutto circondato di un'alta siepe di prunalbi ancora fioriti, con una *cavedagna* centrale che pareva un viale ornato per una processione, e lungo il quale le viti, glauche di solfato di rame, si slanciavano da un gelso all'altro in un inseguimento infantile, dava l'idea di un paradiso terrestre a coltivazione intensiva. Dalle arcate di quel portico fantastico s'intravedevano i prati rosei di trifoglio, e le distese del grano ondulanti e balenanti come le acque di un lago. E di uno sfondo equoreo si aveva l'impressione anche a guardare in alto la rustica terrazza della casa colonica, dove sull'azzurro denso del cielo bianchissime lenzuola tese ad asciugare si gonfiavano come vele.

Il viale non finiva mai: il pittore, appoggiato allo scudo del quadretto, si sentiva ubbriaco di tutta quella generosità d'aria, di trasparenze, di colori teneri e decisi che si accordavano con un'armonia quasi musicale: e il pensiero dello spuntino che la massaia avrebbe preparato con impegno lo rendeva più felice. Ricordava con insolita tenerezza la moglie e il grasso bambino, lasciati a casa; ed anche la servetta che gli portava una certa fortuna. Dopo tutto era un buon uomo anche lui, grassone, pancione, che, se aveva dipinto l'arcobaleno fra le nubi, e il riflesso di una stella sul mare, non sdegnava le quaglie coi funghi.

Il padrone, invece, s'immalinconiva sempre più: con gli occhi, dove stagnava un pensiero fisso, guardava solo la groppa del cavallo, aizzando di tanto in tanto la bestia con un grido gutturale, selvaggio, quale il pittore aveva sentito, durante un suo soggiorno in Africa, dagli indigeni del luogo.

Ma il cavallo non meritava di essere aizzato neppure benignamente: volava, e pareva avesse solo due zampe: si fermò di botto in mezzo all'aia, che ricordava anch'essa un tratto di spiaggia marina, affollata di tutto un popolo sbarcato da qualche arca di Noè.

Con beatitudine del pittore, un porcellino nero, con gli occhi e la codina lucidi come gioielli di smalto, corse incontro al cavallo, drizzandosi quasi volesse baciarlo: anche i cani facevano festa, le oche salutavano solenni come grandi dame, e gli anatroccoli in numerose squadre si misero al seguito del padrone che, a dire il vero, gettava loro certe molliche che aveva in tasca. Con questo corteo giunsero all'atrio, e il pittore vide subito che forse si doveva consumare un sacrilegio, togliendo la Madonnina azzurra e rossa che vi era già dipinta sul muro a destra della porta, e ai cui piedi ardeva, entro un bicchiere pieno a metà di olio, una fiammella galleggiante.

Il padrone lo rassicurò: come del resto aveva già avvertito, la nuova ospite sacra doveva trovar ricovero sopra la porta: andò quindi a cercare una scala e dare ordini alla massaia, che già stava affaccendata in cucina a manipolare la pasta.

Questa vecchia contadina doveva essere sorda e di vista corta, perché l'uomo le parlava ad alta voce, ed ella non rispondeva, abbassando la testa a guardar bene la sua sfoglia:

ma era forte, robusta, coi piedi e le mani che sembravano badili. Non s'impicciò nella faccenda del quadro, che lo stesso padrone volle attaccare il più alto possibile, quasi rasente alla volta, in modo che la Madonnina numero due pareva volesse nascondersi e sfuggire allo sdegno della prima protettrice del luogo. Il bambino però si piegava prepotente e curioso; e non più verso il topolino che, adesso, in quella mezza luce, sembrava vero, arrampicatosi di nascosto sul muro; ma a tentare di attaccar briga con lo scialbo bambino di sotto che tendeva anche lui gli stecchini delle sue braccia a scaldarsi alla fiammella del bicchiere.

Il pittore guardava e lasciava fare: del resto il quadretto non stava male, lassù; inoltre si sentiva venire dalla cucina un odore d'intingolo che profumava anche le considerazioni più melanconiche a proposito della dignitosa povertà degli artisti d'oggi, costretti, in certe città, come si legge sui giornali, a vendere i loro quadri in cambio di commestibili e combustibili.

Però, un certo senso di mistero si avvertiva intorno: e troppo intelligente era l'uomo per non accorgersi che il padrone aveva un fare strano. Infatti, quando l'operazione fu compiuta, egli riportò rapidamente la scala a posto, con un'aria ladresca; poi guardò di qua, di là, da ogni angolo dell'atrio, l'effetto del quadro; infine si scosse e parve non pensarci più. Allora condusse il pittore a vedere la vigna, il grano, il frutteto. Tutto era bello, ben tenuto; e gli uomini che vi lavoravano, illuminati dal sole al declino, avevano anch'essi luci e colori che entusiasmavano l'artista. Ma quello che più lo colpì, nella stalla levigata come un salone da ballo, fu un ciclopico toro rosso, feroce e bramoso, che pareva avesse il fuoco nelle viscere e, oltre le belle figure mitologiche, ricordava qualche bisonte antidiluviano. Le miti vacche mulatte pareva ascoltassero i suoi muggiti come note d'amore.

– Con tutto questo ben di Dio, sua moglie si lamenta? – disse il pittore: e il padrone rispose con un sospiro.

Quando rientrarono, lo spuntino era pronto, sulla grande tavola della cucina. Solo mancava il vino, e il padrone andò lui in persona a sceglierlo in cantina.

Allora il pittore, preso da un estro, si avvicinò alla massaia, le sorrise, parve volesse baciarla. Le domandava all'orecchio:

– Avete veduto la nuova Madonnina?

L'aveva ben veduta, la vecchia sorniona, con gli occhiali legati con lo spago: e tutto aveva veduto e sentito. E una subita complicità di malizia unì i due curiosi.

Disse la vecchia:

– L'è ben la figura della Giglina, l'amica del padrone, morta quest'inverno.

– Ma se è la mia servetta Maria?

– È ben la figliuola della povera Giglina, la Maria, che è tutta la madre.

L'OSPITE

Cattivo era l'umore di donna Brigida, quel giorno ventoso di marzo. Per la prima volta ella aveva licenziato la vecchia serva, venuta con lei dal lontano paese natio, e la vecchia serva prometteva di andarsene. Muso lungo reciproco, quindi; senso di separazione da tutto un passato pacifico; terrore dell'avvenire nuovo. Il fatto è che la vita, secondo le due donne, è sempre più difficile; tutto costa, tutti imbrogliano; per avere un operaio in casa bisogna prima invocare l'aiuto di Dio: e il denaro, anche ad averlo nascosto in ogni angolo, come ce l'ha donna Brigida, non ha valore.

Ella stava appunto contando e ricontando con meticolosità il resto della spesa che la serva triste e torva aveva deposto sulla tavola della cucina, quando fu suonato quasi con violenza il campanello della porta.

– Gesù Maria, sembra la giustizia coi suoi gendarmi, mormorò la vecchia Agostina, che in trent'anni ch'era a Roma non aveva un giorno solo dimenticato le tradizioni della sua stirpe diffidente.

Era invece un ospite. E che ospite! Nel ricomparire davanti alla padrona, Agostina pareva quella di trent'anni fa: la maschera della vecchiaia e della tristezza le era caduta dal viso, la voce risonava commossa:

– Sa chi c'è? Bustianeddu Minore. Porta una bisaccia di roba: l'ho fatto entrare in camera da pranzo.

– Come mai? Come mai?

Anche la padrona è un'altra. Bustianeddu, la bisaccia! Figure e cose balzate, appunto in quel momento di crisi, dal più lontano passato, con uno strascico luminoso di favola.

L'uomo, che si era seduto accanto all'uscio, come usava nel paese, a prima impressione disilluse donna Brigida. Era vestito da borghese, col cappotto foderato di seta, la sciarpa al collo, un "borsalino" grigio, morbido come un piccione. Ma il suo odore di ricco pastore era lo stesso; e il viso bronzino, la bocca sorniona e sopratutto gli occhi di vecchio daino, riallacciarono intorno alla donna l'incanto del tempo che fu.

– Come mai? Come mai?

Le due mani, quella scura e grande dell'uomo, quella piccola e ancora rosea della donna, si stringevano e si scuotevano a vicenda, accompagnando domande, risposte, rallegramenti.

– Eh, che vuole donna Brigida? Capricci da vecchio.

– Ma che vecchio! Se sembrate un fidanzato. E come ci siamo fatti eleganti!

Egli sollevò la falda del cappotto per farne valere meglio la fodera: ma guardava i suoi vestiti con benevolo sarcasmo. Poi domandò:

– *E sos pizzinnos?*

– I bambini? – grida donna Brigida, coi grandi occhi neri attoniti. – Ma se sono già laureati.

E Agostina, che ascolta trepida dietro l'uscio, si mette a ridere immaginandosi il dottor Attilio e il professor Panfilo ancora col grembiale nero di scuola.

– La bambina, è sperabile, sarà ancora tale – riprese l'uomo, accostando l'uno all'altro i ponti ancora neri delle sue sopracciglia, come per varcare meglio il fiume del tempo. – Le mie ragazze le mandano un regalo: scuserà se è cosa da poco, ma l'intenzione è stata grande. Non è a casa?

– Anche la bambina è a scuola: è piccola d'anni, sì, ma si è fatta alta e forte.

Il dono, tuttavia, era adatto per lei: e quando l'ospite trasse la prima scatola dalla bisaccia e l'aprì, il rosso di scarlatto, l'azzurro denso, il giallo e il verde dei ricami arcaici che decoravano la borsetta sarda ricordarono a donna Brigida e all'occhio che spiava dall'uscio, la processione del *Corpus Domini*, con le donne e gli uomini in costume, gli stendardi, la primavera sui monti, la fede, la speranza, la fanciullezza, l'amore.

– Come sarà contenta la bambina: grazie, grazie. Agostina, vieni a vedere.

Agostina entra, ringrazia anche lei. E la pace è fatta.

– Questo è per lei, donna Brigida: roba fatta in casa: s'intende, accettare sempre la buona intenzione.

– Se di queste buone intenzioni fosse lastricata la via dell'inferno!

Donna Brigida giunse le mani, adorando, piegata sulla seconda scatola, molto più grande della prima, e sotto il cui strato di carta velina gli amaretti freschi, color sabbia con incrostazioni d'oro, si stendevano davvero come un campione di lastrico quale se ne vede nei sogni.

Ma a toccarne uno, come fece donna Brigida dietro l'insistente invito dell'ospite, si tornò alla più chiara realtà. E la stessa Agostina, che non aveva più un solo dente molare, dichiarò che sembravano di crema di mandorle.

– E adesso veniamo al sodo. Qui, veramente, un po' di buona intenzione c'è stata. È morto appena da avant'ieri: vede, l'occhio sembra ancora vivo. Ma sarà meglio che andiamo in cucina. Tu, vecchia, lo reggerai per una zampa, ed io lo squarterò. Non ce l'hai un coltello a serramanico? Bene, ce l'ho io, se Dio vuole e il passaporto lo permette.

Le donne guardavano adesso un po' disorientate il grosso porchetto ancora sanguinante che veniva fuori a stento dalla guaina della bisaccia. L'intenzione era stata certamente ottima, ma forse oltrepassava alquanto il limite. Non è facile mettere al fuoco, in una linda piccola cucina moderna, un porchetto di otto chili.

– Niente paura: andiamo in cucina – incoraggiò l'ospite; e sollevò il porchetto, che, con le zampe stroncate, le orecchie pendenti, il muso rassegnato, si abbandonava alla sua sorte.

Fu deposto sull'altare marmoreo della mensola dell'acquaio, e Sebastiano Minore, detto così per distinguerlo dal padre quasi centenario, si tolse cappotto e sciarpa e impugnò l'arma piccola e terribile, che piegata e chiusa nel suo manico di corno sembra un amuleto, e aperta può produrre la morte. Con essa, aiutato da Agostina, squartò la bestia.

– Questo pezzo, vecchia, lo farai arrosto, questo in umido, questo si può farlo anche fritto. E saziarsene. Dio ha creato il porco per il bene dell'uomo: tanto è vero che gli ha dato le ossa piccole, perché la carne se ne distacchi meglio, e tu le puoi sputare come i noccioli delle ciliege. Ma che fa, donna Brigida? Il caffè a me? Con le sue mani di dama? Ah, si vede che anche lei è rimasta una donna all'antica. Mi permetta, prima, di lavarmi gli artigli. Che bella cosa l'acqua in casa. Anche noi, adesso, ce l'abbiamo. Solo che, mentre prima si beveva l'acqua pura della fontana del monte, adesso abbiamo l'acqua calcarea che aiuta i vecchi ad andarsene all'altro mondo. E allora io, donna Brigida mia, sa che cosa faccio? Quando ho sete vado in cantina. Giusto, ho portato, in fondo alla bisaccia, anche una bottiglia di vernaccia per il commendatore.

Per tirar fuori la bottiglia tornarono nella sala da pranzo: e dopo la bottiglia vennero fuori altri doni, fra i quali una larga e grassa treccia di formaggio fresco passato al fuoco, che sembrava quella di una fata albina.

– Ma perché tutto questo, caro Bustianeddu, perché? Voi mi mortificate; e non so come ricambiarvi.

Ma egli tirò su la bisaccia vuota, l'arrotolò come un tappeto, la nascose sotto la credenza. Non aveva bisogno di ricambio, lui: poiché per il cuore dell'uomo generoso il solo compenso è la gioia di donare.

– Notizie del paese? – disse, rimettendosi a sedere accanto all'uscio. – Buone e cattive. Si lavora, si combatte contro il tempo e le stagioni, si nasce e si muore. Mio figlio Giovanni è malato di mal di cuore; mia nipote Paulina si sposa col segretario comunale. Abbiamo fabbricato un palazzo, non grande come questi di Roma, ma insomma capace di albergare tutta la discendenza; mio padre, però, si rifiuta di lasciare la sua vecchia casa. È un vero uomo all'antica, lui: non brontola contro le novità, è contento che i ragazzi e anche le ragazze vadano in città a studiare: lascia che le cose corrano per il loro verso; ma per conto suo se ne sta seduto sulla panchina di pietra, contro il muro assolato, e parla solo col suo bastone.

– Chi sta bene non si muove – sospirò donna Brigida. – E forse era meglio che anche noi fossimo rimasti in paese.

– No, no; il paese è buono per i vecchi; per i giovani occorre la città. Ed anche ai vecchi, a volte, viene la smania di muoversi, di andare in giro per il mondo. Teste matte non ne mancano neppure tra i vecchi: esempio il suo ospite d'oggi. E forse lei, donna Brigida, pensava che io fossi venuto qui a disturbarla per ottenere una raccomandazione, o per andare da qualche avvocato o da qualche medico. Si sbaglia: io sono venuto per veder Roma.

LEONE O FAINA

– È di moda, adesso, difendere il leone. Buono, generoso, non attacca, anzi fugge l'uomo, a meno che non si tratti di difendersi. Ha persino paura delle spine. La sua terribilità consiste nella forza strapotente che Dio, o la natura, gli ha donato. Non esiste, negli animali, forza maggiore. Ma vedi come la natura è provvida: quando per nutrirsi o per difendersi il leone dà l'assalto alla sua vittima, sia pure, mettiamo, un poderoso vitello gli rompe con una sola zampata la spina dorsale, in modo che lo uccide immediatamente, senza farlo soffrire: poi gli succhia il sangue dalla gola, perché, anzitutto, ha sete, la famosa sete desertica: inoltre, pare gli piaccia la carne dissanguata. La faina, invece...

– Non hai storie più allegre, da raccontarmi, stasera? – dice l'amico, un poco stanco per la lunga giornata d'ufficio, ma pur beato della sua pipa, della tranquillità della saletta da pranzo, e sopra tutto della presenza del suo grande, furbo, soddisfatto amico. Implacabile, questi continuò:

– La faina, invece, così piccola, malleabile, anche graziosa a vedersi, salta sul dorso della sua vittima, per lo più la mite amabile lepre, e le si attacca alla nuca, succhiandole il sangue, mentre quella continua a correre. Così si fa anche una bella galoppata. E adesso, mio caro Giovannino, ti racconterò, come tu desideri, una storiella più allegra. Tua moglie...

– Ah, – mugola l'altro, mordendo il cannello della pipa coi suoi detestabili denti guasti, – la zampata del leone? Mia moglie s'è preso l'amante?

L'amico sorride, un forzato sorriso di satiro, mostrando i grandi denti d'alabastro, sani e forti.

– Si tratta di meglio: di molto meglio.

– Succhia, succhia pure il sangue del povero vitello.

L'amico scuote la testa, davvero leonina, guardando in alto: segue un silenzio crudele, mentre il marito, d'altronde separato legalmente dalla moglie, ha l'impressione, beffarda, sì, ma in fondo anche penosa, che un fatto catastrofico gli stia per accadere.

L'amico batte un pugno sulla tavola ancora apparecchiata, poi, sporgendosi misteriosamente in avanti, dice sottovoce:

– Ha firmato cambiali per duecentomila lire. A favore di quell'esimio chiacchierone che è suo fratello, tuo eccellentissimo cognato; il quale, dopo tante altre imprese, ha presentemente assunto quella di costruttore: costruttore di case e villini, in una zona ancora tranquilla, sebbene relativamente centrale: e li fa abbastanza bene, con materiale autentico; ma appunto per questo ci rimetterà senza dubbio: ci guadagneranno invece i compratori. Tua moglie perderà le sue duecentomila lire, come ha perduto tante altre belle cose, nella sua ancora breve ma assai movimentata esistenza.

Il marito alzò le spalle; provava quasi gusto nel pensare che quella donna bisbetica, nata per tormentarlo, finalmente avesse un degno castigo.

– E allora, quando lei avrà perduto tutto, vedrai che il tuo illustre cognato vi farà fare la pace: in parole povere, te la rifilerà.

Adesso fu l'altro a battere il pugno sulla tavola; ma sul serio, tanto che gli oggetti che vi erano sopra sussultarono come spaventati.

– Ah, questo no, poi, per dio santo.

E rise del suo spavento, tanto era sicuro di sé; ma il suo riso rassomigliava al tremolio panico delle tazze e dei bicchieri davanti a lui. Rise e disse:

– In fondo, chi ci perde è l'imbecille che ha accettato la sua firma.

– Come? Come? Chi ha versato le duecentomila lire è un individuo che ha bisogno di un villino, e vuole averlo senza le noie della costruzione a conto proprio; e giusto in quella zona convenientissima: quindi ne ha già ipotecato uno, dei migliori, e se lo prenderà, guadagnandoci qualche diecina di migliaia di lire: se lo prenderà, sì, come un maccherone ben condito, in punta di forchetta. E infine, certo di farti piacere, ti dirò che quell'uno sono io in persona.

L'altro spalancò i tondi occhi bovini; e rise ancora, ma senza cattiveria né derisione; anzi, per un istinto che neppure lui avrebbe saputo spiegare a sé stesso, piegò la testa, come doveva piegarla il vitello sotto la benevola zampata del leone.

Entrò la cameriera, portando il vassoio col bricco lucentissimo del caffè. Il padrone non usava prenderne; all'amico, invece, piaceva molto l'aromatica bevanda, come del resto gli piacevano tante altre cose eccitanti: e mentre la ragazza, dura e dritta più di un giovane tronco, e come questo odorosa di campagna, versava il fumante liquido color d'onice, egli si piegò anzitutto a sentire il profumo di questo, poi cominciò a sorseggiarlo, tenendolo in bocca come una cosa densa, e infine seguì con gli occhi la servetta. Il suo sguardo era freddo, però, e non andava oltre la superficie delle trecce stoppose raccolte sulla nuca pallida della ragazza, scivolando poi sul dorso possente stretto alla vita della veste nera da una sottile cinghia di cuoio rosso.

– Eccellente, questo caffè. Dove l'hai pescata, questa bruna scabrosa sfinge?

– Ah, un mio segreto. E non ti mettere in mente di farle la corte, perché è infrangibile.

– Non c'è pericolo! Non mi piace l'odore dell'acquaio. E poi quelle enormi mani di pietra pomice! Però è brava, no? Vedo che qui intorno c'è un ordine inverosimile.

– L'ordine c'è, come c'è nei cimiteri – ammise il marito, ma non con la dovuta tristezza. – La ragazza, sì, è bravissima. La mia tana, dopo che c'è lei, ha perduto l'odore e il subbuglio di quelle delle belve di lusso; dico volpi azzurre e lontre, poiché siamo in vena di parlare di bestie selvatiche. E la mia cameriera, a sua volta, è una bestia di servizio perfetta. Perfetta! – aggiunse l'infelice, beandosi della fortuna che il Signore, dopo tante traversie, forse appunto per ricompensarlo della sua lunga pazienza, della sua remissione, anche del suo nascosto dolore, gli aveva donato.

Con innocente malvagità, poiché sapeva che il suo amico era pur esso schiacciato da una famiglia e una casa disordinatissime, si compiacque di destargli invidia, raccontando le feconde virtù di Rosetta. Aveva anche un bel nome, la industriosa ragazza boschereccia; un nome primaverile: Rosetta Fiorelli; un difetto di pronunzia le impediva di cantare e chiacchierare: celava in corpo un bollente rancore contro gli uomini, scottata dal primo, dal secondo e forse dal terzo dei suoi infidi ricordatissimi innamorati: stirava magnificamente, anche a lucido: sapeva fare i cappelletti, i dolci ravioli; e poi religiosa, in modo che con lei non c'era bisogno di perdere la testa a fare i conti della spesa.

– Basta! – gridò imperiosamente l'amico. – Adesso sei tu che fai la parte della faina –. E si scosse tutto, toccandosi la nuca, come per liberarsi dal nemico.

L'altro rise un'ultima volta: rise tanto, che dovette togliersi i doppi occhiali d'alte diottrie, per asciugarsi gli occhi senza ciglia: da molto tempo non si era divertito così, con poco, con niente; sebbene sentisse che sotto quel tremolio di acqua luminosa si nascondeva un torbido fondo di pantano.

Poi parlarono di tante altre cose. L'amico era un uomo di affari: conosceva la vita, conosceva il mondo delle grandi città: o almeno credeva di conoscerlo; aveva passato l'estate nelle stazioni balneari e climatiche cosmopolite e sapeva quindi tante cose divertenti e orrende della gente oziosa; l'altro, anche lui, non scarseggiava di piccoli episodi utili da raccontarsi; e quando si trattava di attaccare un bottone all'amico, lo faceva senza pietà e senza scrupoli.

Tornò Rosetta, per portar via il vassoio col bricco lucente del caffè: e adesso l'ospite la guardò bene anche davanti: era brutta, sfrontatamente brutta, con un grande naso virile, il petto ossuto, le gambe, con le calze rossicce, simili a zamponi di maiale: ma quando egli, con la sua calda e sommessa voce sensuale, le domandò come si chiamava, ella socchiuse gli occhi che parevano due olive nere, e lo fissò; un attimo, come riconoscendo d'improvviso, in lui, un suo antico gradito domatore.

– È fatta – pensò il disgraziato padrone. – Adesso l'amico mi piglia anche la serva.

E non disse nulla, ma di nuovo si sentì come succhiare lentamente il sangue alla nuca, e gli parve di correre, di correre, di perdere a poco a poco la forza vitale, senza poter neppure pensare a reagire, a fermarsi, a liberarsi dall'incubo ineluttabile, simile in tutto alla vittima naturale della faina.

I DIAVOLI NEL QUARTIERE

Per oltre un anno, la pace più celestiale regnò nel quartiere che si abitava prima di venire in questo. Fra la nostra e le case dei vicini sorgeva un villino a due piani, con una striscia di giardino davanti, completamente disabitato. I proprietari lo avevano fatto ripulire, da cima a fondo, con l'intenzione di venderlo; ma poiché ne pretendevano un prezzo esagerato, nessuno si presentava a comprarlo. Padroni, per adesso, ne erano i gatti del vicinato, che, dopo le loro feroci lotte amorose, si sdraiavano sulle gramigne delle aiuole o s'arrampicavano fino alla loggia del pian terreno. Scacciati dagli altri giardini, convenivano tutti lì, e i loro baccanali notturni erano il solo chiasso che disturbava i nostri pacifici sonni: ma un bicchiere d'acqua, lanciato dalla finestra dalla nostra intrepida cameriera, li metteva in fuga, destando, in quelle prime chiare notti di marzo, le tremule risate delle altre giovani ancelle, che coglievano ogni pretesto per affacciarsi in camicia alle loro finestre.

Di giorno, invece, un silenzio quasi campestre allietava i nostri dintorni; e tutti si guardava come un'ara di pace la casetta tranquilla, col suo giardino inselvatichito, le imposte chiuse, sulle quali il sole s'indugiava spiando.

Verso la fine di marzo si venne però a sapere che era stata venduta: e l'incanto cessò. Chiassosi operai la invasero: il segreto delle finestre fu rudemente violato; scale, corde, carrucole la cinsero con un assalto devastatore.

Intervenne anche un giardiniere che, con grandi arie, circondò le piccole aiuole di frammenti di mattoni, vi piantò le banalissime viole del pensiero, e sui viali ripuliti dalle gramigne sparse uno strato di volgare sabbia gialla che, quando cominciò a piovere, diede al già poetico giardinetto un aspetto fangoso e triste. I nuovi proprietari ancora non si vedevano: erano in viaggio, diceva la nostra bene informata cameriera: venivano dall'America o dalle Indie (per lei era lo stesso) con molti quattrini in tasca.

E già prima del loro arrivo, e precisamente a proposito della loro ricchezza, e sopratutto della loro identità, cominciarono i dissidi e le questioni fra i nostri vicini di casa, o meglio fra le rispettive donne di servizio e i ragazzini e le ragazzine che erano al loro seguito. Si discuteva sulla nazionalità dei personaggi che dovevano arrivare, e alcuni mettevano in dubbio la loro ricchezza (se veramente facoltosi, avrebbero dovuto far costruire anche un "garage" e una scala di servizio); persino sulla loro religione si farneticava, sul loro linguaggio, sul colore della loro pelle. Grande fu quindi lo stupore di tutti quando una mattina si vide arrivare una preistorica *botticella*, dalla quale scese, con una sola valigia coperta d'una fodera gialla, un uomo di mezza età, smilzo, con uno spolverino molto usato e le scarpe impolverate. A dire il vero, dal suo profilo scuro e camuso, e dal corruscare degli occhi bianchi e neri, si sarebbe detto un mulatto; e uno studentello, dopo averlo sentito parlare col vetturino, affermò che il suo accento era spiccatamente brasiliano. Accento, aggiunse la nostra saputella cameriera, che si rassomiglia molto a quello napoletano.

Per alcuni giorni rimase delusa la legittima curiosità dei vicini di casa del brasiliano: così il nuovo proprietario del villino fu denominato. Neppure una scimmietta egli aveva portato con sé: neppure un pappagallo. E i gatti continuarono a godersi il suo giardino, fatti adesso silenziosi dall'amore appagato e dai primi calori primaverili. Ma fu come il silenzio che precede la tempesta. Ritornarono gli operai impertinenti, fu aperto un nuovo cancello nel giardino, e questo venne diviso in due da una rete metallica. Si capì subito che il presunto milionario affittava il piano superiore della sua casa, concedendo agli inquilini un ingresso libero. E ben diverso fu il loro arrivo da quello di lui: un camion rosso, che pareva il carro del diavolo, portò i loro mobili sgangherati, in mezzo ai quali, come un idolo di popoli antropofagi, stava una ragazzina negra, negra autentica, con in grembo un bambino di pochi mesi, sul cui visetto gonfio ella chinava la testa scarmigliata quasi a volerselo davvero mangiare. Era la bambinaia della famiglia che veniva ad abitare il villino, e, manco a farlo apposta, si chiamava Fatima.

In breve questa Fatima fu in realtà l'idolo del quartiere: tutti la fermavano, mentre ella portava in giro la carrozzella a mano con dentro il bambino che si succhiava i pugni: e lei rispondeva a tutti con un linguaggio strano e gutturale che ricordava i gridi delle scimmie.

Nessuno capiva le sue parole, ma dovevano capirle bene i suoi padroni e il proprietario della casa, perché fu da certi suoi pettegolezzi che scaturì la prima scintilla di un loro dissidio fatale: dissidio che una mattina di maggio scoppiò in lite volgare e violenta. Fu da prima, giù nel giardinetto, da una parte e dall'altra della rete di divisione, un bisbiglio lento e sommesso: poi una voce di donna si sollevò, con timbro di soprano arrochito: solo che la collana dei suoi versi era composta dei più classici vituperî che possano villanamente concepirsi. Allora le voci degli uomini rombarono impetuose, e il pianto del bambino, che la donna teneva in braccio, unì il terzetto selvaggio col filo del suo lamento.

Con sadica curiosità, i vicini di casa stavano ad ascoltare: seppero così i miserabili fatti di quelli che avevano creduto grandi e ricchi signori: e la vicenda, una volta tanto, sarebbe stata divertente se non si fosse ripetuta spesso, per lo più nelle ore quiete del mattino, disturbando il sonno dei nottambuli, dei malati, delle signorine dormiglione. Fu quindi un inveire, un protestare, un comune allacciarsi per parlare male dei molesti intrusi; con la solidarietà della servetta negra, che aveva appreso le più caratteristiche imprecazioni romanesche e le indirizzava senz'altro ai suoi padroni e al proprietario del loro appartamento.

Una domenica, nel pomeriggio, dopo che la mattina quei signori, invece di recarsi alla santa messa, avevano litigato più aspramente del solito, sputandosi attraverso la reticella del giardino, buttandosi sassi, minacciandosi di querela, di sfratto, persino di morte, Fatima, tutta vestita di rosso, andò al cinematografo con la nostra elegante cameriera. Al ritorno, questa sorrideva diabolicamente, con gli occhi di solito cattivi, adesso lieti di una beatitudine perversa. Dice:

– Fatima, che poi non è stupida come pare, avrebbe trovato il modo di far cessare lo scandalo. Vedrà, signora, che spasso. Ma non bisogna dirlo a nessuno. E poi, se la cosa riesce, lei, signora, dovrebbe regalare a Fatima il suo cappellino verde.

Vada pure per il cappellino verde, sebbene io ci fossi affezionata, perché lo possedevo e me lo godevo da ben quattro primavere.

Quasi prevedessero il giusto castigo, per alcuni giorni i litigiosi nostri vicini di casa non si fecero vivi: o, meglio, sì, la mattina presto si sentivano nella parte destra del giardinetto gli strilli argentini del bambino, che la sua mamma portava in braccio per fargli respirare l'aria buona; ed erano piccoli gridi che invero facevano piacere a sentirli; si confondevano col canto degli uccelli e rivelavano la gioia istintiva di un essere che si apriva all'ebbrezza di vivere. Ma si udirono un'ultima volta quella fatale mattina del Corpus Domini, quando le campane della chiesetta del quartiere squillavano come sonagli, diffondendo un'allegria villereccia nelle nostre strade quiete; e nell'insolito prolungato sonno della vacanza gli stanchi impiegati sognavano di trovarsi ancora nel paesetto natio, con la bella fanciullezza chiusa nei roridi pugni. Da strilli di gioia si mutarono in gridi di spavento: vibrarono ancora fra gli urli dei forsennati litiganti, e infine tacquero. Tacquero anche le voci folli dei grandi e, nel silenzio impressionante, si sentì come uno scroscio violento di pioggia. Poi fu di nuovo la voce del brasiliano, a urlare come un ruggito di belva; ma non gli rispose che la risata beffarda della nostra cameriera, di dietro le persiane della sua finestra.

Più tardi si seppe che qualcuno, collocato sul parapetto della terrazza il catino per il bucato, riempito d'acqua, al momento opportuno, con un'abile spinta, lo aveva fatto diluviare sulla testa dei litiganti.

Chi ne andò di mezzo fu il povero piccolino, che per lo spavento e il bagno freddo si prese una polmonite e dopo tre giorni morì.

Allora fu vista Fatima, che si era nascosta nella soffitta, uscirne arruffata e nuvolosa e, piegato il viso unto sulla carrozzella vuota, piangere tutte le sue lagrime di coccodrillo.

NOZZE D'ORO

Il signor Poldino ricordava di aver sentito dire da sua madre che se uno, entrando per la prima volta in una chiesa, domanda fervidamente una grazia, questa gli viene concessa.

Di grazie, il signor Poldino, non ne aveva mai chieste, né in chiesa né fuori, poiché tutto e sempre gli era stato accordato dalla fortuna: benessere morale e materiale, onori, una moglie amata e fedele, figli e nipoti bravi e tutti ben sistemati; e infine anni ed anni di salute e di tranquillità di coscienza.

Adesso ne contava ottanta, come a dire ottanta perle di una stessa collana, intatta e di sempre maggior valore, da lasciarsi in eredità di esempio ai discendenti: ma aveva bisogno di una grazia.

Quale, però, la chiesa che egli non conoscesse, nella città e dintorni? Tutte, le conosceva, se non come penetrato credente, come amatore di monumenti antichi e moderni: da venti anni a questa parte, anzi, dopo che si era completamente ritirato a vita privata, non faceva altro che girare di chiesa in chiesa, ascoltando messe solenni, prediche, musiche; studiando colonne, tombe, vetrate e vôlte: e gli pareva di averle, queste chiese, una per una, come certi santi, sulla palma della sua mano. Ma da qualche tempo non usciva quasi più di casa, e adesso ricordava di aver sentito un giorno la moglie parlare di una chiesetta, una specie di oratorio, che certe suore facevano costruire a fianco del loro convento, in un parco di loro proprietà. Questa chiesetta doveva essere già finita, e non troppo distante dal quartiere dove egli abitava: ad ogni modo era bene informarsi con maggior precisione dalla moglie.

La moglie era a letto, gravemente malata di cuore; i dottori dicevano che poteva morire da un momento all'altro. Per questa ragione il signor Poldino, pure fingendo con lei di non essere preoccupato e di proseguire nel suo solito tenore di vita, non usciva più di casa, e di giorno in giorno si sentiva anche lui mancare il cuore come quello della sua compagna. Sempre per parere dei dottori, ella veniva lasciata tranquilla nella sua grande camera ariosa, vigilata da una suora bianca che pareva fabbricata con la neve. Ma il signor Poldino, fermo in permanenza nella sala attigua, ne sentiva ogni respiro, ogni ansito: e quando ne aveva il permesso dai medici, nei momenti di tregua del male, andava a sedersi accanto al grande letto dove la moglie, sollevata sui guanciali, piccola e scarna, tutta occhi e con le sopracciglia ancora nere, sembrava una bambina d'un tratto invecchiatasi per un fenomeno crudele della natura.

E si guardavano, senza parlare; oppure, a un cenno di lei, parlava solo lui, raccontando di essere andato a spasso, di aver mangiato e bevuto bene, o di aver letto un bel libro. Tutte bugie, che però, come piccole rammendature, fermavano per un poco l'inesorabile logorarsi della vita dei due vecchi sposi.

Quel giorno, appunto, i dottori avevano dato al signor Poldino il permesso di fare un po' di compagnia alla moglie. Egli dunque lasciò l'angolo della stanza dove passava i giorni e spesso anche le notti, ed entrò nella camera nuziale. Sì, proprio nuziale, poiché ancora era quella: e quello il talamo, dove fino a pochi mesi prima egli aveva, per circa mezzo secolo, passato la notte con la sua compagna; quello lo specchio di Murano, che li aveva riflessi al ritorno dallo sposalizio, nitido e fermo ancora come la loro fedeltà. E ancora una volta li riflette, ella appoggiata ai guanciali, sul cui candore il candore dei suoi capelli increspati segna come un festone di trina; egli seduto accanto al letto, col braccio teso sul lenzuolo, verso la mano di lei.

Disse, sottovoce, quasi comunicandole un segreto:

– Oggi va proprio bene. Il professore così assicura, e molto mi ha confortato. Abbiamo anche fatto una bella passeggiatina.

E scuoteva la testa, ammiccando. Ella lo fissava, con gli occhi azzurri, lontani, che a lui sembravano sempre quelli della loro giovinezza; ma teneva le labbra chiuse, bianche, immobili. Egli le prese la mano, la tenne nella sua: e ne sentiva le ossa sottili come quelle di un uccellino morto. Riprese:

– Sì, sono uscito; ho fatto un giretto, qui nei dintorni. Continuano a costruire; sempre palazzi, e sempre nuovi negozi: ogni porta una bottega. Toh, hanno aperto, qui nell'angolo, anche una macelleria per carne equina; e bisogna vedere che insegna; sembra quella di un gioielliere. Sono poi andato giù, fino alla piazza nuova: volevo anche vedere quella chiesetta delle suore, della quale tu mi parlavi: però non sono riuscito a trovarla.

Gli occhi di lei si ravvivarono, per un attimo; la sua mano si sollevò, verso la suora; e, dopo essere accorsa con un silenzioso volo di colomba, la suora rispose per lei:

– La chiesetta? Dalla piazza non si vede: bisogna svoltare più su, lungo il muro del parco delle suore: è dietro, a destra.

– Ah, ho capito: grazie.

La suora fece un lieve inchino; poi se ne andò: anzi, profittando della presenza del signor Poldino, si allontanò dalla camera.

La camera, poiché il sole era già tramontato, si riempiva come di un chiarore di ceri accesi. Dalla finestra spalancata si vedeva la grande terrazza di un palazzo di fronte, piena di fiori come un giardino pensile sospeso sul cielo rosso. Gli occhi della malata, adesso, guardavano lassù, ed anche il signor Poldino non poteva fare a meno di guardarci. E pensava che forse quella era l'ora buona per recarsi alla chiesetta – l'ora del vespero, quando la Madre del Signore meglio raccoglie le preghiere degli uomini. Ma si sentiva stanco, per tutte quelle ultime notti, e gli ultimi giorni passati in ansia continua; inoltre si stava tanto bene lì, appoggiato al letto come alla prora di una barca navigante in un luminoso golfo di pace: lì, accanto alla sua compagna, unite le mani, come sempre nella loro lunga felicità.

Però la preghiera è più esaudita se si fa con spirito di sacrifizio. Quando dunque la terrazza di fronte apparve tutta d'oro e di rubino, come un altare all'ora del vespero, egli si alzò e andò nella chiesetta. Il viaggio fu alquanto difficile, perché già era quasi notte e la strada, lungo il muro del parco, diventava tortuosa, con buche e scaglioni che facevano inciampare il signor Poldino. Ma ecco finalmente la chiesetta: la porta, anzi, era spalancata, e in fondo si vedeva l'altare, che rassomigliava davvero alla terrazza di fronte alla finestra della malata.

Egli sedette sulla prima panca che gli capitò: avrebbe voluto inginocchiarsi ma non poteva: sentiva un grave malessere, un mancamento di respiro; e nello stesso tempo una gioia mai provata. Recitò con fervore l'Avemaria, cercando di rievocare la voce stessa dell'Angelo annunziatore, poi domandò la grazia.

– Fra giorni sono cinquant'anni che io e Mariolina ci siamo sposati. Vergine Santa, Madre di Dio, Sposa di tutti gli uomini che soffrono, concedimi di celebrare le nozze d'oro assieme con la mia diletta. Amen.

Quando la suora infermiera, non vedendo uscire dalla camera il signor Poldino, vi rientrò silenziosa, vide la finestra ancora aperta, e sullo sfondo viola, su una colonnina della terrazza, una lucerna d'argento: era la luna nuova.

I due vecchi sposi stavano lì, con le mani strette, gli occhi aperti verso il cielo: e prima di chiamare i famigliari, la suora chiuse loro questi occhi, che adesso si guardavano nell'eternità, lieti per la grazia ricevuta.

LA TOMBA DELLA LEPRE

Fino a quel giorno, i due fratelli Corsini erano sempre andati d'accordo, specialmente nel fare birbonate. E avevano appunto finito di commetterne una, nel castagneto, sotto l'albergo che li ospitava con la loro famiglia, quando, scendendo precipitosa, ma non molto, lungo il rivoletto col quale pareva misurare la sua corsa, apparve una signorina vestita di bianco. I Corsini notarono subito i suoi piedi grandi, entro le scarpe di camoscio, e le nude gambe di bronzo dorate di una lieve peluria; ma a misura che ella scendeva e si alzava davanti a loro, piccoli ed esili, un senso di ammirazione quasi panica li irrigidì. Il più grande si fece pallido: la smorfia che già fioriva sulla bocca del più piccolo sfumò in un sorriso melenso: poiché da quel piedistallo di gambe maschie si slanciava un bel corpo, pieno ed agile nello stesso tempo; e dal collo perfetto sbocciava una testa meravigliosamente infantile. Anche lei si fermò, senza troppo badare a loro, e si guardò attorno, in basso e in alto, scuotendo indietro i capelli, di un nero azzurrognolo come i grappoli dell'uva di mare; mentre le alte sopracciglia e gli occhi scuri a mandorla avevano un moto e un baleno di ostilità. Forse non le garbava l'incontro coi due fratelli, vestiti come pastorelli da cartolina illustrata, altrettanto curiosi e sbalorditi: e accennava a riprendere la sua esplorazione lungo il ruscello, quando una voce, chiara e metallica, chiamò dall'alto:

– Gina! Ginetta!

Ella si guarda bene dal rispondere: ma il più piccolo dei Corsini, intuendo che la bella incognita è anche lei fuori della legge familiare, si fa d'improvviso ardito, come uno di quegli insetti che per paura di essere presi si fingono morti, e, passato il pericolo, riprendono a svolazzare.

– Chiamano lei, signorina?

Ella fa un moto, come per dire: «E a lei che gliene importa?», ma poi torna a scuotere i capelli, raccoglie il respiro, risponde con voce tonante:

– Mamma! Sono qui; vengo subito.

La madre ha un bell'aspettare: Ginetta non segue più il corso del rio, ma neppure pensa di risalirlo; si attacca con le braccia vigorose a un basso ramo di castagno e guarda dall'alto i due fratelli e un misterioso mucchio di foglie covato dal maggiore di essi. Domanda con degnazione:

– Come vi chiamate, voi?

Pronti, i fratelli rispondono assieme:

– Corso Corsini.

– Corsino Corsini.

– Corriamo, corriamo – ella dice ridendo; poi si frena.

– Quanti anni avete?

– Io undici; mio fratello tredici.

Quello che adesso risponde, – poiché l'altro è alquanto offeso, – è il fratello minore, il melenso, che ha di qua e di là della fronte, fin sopra l'azzurro pigro degli occhi, due nastri sfrangiati di capelli color zolfo. Eppure è lui che attira maggiormente l'attenzione di Ginetta; a lui ella dice, senza essere interrogata:

– Ed io ho quattordici anni; in tutti e tre non abbiamo ancora l'età della mia mamma.

Quest'addizione li stupisce; poi li fa ridere, anche il maggiore. E già un'intesa amichevole li unisce, quando la voce dall'alto ricomincia a chiamare disperata.

– Aspettatemi un momento: vado e vengo – dice Ginetta; e vola su, tenendosi con la punta delle dita i lembi della sottana, come una ballerina vestita di piume di cigno.

Rimasti soli, il maggiore batté la mano sulla spalla del piccolo: parve dirgli:

– Oh, fratello, e adesso che cosa si fa?

– Aspettiamo un momento.

Aspettarono, piegati sopra il mucchio di foglie, ma con gli occhi rivolti in alto, donde scendeva, fra due bordi vellutati di musco, il rivoletto azzurro. Ma l'apparizione non tornava. Stanco di aspettare, il fratello minore disse:

– Lasciamo tutto così. Dopo colazione, magari, si torna.

L'altro sogghignò:

– Davvero? E se intanto qualcuno scopre la cosa?

– E lascia che scopra. Noi si dice di no.

– Davvero? E allora viene accusato qualche altro. E io non voglio. Tu sai che in questo luogo è severamente proibito di molestare e di uccidere le bestie. Un giovinotto che aveva sparato contro gli uccellini è stato pregato di lasciare l'albergo. Figurati poi se sanno che è stato ucciso un leprotto!

Il piccolo cercò una fronda e la sbatté con una certa insolenza contro il fratello.

– E allora, – disse con voce di accusa, – perché hai voluto tu fare la tagliuola? Proprio tu, Corso Corsini?

– Oh, non farmi del male, stupido. Io non volevo uccidere il leprotto. Lui veniva qui, a bere: stava tranquillo, a pulirsi il muso con le zampe, come fanno i gatti. Non aveva paura di noi, perché qui le bestie non hanno paura della gente. E io volevo prenderlo vivo, per toccarlo, per addomesticarlo.

– E allora perché hai fatto la tagliuola?

Il fratello, che parlava sommesso e pentito, cominciò a irritarsi.

– Imbecille che altro non sei.

– Imbecille, a me? Ritira la parola.

Un po' scherzava, il minore, un po' continuava a sbattere la fronda contro le gambe del fratello. Ma d'improvviso gli occhi dolci e perlati di questi s'incupirono tempestosi; la voce, già maschia, gridò:

– Smettila, sì, imbecille. Tu sai che non dico bugie. Il leprotto è stato preso dalla tagliuola, sì, ma è morto dal freddo, stanotte, forse anche dallo spavento.

– Dallo spavento, oh, Dio! – fece l'altro, crudelmente ironico: e si contorse, si passò le mani dietro le orecchie, come con le zampe usava il leprotto fidente; poi si lasciò cadere lungo stecchito sul muschio della china.

Ebbene, Corso, il forte, il dritto, credette che il fratello fosse davvero svenuto. Lo scosse; lo chiamò: l'altro si divertiva a spaventarlo, finché, per timore che tornasse la signorina, non mise fine alla commedia. Sghignazzando si alzò e con la fronda tentò di frugare nel mucchio; ma adesso Corso perdeva la pazienza; lo prese quindi a spintoni e lo fece ruzzolare un bel po' giù per la china. E deciso di fare tutto da sé, per nascondere il corpo del reato, trasse dalla tomba improvvisata il leprotto morto con la tagliola ancora attaccata alla zampa, se lo strinse fra le braccia e andò più in là, nel fitto degli alberi, dove l'ombra sul muschio quasi nero del terreno, e qua e là qualche argentea fiammella di luce, avevano un non so che di addobbo funebre. Ai piedi di un tronco, il colpevole tenta di scavare una buca; l'impresa non è facile, poiché bisogna prima scorticare il muschio dalla terra, che è molto dura; ma egli si aiuta come può, con le unghie, coi legni della tagliuola, con un suo coltellino prezioso: intanto, intorno al leprotto che pare imbalsamato, con le lunghe orecchie ancora dritte d'angoscia e gli occhi aperti, duri e striati di nero, va adunandosi un misterioso popolo di farfalle e d'insetti, sbucati non si sa da dove; e lo sfiorano, se ne vanno, tornano, come non convinti che un misfatto di quel genere sia stato commesso nel loro regno.

Corso scavava, mordendosi la lingua e digrignando i denti, col desiderio di aiutarsi anche con essi. Nell'ansia aveva dimenticato l'apparizione, mentre in fondo era più che altro per paura del cattivo giudizio di Ginetta che egli tentava di nascondere la sua vittima; ed ecco, la buca era già abbastanza lunga e profonda per l'occorrenza, quando, sollevandosi con un sospiro, vide il fratello, il suo Caino, correre verso di lui, seguito dalla nuvola bianca del vestito della fanciulla.

Un subito coraggio lo strinse però in una corazza infrangibile. Sedette con le spalle contro il tronco e sollevò gli occhi con un baleno di sfida: aspettava il giudizio; aspettava anche la morte, pur di non apparire un codardo, un vile uccisore di lepri di nido.

Mentre l'altro fratello emetteva gridi belluini, Ginetta, silenziosa, si aggirò come gli insetti e le farfalle intorno al leprotto: prima di pronunziarsi, pareva cercasse i segni del sangue e del delitto: poi prese la vittima per un orecchio e la fece girare intorno a sé stessa: infine cominciò a girare anche lei, intorno al tronco, con una danza macabra che disgustò e addolorò il colpevole. Ma forse era davvero questo il suo castigo: la prima rivelazione della crudeltà umana.

Si alzò, dignitoso; disse:

– Mi dia il leprotto, signorina: bisogna nasconderlo, perché qui è proibito uccidere le bestie.

Ella fece saltare in aria la vittima; la riprese fra le mani, la palpò.

– Ma questo non è stato ucciso: è morto di freddo: è buono da mangiarsi.

– Sì, sì, – gridò il piccolo, – lo si scuoia, si fa il fuoco e lo si arrostisce.

L'impresa era bella, i fiammiferi pronti. Ma per Corso fu un nuovo disastro: con una mossa violenta tolse il leprotto dalle mani della fanciulla, lo mise nella buca, vi ammucchiò la terra, vi pestò su i piedi, con rabbia, e con un amaro senso di vittoria. E allungava le braccia coi pugni stretti, sfidando chiunque ad avvicinarsi: chiunque, fosse pure l'alta e forte Ginetta, contro la quale, anzi, egli sentiva un desiderio di lotta, un istinto di odio, solo perché ella rappresentava la realtà della vita.

STORIA D'UNA COPERTA

Ogni volta che veniva in casa nostra la zia Rosaspina ci metteva la testa in subbuglio. Per fortuna veniva di rado, perché abitava distante da noi, quasi fuori del paese, in un'antica casa di sua proprietà, in mezzo a un grande orto fantastico, i cui cavoli fiori, di questa stagione, sembravano lune piene, e in primavera radioso di crocos coltivati, di eserciti di asparagi col cappuccio viola, e sopratutto di altissimi ciliegi, gioia di uccelli e spasimo di ragazzi errabondi.

Viveva sola con una contadina che le coltivava l'orto e faceva anche da cane da guardia: una donna fedele, piccola e maschia, che fumava la pipa e, all'occorrenza, sapeva sparare l'archibugio. La zia Rosaspina, invece, era alta, gentildonna di razza; ancora bella; ma il suo nome giustificava il suo carattere, perché era scontrosa e pungente, di una virtù esasperante: e, forse appunto perché perfetta lei, trovava da ridire su tutto e su tutti; e non le sfuggiva un'ombra del nostro più intimo non dritto pensiero. Le sue parabole, i suoi esempi, le sue profezie avevano spesso un colore d'Apocalisse: è vero, però, che ci destavano terrore e malessere perché basati su un fondo monolitico di verità e di esperienza.

Ecco che un giorno ella viene e vede, sul nostro letto matrimoniale, una coperta nuova, di seta verde, che ha ancora il segno delle pieghe e l'odore della stoffa appena uscita dalla fabbrica. La camera ne è tutta illuminata come da un riflesso di primavera, e gli oggetti, anche i più umili, se ne rallegrano. Il pino, davanti alla vetrata della loggia, sembra quasi geloso, e fa di tutto per essere anche lui più verde del solito. Chi non si rallegra è la zia Rosaspina: anzi il suo viso si fa più austero, e i suoi occhi pare raccolgano anch'essi una luce verdastra, ma cattiva e arcigna.

– Ebbene, – domanda, – e la coperta bianca, che ti aveva lasciato tua madre?

– L'abbiamo messa via, s'intende: mica è stata venduta.

Si tenta invano di pigliare le cose alla leggera, con la zia Rosaspina: ella non capisce lo scherzo, come, d'altronde, anche il nostro proavo don Michele Berchitta, che, andato all'inferno (appena morto), al diavolo che col forcone lo spingeva verso il fuoco eterno disse sdegnoso: «Oh, piano con le confidenze; io non amo gli scherzi».

– Vuol dire, – prosegue la zia Rosaspina, – che voi disprezzate le cose sacre e amate le novità moderne. E che avete anche soldi da buttar via, mentre c'è tanta gente che muore di freddo e di fame. Bene, bene: purché Dio non si offenda e... e...

Volse le spalle al letto, uscendo dalla camera con un'andatura di cavalla imbizzarrita; e non volle neppure accettare la solita tazza di caffè, che tanto le piaceva: ma prima di andarsene non poté trattenersi dal concludere:

– Purché quella coperta non porti disgrazia!

Io le feci dietro le corna; e non bastando questo toccai il piccolo chiodo storto che sempre ho in tasca; e neppure sicura del chiodo, per quanto affetto ed anche ammirazione sentissi per lei, aggiunsi fra di me: «Crepi l'astrologo».

Eppure fu proprio quel giorno che, dopo la solita siesta, mi alzai con un forte dolore alle spalle; un dolore sordo, che penetrava fino al petto e produceva un raschiamento di gola con un rigurgito di sapore aspro e amaro: mi pareva di aver ingoiato del verderame e che l'odore della coperta mi stagnasse nella cavità del naso. Pensai alla zia e al suo malaugurio, ma anche al freddo sentito alle spalle il giorno prima, in una gita in campagna.

Aumentando il male ritornai a letto, e si mandò a chiamare il dottore. Era un nostro buon amico, il dottore, e quando veniva a trovarci per semplice visita voleva sempre un bicchiere di vino spumante per augurarci buona salute e lunga vita. Ma non fu lui che precisamente questa volta venne: forse non era in paese, e mandava un suo sostituto: il quale arrivò verso sera, ed entrò in modo insolito e strano nella mia camera silenziosa.

La sua figura altissima, più che altro per le lunghe gambe che parevano di legno, apparve da prima nel vano della vetrata del balcone, in mezzo ai rami del pino che si anneriva sullo sfondo color rame del cielo. Anche la barba del dottore era di quel colore, ispida come gli aghi del pino; ma lasciava scoperta una grande bocca sensuale e buona, da satiro melanconico. Questi particolari li osservai quando egli, dopo essersi avanzato silenzioso, si piegò per toccarmi la fronte e poi tastarmi il polso con la mano straordinariamente piccola per quel suo corpaccio gigantesco. Poi mi fece sedere e attaccò sulle mie spalle nude il suo orecchio freddo e duro, che mi diede l'impressione di essermi appoggiata all'ingresso di una grotta.

Quando fui di nuovo distesa, egli disse, con una voce gutturale e sommessa che combinava a perfezione con la sua figura stramba:

– Lei non ha niente, signora. Solo, forse, un po' di febbre reumatica: però bisogna tenersi riguardati, con questi tempi; può sopraggiungere la bronchite o la polmonite. Non si scherza con l'umido: lo so ben io che sono il medico della Maremma e ho sempre da fare con boscaiuoli, pescatori e cacciatori.

Io lo guardavo senza poter parlare: mi pareva di vederlo campeggiare sullo sfondo di un quadro preistorico; poiché egli proseguiva:

– È bene curare questi malanni con gli infusi e i cataplasmi di erbe: malva, malva! E anche jusquiamo, camomilla, parietaria e senape: anche la cera vergine è buona in certi casi, come l'otite; e la ruta per gli occhi, e l'acqua di mandorle pestate: questa fa per lei: è buona come il latte appena munto. E stare a letto, – concluse, – ben coperti e al caldo. Lei è poco coperta, mi pare.

Palpò le coltri, piegandosi per fiutare l'odore del drappo nuovo: il suo grosso naso camuso si arricciò:

– Che brutto odore – disse: – cambi questa coperta, che sa di ammoniaca e di anilina: è roba velenosa.

Se ne andò come era venuto, silenzioso e solo. Ma perché nessuno era accorso a riceverlo, a interrogarlo? Cominciavo a sdegnarmi per l'abbandono in cui mi si lasciava, quando una ridda di figure una più deforme e paurosa dell'altra volteggiò per la camera ancora illuminata dal chiarore giallo della vetrata: erano i selvatici clienti del dottore, tutti con barbe rosse come la sua; boscaiuoli con la scure, pescatori con le fiocine, cacciatori con l'arco! E la coperta mi pareva una palude verdastra, immobile e funebre.

– Ho certamente la febbre – pensai, tentando di liberarmi dall'incubo.

– E che febbre, – disse una settimana dopo mio marito; – è arrivata a quarantadue gradi. Adesso che il pericolo è passato, te lo si può anche dire.

Poiché bisogna aggiungere che il medico della Maremma, venuto a visitarmi nei sogni del delirio, non aveva indovinato il mio male; che era una brava polmonite doppia.

Sì, il pericolo era passato; ma la convalescenza fu lunga; e, venuta la zia Rosaspina a trovarmi, le dissi:

– E portatevi dunque via la malaugurata coperta: non la voglio più; datela a qualche povero che soffre il freddo e non sente l'odore dell'ammoniaca.

– Va bene, – risponde lei con la sua voce lenta, – la daremo alla lotteria per i poveri della parrocchia: anzi ho qui alcuni biglietti che voi dovreste acquistare. Porto via subito la coperta.

Presi i biglietti: e, il giorno della lotteria, non la vinsi proprio io, la coperta?

– Zia Rosaspina, zia Rosaspina, – supplicai quasi in ginocchio, – non riportatemi a casa quella sciagurata roba: buttatela piuttosto, poiché adesso comincio a credere che anche a darla ad un povero gli porterebbe sventura. Bruciatela nell'orto.

– Va bene – dice lei, sempre calma e severa. – Provvederò io.

Molti anni sono passati. Noi si andò in giro per il mondo, mentre la zia Rosaspina rimase ferma al suo posto, nella sua casa antica, in mezzo all'orto di cavoli fiori, che in questa stagione sembrano lune piene, e dei ciliegi dai quali basta un volo d'uccello per far cadere una miriade di foglie simili a cuori trafitti. Ella non ci scriveva mai: solo, per Pasqua ci mandava le uova dipinte con lo zafferano, e per Natale la torta di noci.

Quest'anno però la torta non arriverà: poiché la zia è morta da una settimana e noi siamo ritornati quaggiù per rivederla un'ultima volta ed anche per raccogliere la sua modesta eredità. Siamo in tempi nei quali una piccola eredità non è da disprezzarsi, tanto più se proviene santamente da una creatura la cui vita è stata tutta una collana di giorni limpidi e puri come diamanti.

Ed ella è morta come è vissuta: senza soffrire: ha chiuso gli occhi e si è addormentata, nella sua casa silenziosa, in mezzo all'orto rosso e dorato.

Quando noi si arrivò, giaceva ancora sul suo letto largo, dov'era nata; il suo viso, che sembrava quello di una vecchia santa di cera, spiccava sul verde di una coperta di seta: la nostra coperta. Non nascondiamo che un istinto di terrore accompagnò la sorpresa, nel riconoscere lo strano drappo, che dunque, poiché tutte le cose della zia oramai ci appartenevano, ritornava a noi con irrisione funebre.

Ma la contadina che l'ha servita fino all'ultimo ci rassicura.

– Ella teneva la coperta nell'armadio, con la canfora e lo spigo; e sempre mi diceva: «Quando sarò per partire col carro di Dio, avvolgimi in questa mantella, che io me ne vada vestita di seta verde, come una sposa che ha mille speranze di gioia».

L'ANELLO DI PLATINO

Andata via la signora Pùliga, rimasero dunque sole, la futura suocera, bianca e tonda come la luna piena, e l'aspirante nuora, bionda esile come la luna nuova; sole, nella stanza da pranzo, che col suo decente divano ricco di cuscini chiari con ricami di colombi, rami di pesco, grifoni e ragni, e le belle credenze coi vetri smerigliati, funzionava anche da salotto. Un aroma di buon caffè casalingo, cioè tostato macinato e preparato in casa, rallegrava l'atmosfera ospitale della stanza, mentre la lampada col velario verde e la frangia di perline dava al rosso-mogano delle pareti un riflesso glauco di tramonto primaverile. Sì, certo, qualche cosa d'insolito, di nuovo, di caldo, vibrava nel piccolo ambiente modesto e gentile; e lo sfondava, allargandolo in vasti cerchi fantasiosi, come una sala di piroscafo viaggiante in alto mare.

La prima a riscuotersi fu la presunta suocera; anzi, un sorriso malizioso, se non maligno, poiché il cuore di lei era buono e riboccante di saggia esperienza, le ringiovanì il viso grassotto, adorno di coraggiosi baffi grigi. Disse, con la sua voce ancora giovanile:

– Hai sentito bene tutto? E hai capito? L'ha fatta completa e ingenua, la sua esposizione, perché in fondo la mia buona Pùliga è rimasta come sono io: eravamo compagne di scuola, entrambe con le scarpe a chiodi e la borsa fatta dalle nostre mamme, come quella per la spesa: e avevamo, d'inverno, anche i polsini di lana rossa e blu: poi ci siamo perdute di vista: io ho sposato il mio bravo vice-segretario all'Intendenza, lei s'è sposata più tardi, con un piccolo proprietario, quasi un paesano, che non sdegnava di far pascolare il suo gregge. Adesso hanno qualche cosa come mezzo miliardo; palazzi, ville, quadri di autore, automobili, domestici, s'intende, gioielli, dei quali il migliore è il loro unico figliuolo.

A quest'uscita, la fanciulla si scosse anche lei, anche lei sorrise, anzi rise; ma il suo era proprio un riso maligno. L'altra protestò:

– Non l'ho detto per male. Un ragazzo di vent'anni, che studia, e non ha vizi, e nonostante i suoi milioni vuol lavorare, non è un gioiello? E poi anche un bel ragazzo, forte, sano.

– Lo dice sua madre!

Pareva quasi indispettita, la piccola Leny, e faceva smorfie scimmiesche. Della scimmia aveva invero gli occhi vividi e acuti, ma le lunghe ciglia arricciate ne smorzavano l'incosciente animalità: del resto era bellissima, con la carnagione di gardenia, una bocca da render pazzi gli uomini, e un personalino chiuso in un abito nero qua attillato, là a falde, che la faceva paragonare ad un'amazzone in miniatura: paragone sciupato, è vero, dalle collane di vetro e dagli orecchini che l'adornavano selvaggiamente.

L'altra, ricordandosi che era dover suo dare anche qualche lezione alla futura nuora, ribatté, seria:

– Una madre non può mai mentire, a proposito del figlio: la madre vede sempre bello il figlio, questo è vero anche; ma la mia amica Pùliga è troppo schietta, leale e semplice, per esagerare le virtù del suo. E poi non avrebbe neppure scopo di vantarlo, specialmente davanti a una ragazza. È tanto ricco.

Ma l'anima ancora caotica di Leny si sollevò di nuovo, tutta, in una risata che era infantile e nello stesso tempo perversa.

– Oh, – disse, – non avrà certo pensato a me, per suo figlio. Però mi guardava in un *certo modo*...

Ecco ch'ella si vendicava, in un certo modo anche lei, dei predicozzi dell'altra: ahimè, erano già di fronte, la suocera e la nuora, le eterne irreconciliabili nemiche.

Sotto l'apparenza di amazzone per giocattoli, Leny nascondeva però, senza saperlo, un fondo di bontà fragile e pura: dopo tutto aveva appena diciannove anni, e il suo vero nome, provincialmente storpiato, era Maria Maddalena. Amava anche lei il suo impiegatuccio, povero ma operoso e dritto come un fuso che tira e attorce il filo forte della vita; e ricordandosi di lui, e lo scopo per il quale era venuta, i vapori che la visita della signora Pùliga aveva suscitato intorno si sarebbero subito dileguati, se l'altra, un po' per innocente vanità, un pochino di più per spirito cattedratico, non avesse ripreso il motivo eccitante che accompagnava la storia della sua antica compagna di scuola:

– Questo non lo ha detto, perché è abbastanza religiosa per non far pesare troppo la sua fortuna su gente, come noi, che possiede solo la fortuna della propria semplicità; ma i suoi milioni si accumulano e crescono in modo fantastico, quasi vertiginoso, perché appunto lei, il marito, il figlio conducono una vita in fondo sobria e, in un certo senso, economica. Sarà anche per la forza dell'abitudine. Ti ho detto che il marito aveva solo un pezzo di terra quasi arida, in montagna: d'estate vi cresceva un po' di erba, ed egli vi faceva pascolare le sue pochissime pecore: ed ecco che un giorno, come nelle favole, egli batte per caso il bastone contro una roccia, e la roccia scintilla come la pietra focaia: incuriosito, egli spezza il masso e ne cava un frammento luccicante: era platino: una miniera di sua esclusiva proprietà.

La parola platino parve di nuovo richiamare Maria Maddalena alla realtà grigio-rosea della sua vita. Si drizzò sulla schiena, fra i cuscini dove prima stava semisdraiata, si tirò giù la veste sulle caviglie lucide come canne d'organo, si aggiustò il cappellino col fiocco che pareva l'ala di un mulino a vento. Disse, abbassando le palpebre, anche perché sapeva che così il suo viso prendeva l'espressione di una Madonnina infilzata:

– Mamma, devo dirti una cosa; sono qui per questo. Abbiamo litigato, con Gregorio; sì, purtroppo. Non sorridere: non dire che sono le solite bizze. Lui è molto arrabbiato; anzi mi aveva proibito di venire qui, e guai se lo sa. Non ti ha detto nulla? Ebbene, ti diro come è andata. Voleva farmi l'anello da fidanzata. E francamente, come usa sempre, a volte persino con una certa brutalità, mi annunziò che mi avrebbe dato uno dei tuoi anelli, tanto più che tu non li metti mai, proprio così, mi disse: e, naturalmente, io mi sono alquanto piccata. «Spero» gli dissi, «che almeno mi darai quello di platino, con lo zaffiro». «Perché?» domanda lui, inalberandosi. «Perché» ribatto io, dispettosa, lo confesso, «è l'unico anello di tua madre che ancora è alla moda:

gli altri sono dell'epoca etrusca». Mai avessi pronunziato queste parole. Forse egli era in un brutto momento di nervi: fatto sta che mi toccò sgarbatamente la collana e gli orecchini, e sibilò a denti stretti: «E questi, di che epoca sono? Del più puro Novecento! Tu dovresti baciarti il gomito a ricevere uno degli anelli di mia madre: il più umile di essi, di oro vero però, vale mille e mille volte più di tutta la tua chincaglieria esterna ed interna». Così, mamma, proprio così, mamma. Ma no, forse io non posso più chiamarti con questo nome, perché ho risposto male anch'io, a Gregorio, ed egli se n'è andato imponendomi di non venire più a trovarti: e non so, non so che cosa egli intendeva dire.

Intendeva bene lei, la mamma: poiché Gregorio non le aveva nascosto niente; e da troppo tempo egli sbuffava e si gonfiava come un riccio, tutto spine e tutto dolore: ma non era certo lei, la madre, a voler rinfocolare la stizza dei fidanzati, anzi cercò il suo più mite sorriso d'indulgenza, e batté la mano sulla mano della fanciulla.

– Gl'innamorati, si dice, fanno lite per aver poi il piacere di rappacificarsi. Lascia sbollire lo sdegno del signorino. Forse è la gelosia che lo fa parlare.

Maria Maddalena, però, scuoteva la testa, e sotto le palpebre sempre abbassate i suoi occhi prendevano la più pura luce concessa ad occhi umani: quella delle lagrime. E un'altra luce più grande le saliva dal cuore: la voglia di confessarsi:

– Non è gelosia, e se lo è, è una gelosia terribile, una specie di odio. Non sono una stupida, per non comprenderlo; egli sa che siamo come due persone di razza diversa: lui tutto anima, tutto d'un pezzo, rigido come una verga d'acciaio; io frivola, amante delle apparenze, qualche volta bugiardina: mi piacerebbe, certo, il lusso, il divertimento, le cose belle, l'automobile, le serate di gala, le grandi stazioni balneari…

Si fermò, impaurita di sé stessa; ma la mamma le batté di nuovo la mano sulla mano. Disse scherzando:

– Ti converrebbe il signorino Pùliga, allora.

Scherzava, sì, ma la sua voce aveva come un velo: uno di quei veli che coprono d'improvviso il sole e, senza offuscarlo, per il momento, minacciano vagamente di addensarsi e diventare nuvole burrascose. Leny sollevò le palpebre, ringoiò le lagrime: la luce del suo cuore si spense. Sentì che fra lei e Gregorio, fra lei e la mamma di Gregorio, si apriva un oceano: da una parte loro, madre e figlio, sulla riva lineare di una esistenza fatta di nulla e di tutto, dall'altra lei, sullo sfondo di un miraggio bellissimo e spaventoso. No, la madre non scherzava, con le sue ultime parole; e Leny, con gli occhi bene aperti, adesso, pensava che bisognava andarsene, camminare, cercare altrove: chi cerca trova. E si alzò, decisa di andare in cerca della signora Pùliga. Ma le faceva male il cuore, perché dentro vi sentiva, sì, un nido di serpentelli.

ELZEVIRO D'URGENZA

Fa presto, il Direttore di un grande giornale quotidiano, a spedire un telegramma così concepito:

«Pregola mandarmi d'urgenza elzeviro».

Lo scrittore, collaboratore ordinario del giornale, sebbene forse aspetti il telegramma, lo riceve con un sentimento misto di compiacimento e d'inquietudine. Compiacenza si capisce di che; inquietudine per la parola *urgenza.*

Poiché, per una ragione o per l'altra, egli ancora non ha pronto lo scritto; e buttarlo giù lì per lì, e sia pure in una giornata, ammettiamo anche in due, non è nelle sue abitudini.

Esistono, è vero, scrittori, e di grande valore, che possono ricevere imperterriti il telegramma; beati loro: ne conosciamo invece altri che ci fanno su una malattia.

Per conto mio l'*urgenza* dell'elzeviro mi desta sempre un vago indefinibile sgomento. Sarà forse ancora l'impressione del primo telegramma del genere, ricevuto, del resto non in tempi remotissimi, una notte sul tardi.

Stavo a leggere, mentre in casa già tutti dormivano. Si suona al cancello. A quell'ora, si sa, non può essere che un telegramma: e l'arrivo di un telegramma, per gente tranquilla, che non ha traffici, dà sempre un brivido, un senso di mistero.

Vado io stessa ad aprire, firmo col lapis del fattorino, sulla sporgenza della cancellata, rientro col foglio già squarciato, lo leggo alla luce dell'ingresso.

Urgenza. Elzeviro. La parola urgenza ancora non ha il suo schiacciante significato, perché ombreggiata dall'altra. Sappiamo, sì, poiché invecchiando s'impara, che cosa voglia dire il vocabolo "elzeviro" ma nella sua sola forma materiale: che cosa intimamente significhi, che cosa il nostro Direttore voglia benevolmente ma anche energicamente da noi, ancora la nostra innocente incoscienza dell'arte giornalistica non lo sa.

C'è l'aiuto dei libri, nel silenzio della notte e della casa, fortunatamente non interrotto dallo squillo del campanello: e da prima si consulta un certo vocabolario particolare; carissimo anche per ricordi di famiglia, passato di generazione in generazione; ma sebbene questo cimelio, gloriosamente spaccato, pieno di cicatrici, di illustrazioni e date che ne attestano il lungo servizio, sia il *Nuovissimo Vocabolario* della lingua italiana scritta e parlata, compilato sui più celebri suoi predecessori, dal Fanfani al Melzi, dal Rigutini al Tommaseo, e pubblicato non solo a Milano ma anche a Buenos Aires, ebbene, la parola *Elzeviro* non c'è.

Per fortuna c'è anche in casa, oltre a parecchi altri vocabolari a quest'ora non facilmente consultabili, una modesta Enciclopedia, in una stanza alla quale con cautela e senza far rumore si può accedere. Buono e utile libro, che si ha il torto di trascurare, anzi di evitare, come si evitano gli amici chiacchieroni, (per non chiamarli con un'altra parola d'uso), ma che si vendica bonariamente quando si ha, come in questa occasione, assoluto bisogno del suo sapere. Ed ecco il suo responso:

«Dal casato di una celebre famiglia di stampatori olandesi, gli Elzevir, prese nome quel carattere tipografico rotondetto, isolato, che oggi chiamiamo elzeviro, e che è usato esclusivamente per gli articoli di fondo (prima e terza pagina), come si usa un materiale scelto per oggetti aristocratici. Il capostipite di questa famiglia di tipografi fu Ludovico Elzevir, nato a Löwen, nel 1540, vale a dire circa un secolo dopo l'invenzione della stampa, quando già erano perfette le edizioni di Lipsia e le aldine a Venezia; merito degli Elzeviri fu il carattere latino e la nitidezza. Ludovico si trasportò a Leida, morendovi il 1617; e in quella città, i figli Mattia e Bonaventura, seguendo l'arte del padre, stamparono anche per il filosofo Cartesio. Con il figlio di Mattia, Abramo, e il di lui cugino Ludovico, la casa si trasportò ad Amsterdam, fino a che nel 1683, l'attività degli Elzeviri si spense. Impressero 2000 edizioni, oggi conservate in biblioteche nazionali tedesche e olandesi, fra le quali, importanti per novità e tecnica, il *Virgilio*, il *Terenzio*, il *Salterio*, e un *Nuovo Testamento* in caratteri greci, opera irta di difficoltà per quei tempi. Ogni edizione elzevira è facilmente riconoscibile per un'insegna quadrata, con una Minerva, il gufo preferito, l'albero della sapienza, simboli tutti del sapere. I caratteri, dunque, che imitarono quello stile, si chiamarono elzeviri, e, per traslato, i pezzi formati con essi».

Il mistero è, così, completamente svelato. Con soddisfazione si torna alla tavola di lettura, e per maggiore sicurezza si apre il nostro caro grande giornale, che ci fa l'onore di stampare i nostri scritti in elzeviro.

L'articolo di fondo è lì; i caratteri ci sorridono, nitidi, nobili, signori della terza pagina; l'"elzeviro" di una colonna e tre quarti, domina come un castello sul feudo degli altri scritti.

Il telegramma, dunque, accenna a una novella, o ad un articolo di varietà. Scartato questo, che non è il nostro forte, rimane la novella. Qui siamo salvi, pesci nella nostra breve ma limpida e sicura acqua. Si può andare a dormire i soliti sonni tranquilli.

E qui invece, comincia il vero, l'intimo dramma: e non da prendersi tanto in burletta. Se il Direttore ha fatto presto a spedire il telegramma, più presto fa l'autore a pronunziare la parola *novella*.

Si scrive, sì, la novella, con gioia, con tormento, anche; tormento che in fondo è l'ebbrezza del martirio come la sentivano gli eroi e i santi: e si può scrivere, sì, in poche ore; ma non quando all'autore pare e piace; o anche quando gli pare e piace, ma non per urgenze esteriori, non per lusinghieri e onorifici inviti; non per lo svago e il piacere del lettore; e neppure infine, per sé stesso. Si scrive quando è giunto il momento, quando il germe di essa novella è maturo, e l'artista ha il bisogno assoluto di scriverla.

Questo germe, nell'artista, non manca mai, come non mancano mai i germi nella terra, anche nei periodi di siccità e di gelo; ma dire alla terra, in questi periodi: germoglia, fa in poche ore crescere e sbocciare una rosa; è lo stesso che imporre ad uno scrittore, in certi momenti, di scrivere una novella.

La parola *urgenza*, qualche volta, però, un certo effetto lo esercita. Durante la notte che segue al telegramma dell'elzeviro, questa parola può far miracoli: è l'incubo, è vero, ma può essere anche la salvezza. Batte come una pioggia ristoratrice a tutte le fessure dell'anima in pena; è il lumicino nel tenebrore dello smarrimento.

Pur nei sogni agitati, germi di novelle, nascosti nel sub-cosciente, scoppiano, crescono, fioriscono come ninfee nei misteri notturni di un lago. I sogni stessi, non sono avventure straordinarie create dalla nostra fantasia? Nel dormiveglia, poi, tornano in mente i ricordi più belli, o i più tragici, o anche i più semplici, della nostra vita: da essi, come da ogni altra vicenda, alta od umile che sia, l'artista può trarre un capolavoro. E poi, sempre nella notte fatale, si rimuginano tante altre cose, non nostre, ma più che nostre, perché di tutti: fatti di cronaca, resoconti giudiziari, drammi e idilli e incidenti accaduti ai nostri vicini di casa. E le storie sentite raccontare di recente? Da quella della vecchia sottocuoca analfabeta, che girando il mondo, d'albergo in albergo, ha imparato quattro lingue e riferisce a sua volta straordinarie avventure di principesse capricciose, di eleganti farabutti, di dietroscene diplomatiche, a quella della piccola suora che fuggì di casa per farsi tale; dalle cronache del marinaio reduce dalla Cina, ai fatterelli scolastici e sportivi della nostra bambina.

Ma spesso, anzi quasi sempre, questi *spunti* di fatti accaduti, non garbano all'artista, orgoglioso della sua potenza creatrice. Egli vuole inventare anche il fatto, sia un dramma, un'avventura, un innocentissimo *conto*: far nascere dal suo cuore stesso i suoi personaggi; e che tutto, nella narrazione, sia *suo*; il sangue, la luce, i brividi del vero.

Ma appunto per questo bisogna stare in guardia contro i giochi della fantasia, sempre pronta a servirti molti argomenti – forse anche troppi – che presi bene in esame, come in un concorso, vengono mano mano scartati, bocciati, cestinati.

Eppure ce ne sono che farebbero la felicità di tanti buoni lettori. C'è, per esempio, il mai esaurito tema dei drammi famigliari: padri e figli in conflitto, sacrifizi e commedie coniugali; passioni, tristezze, tradimenti e miserie: ci sarebbe la storia dell'avaro che mentre muore vede già la rapina e la dispersione del suo tesoro; e quella del giovane ladro che penetra in una camera, della quale la finestra è continuamente aperta, rubandovi oggetti di vestiario che la tentazione lo induce in seguito a indossare e che gli comunicano la terribile malattia della quale il loro proprietario è morto.

E i titoli? Sono spesso il pernio del racconto, il motivo creatore della breve composizione. E come belli e tentatori! I regni della natura, le passioni umane, le invenzioni e scoperte, gli ultimi avvenimenti del giorno e le fantasie preistoriche, le leggende della terra natia e gli umili oggetti intorno a noi, si fanno la concorrenza per offrirceli in blocco: ma la stessa fatica della scelta ce li fa trascurare.

Infiniti poi sono gli *spunti* lirici, che quasi sempre però ricadono nel fatto personale, e coi quali bisogna andare ancora più cauti, almeno in questi momenti di scelta, penosa come un esame di coscienza.

E allora? Allora resta la fede in Dio, poiché c'è veramente un Dio che veglia sull'artista che ci crede; e la fede in sé stessi, nella propria ferma volontà di mai scrivere pagine fatte di sole parole: e infine la speranza nel domani riposato.

Con questi pensieri ritorna il sonno, – o forse è la stessa dolce violenza del sonno a provocarli, – e tutto rimane sospeso nel mistero del riposo.

E l'*idea* viene precisamente il giorno dopo, quando meno ci si pensa, nel groviglio delle altre preoccupazioni e delle altre fatiche quotidiane, quando, del resto, tutto si sopporta e si fa con sollievo, pur di non mettersi a scrivere. Donde scaturisca non si sa: quello che è certo è il senso di sorpresa e di gioia che l'accompagna. Gioia, pur troppo, riannuvolata di tormento, quando ci si rimette a tavolino e la vastità nivea della cartella da riempire, sembra un deserto lunare che aspetta di essere rianimato dal soffio creatore dell'artista.

C'è da far tutto, qui: da riportare un'atmosfera vitale, da fabbricare una casa, da piantare una vigna, da seminare un prato, da farci nascere, e qualche volta anche morire, uomini, bestie, uccelli.

Ci si fa coraggio; si comincia: le più difficili sono forse le prime parole. Rintronano, in quel deserto: destano quasi spavento, come voci nemiche: ma via via, dominate dalla buona volontà, dalla pazienza, dalla padronanza dello scrittore, si lasciano guidare, perdono il suono, precedono per la via aspra le altre che sono più miti, che non vogliono avere altro significato che quello che veramente hanno: e il significato delle parole non è tutto nel loro suono, come l'anima dell'uomo non è solo nella sua voce.

LO STRACCIAIOLO DEL BOSCO

Finalmente è venuto lo *stracciaro* del bosco. E diciamo finalmente, perché da tempo si desiderava conoscerlo, e non senza una certa trepida curiosità: non come i bambini, che, per le minacce materne, hanno paura del suo sacco; né come tutti quelli, donne, operai, vecchi e servette, che sentono il bisogno del suo provvido passaggio per i loro acquisti specialmente invernali: ma con la solita scusa della conoscenza con la quale ogni personaggio fuori dell'ordinario può arricchire la nostra esperienza artistica ed anche umana.

Si poteva immaginare questo personaggio come un vecchio vagabondo, con la lunga barba di lana di capra, le scarpe ereditate dall'Ebreo Errante, gli abiti a brandelli: e ci si domandava da qual bosco egli veniva; un bosco senza dubbio lontano, forse di quelli dai quali, del resto, scendono spesso i carbonai coi loro lunghi sacchi neri che alimentano il nostro focolare ancora primitivo: il fatto è che tutti parlavano di lui, ma pochi lo avevano realmente veduto: e solo la scarna Giannina, la nostra lavandaia, che anche lei si ostinava ad andare a risciacquare i panni al fiume, come le donne antiche, assicurava di conoscerlo in persona.

E forse fu per suggestione di lei che lo *stracciaro* si spinse fino ai nostri paraggi; e si dice paraggi, perché si stava ancora, nonostante la stagione inoltrata, e sovente pessima, in riva al mare. Le onde agitate arrivavano fino alla duna rinforzata di tamerici che difende il nostro recinto, e s'incanalavano da un lato e dall'altro, in modo che sembrava di trovarsi in cima ad una penisoletta non esente da pericoli di inondazione. Ma era bello, e il rumore continuo del mare destava, fra tutto quel silenzio di luogo disabitato, un senso di dormiveglia piacevole: pareva, infine, di vivere in una casa galleggiante, anzi nella pace romantica di una palafitta; e ad accrescere questa illusione non mancavano i mucchi brillanti dei gusci delle arselle, delle quali, nei momenti di bassa marea, si faceva una pesca straordinaria, convertita subito dopo in manicaretti squisiti ed economici nello stesso tempo.

Tutti i giorni, del resto, verso il tramonto, il cielo si rischiarava, quasi pentito di averci prodigato tante ore di uggia e di monotonia; ad ovest l'orizzonte si accendeva di bagliori verdi e rossi, e la nostra aia, il pozzo, la tavola di pietra davanti alla casa, ritrovavano la gioia calda dei vesperi d'agosto. In questa luce benevola, per quanto illusoria, un pomeriggio sul tardi apparve il nostro uomo.

Sulle prime lo si credette uno di quei merciai ambulanti che, durante la stagione balneare, percorrono le spiaggie affollate, carichi di robe per lo più di lana che accrescono il sudore solo a vederle: e quindi lo si lasciò penetrare volentieri nel recinto, con la speranza di ripescare dai suoi involti un po' di calore estivo. Era giovane ancora, alto, dritto nonostante il suo pesante fardello: vestito decentemente di panno scuro, con un cappelluccio nero calcato sopra le grandi orecchie rosse, aveva, nel viso abbronzato e accigliato, due vividi occhi verdognoli che parevano di diaspro. E furono forse questi occhi i primi a rivelare la sua personalità, mentre egli si avanzava nel vialetto d'ingresso, e gli alberi lasciavano cadere intorno a lui le loro foglie gialle, quasi per salutare il suo passaggio. Sì, dovevano venire da un bosco fitto e sempre verde, quegli occhi acuti e animaleschi, abituati a scrutare i recessi più ombrosi ed a scovare da lontano gli oggetti nascosti. Il carico dell'uomo, poi, che consisteva in un sacco legato con una corda, e le vecchie scatole che lo completavano, non lasciavano più dubbio sulla qualità della sua merce.

Ed era proprio lui: lo *stracciaro* del bosco.

– Non abbiamo bisogno di niente – dice la serva, pur affacciandosi all'uscio della cucina, con gli occhi lucenti di curiosità e bramosia.

– Che ci avete? – domanda invece la signora padrona, scendendo con dignitosa lentezza gli scalini della porta di casa.

Egli ha già capito che c'è da concludere qualche buon affare, e levandosi il copricapo dai capelli lisci, che hanno il colore delle castagne nuove, aspetta rispettoso gli ordini.

– Posate il sacco su quella tavola.

La parola *sacco* dà un'aria di spavento al viso già tanto pallido e mobile della serva: è vero che per spaurirla basta che un carbone scoppietti nel fornello, ma questa volta ha capito anche lei di che si tratta e, diciamo pure tutta la verità, una certa sfumatura d'inquietudine fiabesca s'è diffusa nel cuore degli astanti, ed anche nell'atmosfera intorno.

L'uomo abbassa la spalla, e il suo carico strapiomba sulla pietra rotonda della tavola: la pietra è rossa, e d'un tratto s'illumina come un vetro al tramonto: il sole infatti riluce dietro le siepi della strada, fra squarci di cielo infiammato, e pare un complice del tentatore; poiché l'involto e le scatole prendono subito un altro colore; ed anche la corda, che le dita robuste e insieme agili dello stracciaiolo slegano con sapiente esperienza, ha qualche cosa di vivo, di premuroso, quasi abbia piacere di appagare la nostra curiosità.

Curiosità che però deve frenarsi e pazientare, perché nel sacco, quando i suoi lembi, arrotondati come enormi labbra, si spalancano per insegnarci un'espressione di meraviglia, s'intravvede appena un barlume giallognolo di carta straccia; ma sollevato questo primo velame le sorprese cominciano. Altro che rifiuti e oggettini ritrovati nel bosco!

Qui c'è un bellissimo e rotondo vassoio che fa come da coperchio all'interno del sacco; e che il mercante (oramai è tempo di chiamarlo così) tira fuori e rivolta con abile gesto, agitandolo non forse per liberarlo da qualche granellino di polvere, ma per fargli accogliere il riflesso del sole, come uno specchio per le allodole.

E il vassoio, infatti, desta immediatamente le nostre brame, che d'un tratto, da scettiche e burlesche, diventano serie. Si ha proprio bisogno di un oggetto simile, in casa, poiché l'unico vassoio che possediamo, oltre quelli fragili di porcellana, è di legno, pseudo giapponese, col ramo di pesco già intaccato dal calore della caffettiera colma. Questo è invece di metallo, liscio, sì, con gli orli appena arricciati: la serva, venuta giù pian piano fino a farsi schiacciare il ventre dal cerchio della tavola, lo ritiene addirittura d'argento: e, suggestionata, io prendo in mano il prezioso oggetto, e lo rivolto cercandone la marca. Invece di questa vedo una piccola sigla, e, già messa in avvertenza dalla leggerezza aerea del vassoio, m'accorgo che esso è ritagliato dal fondo di una latta di acciughe conservate sotto sale. Ma non dico niente; anzi metto da parte l'oggetto, buono in ogni modo per i nostri modesti usi quotidiani.

L'uomo non parlava: più che mai dignitoso, quasi tragico, non vantava la sua merce, ma lasciava capire che, se qualcuno si azzardava a disprezzargliela, sarebbe insorto come una bestia che difende i suoi piccoli appena nati.

Ed ecco, tolto il vassoio, egli scosse il sacco e ne fece scaturire un tintinnio metallico: poi ci guardò dentro e accennò di no con la testa: no, quella roba, sebbene risonante e rilucente, non faceva per noi. Era piuttosto adatta per lo stagnino, che a sua volta ne avrebbe creato recipienti per le massaie di campagna: poiché erano tutti barattoli vuoti, frammenti di tubi, brocche rotte, manici di padelle; e serrature, borchie, uncini; tuttavia il fondo riservava qualche cosa che ancora poteva esserci utile, e l'uomo, dopo aver frugato con cautela, anche per non tagliarsi le dita, trasse un candeliere di ottone, lo spolverò con la manica della giacca, lo depose con gesto trionfante sul vassoio.

Questa volta egli era più che sicuro del fatto suo: autentico, massiccio, con lievi e graziose incisioni, il candeliere conservava ancora, sul labbro del vasetto, lasciatavi apposta, una goccia di cera. Il vassoio lo rifletteva compiacente, con un serpeggiamento dorato: e pareva che i due oggetti si completassero a vicenda, dando anzi, all'angolo della tavola, nel chiarore ultimo del tramonto, un'illusione di altare.

Poi l'uomo richiuse il sacco e mise in mostra le sue scatole: due, erano; una un po' sgangherata, con lembi di stoffa che straripavano dalla sua apertura; l'altra, più piccola, ben legata da una cinghia. Egli non pareva disposto ad aprire la prima, sebbene fosse quella che più giustificava il mestiere e il nome di lui; ma una timida domanda della serva, che desiderava uno scialletto, sia pure molto usato, e le sembrava di intravederne uno dalla frangia che si affacciava ad un lembo della scatola, lo persuase ad esporre il suo nuovo tesoro. Tesoro invero da poveretti, prezioso per i giorni che si avanzavano mostrando i loro denti di ghiaccio: e qui il mercante credette bene di parlare, finalmente, spiegando come le sue robe non pervenissero dai mondezzai, ma gli erano state vendute, ancora in ottimo stato, nei giorni sereni, da donnette imprevidenti o bisognose, o magari a loro volta rivendugliole. La sua voce era bella, armoniosa; quasi quasi ricordava anch'essa il mormorio del bosco filettato da gorgheggi di uccelli e da cantilene di acque vagabonde.

– Questa fa per lei – disse, spiegando una sciarpa, verdiccia da un lato e anticamente marrone dall'altro: e anche questi colori, e la lana muschiosa, rammentavano la selva. La ragazza se la misurò e volse la testa a guardarsela di fianco.

– Le sta dipinta: vada a guardarsi nello specchio.

Per far presto, la serva si rimira nel vetro di una finestra, e trova che il suo pallore di bruna risalta sul verde della sciarpa come quello del fungo nella borraccina. E mentre ella contratta con l'uomo, che espone, col suo più seducente sorriso, i denti forti affamati d'amore, e le fa speciali complimenti per imbrogliarla meglio, io rimango a mia volta incantata davanti alla scatola magica. Magica, sì: poiché sollevando un secondo scialle scuro, qua e là bucato dalle tarme, mi sembra di sollevare, come dicono i poeti, un lembo del mio passato. Sotto lo scialle c'è un vestito, di lana, d'un colore indefinito, che tuttavia immediatamente riconosco: anzi è un colore da me sola decifrabile, poiché l'ho combinato io, col fabbricante di maglie che tre anni or sono ha lavorato per me il vestito: ed è un viola scuro, con pagliuzze galline, che tralucono fra maglia e maglia come vaghi scintillii di stelle nel fondo di un cielo notturno autunnale. Due inverni il vestito ha preso parte della mia vita, ha conosciuto le mie vicende buone e cattive: per il terzo inverno l'ho pietosamente regalato alla Giannina: che godesse anche lei un po' di calore e di benessere borghese. E la birbacciona se l'è venduto: forse per comprarsi due etti di caffè: e forse non ha fatto male, poiché la generosa bevanda le ha procurato una breve felicità che il vestito non poteva darle.

L'uomo riprese la sua aria diffidente quando si trattò di aprire la seconda scatola: pareva lo facesse mal volentieri, e si guardò attorno prima di decidersi. Ma la serva, soddisfatto il suo desiderio, rientrò in casa, anche per rimirarsi nello specchio, e gli altri si sbandavano qua e là per il recinto. Di me lo *stracciaro* non poteva diffidare esageratamente; aprì, quindi, sollevò la carta che copriva gli oggetti della scatola: oggetti, a dire il vero, meno interessanti di quelli del sacco. Fra le altre cianfrusaglie, una bambola col naso rattoppato, dormiva, vestita e calzata, con la testa ferma su una scatoletta di bottoni: mentre l'uomo la sollevava aprì gli occhioni spaventati, e così li tenne, come cosciente di quanto succedeva, mentre egli le traeva dalla gamba, di sotto la calzetta, un piccolo anello di platino, ornato di una pietra di cristallo brillantissimo.

– Questo fa per lei – egli disse, guardandomi le mani nude di anelli e poi fissandomi negli occhi. – Fa proprio per lei, che ha le dita piccole. Lo provi, lo provi.

Oh, che, voleva rifare con me il gioco dello sciallettto? Io non toccai l'anello, neppure per curiosità, ma subito mi accorsi che era di valore.

Domando, corrugando anch'io la fronte:

– Com'è in vostre mani?

Questa volta egli risponde con umiltà, dicendo di averlo trovato; io però sento odore di bugia.

– Quest'anello ha un certo valore; si dovrebbe restituire a chi lo ha perduto.

– Eh, sì, e come si fa? – egli ribatte, guardando fisso l'anello: e pare voglia aggiungere: – Se si dovesse restituire tutto quello che si trova, come si camperebbe?

– Si va dal parroco, o dal podestà, i più vicini al posto dove si è rinvenuto l'oggetto, ed essi faranno ricerca di chi lo ha smarrito.

Era come predicare al vento: l'uomo sembrava sordo e sfregava con un dito l'anello lucentissimo. Sollevò di nuovo gli occhi e insisté: – Lo prenda lei: farà un affarone. Può darsi che la pietra sia diamante: eppure io glielo dò per poco.

– No, no.

– Se ne pentirà. È un bell'oggetto, anche da tenersi in casa. Sentiamo, quanto vuole spendere?

– Non lo voglio, anche se me lo regalate – troncai finalmente, burbera: egli capì e rimise l'anello sotto la calzetta della bambola. E la bambola fu giù di nuovo, con gli occhi chiusi, rassegnata a portare lei l'anello alla gamba, come quello di un condannato che sconta la sua pena.

E più in là si sentirono notizie di quest'anello. Fu naturalmente la Giannina, a portarle.

– Sa, hanno aggredito il povero *stracciaro* del bosco: gli hanno preso mille lire che teneva nascoste nella calza, e per di più lo hanno massacrato di botte.

– E lui, come li aveva, questi denari?

– Oh, bella, coi suoi negozi: aveva venduto anche un anello con un diamante vero.

IL TAPPETO

Durante la notte aveva piovuto: adesso, nella rinnovata serenità del mattino, il tratto di spiaggia che noi si frequentava, smosso, ma egualmente lucido, pareva una distesa di frumentone appena sgranato messo ad asciugare al sole. E il sole, a misura che saliva verso lo zenit, lo rendeva compatto, sempre più brillante nella sua filigrana d'oro argenteo. Tanto che si finì con l'abbandonarcisi su, come al solito, godendoci anzi il suo tepore lievemente umido, non più arido, ma come vegetale. E la spiaggia si animò d'un tratto, con più delizia del solito.

Dalle lontananze verso Ravenna si avanzò la figura rossa di una donna, che aveva nello stesso tempo la mansuetudine veloce del cammello e la sveltezza rapace della zingara. Con un pesante carico sulle spalle, e cassette e sacchi in mano, pareva venisse dall'antica città, con un tesoro rubato a qualche principessa bizantina. Infatti quando depose e snodò sulla sabbia il suo prezioso fardello, iniziando una lenta sapientissima esposizione delle cose che conteneva, tutti gli astanti, compresi i più refrattari all'incantesimo delle cianfrusaglie, stettero a guardare, a piegarsi, a toccare timidamente, poi a palpare, poi a sollevare, già sedotti, i lembi di quelle meraviglie.

Pizzi, ricami, merletti, tovaglie, scialli, trine d'oro e di perline, broccati e veli, vestiti di seta color luna e color tramonto, e fiori e fiori, arabeschi, greche, frangie, e il più iridescente e soffice imbroglio che si possa accettare anche da occhi bene esperti. In ultimo, quando già molti dei presenti, specialmente donne, se ne andavano coi loro acquisti, come oche con la coda del pavone, fu steso sulla nuda sabbia un tappeto per tavola, non grande: un metro e venti centimetri per un metro e venti, compresa la frangia che pareva fatta con bionde ciglia di sirene.

Frangia che si staccava da un bordo laminato, del quale sarebbe difficile riferire le tinte cangianti se non si ricordassero quelle di certi uccelli di palude: verdi metallici precipitanti in viola, marroni illuminati di canarino, grigi perlati di piuma: e delle piume più fini la stoffa aveva la morbidezza sensuale. Il resto del tappeto era poi tutta una vetrina di oreficeria: su un fondo carnicino dorato, degno della grande rosa centrale, si svolgevano corone di ghiande verdi, di foglie azzurre, di perle ovali rosse, di ghirigori d'oro e infine, meraviglia delle meraviglie, un ampio cerchio di cuori. Cuori che riassumevano tutti gli altri colori; e più fulgidi e vivi di quelli che si vedono sulle pareti di certe cappelle miracolose: d'argento e d'oro, e alluminati e opachi; alcuni verdi e azzurri nello stesso tempo, altri rossi fiammanti, altri, infine, d'un viola livido come cuori di donne assassinate per amore.

Il sole, adesso allo zenit, illuminava a picco questa cisterna d'incantesimo; e già il mare mormorava il suo fresco congedo meridiano alla gente della spiaggia. Bisognava tornare a casa: si sentiva il richiamo della modesta tavola familiare, che aveva anch'essa i suoi scintillii di cristallo, i tulipani dipinti sui piatti, i ricami dei lieti conversari. Eppure si stava ancora a guardare il tappeto: la prima ad ammirarselo era la venditrice stessa, accovacciata sulla sabbia, rossa e sudata e coi piedi gonfi come una bestia da soma e da tiro che si abbandona alla sua eterna stanchezza. Forse, più che la pania del brillantissimo straccio, fu la pietà per quei piedi d'ebrea errante, nudi e tristi nei sandali rotti, che ci costrinse a tirar fuori il borsellino. E il tappeto fu nostro.

Nostro, sempre più, come l'oggetto di una passione della quale ci si vergogna, e della quale tuttavia si vive. Andò bene per tutta la bella stagione: fu la nostra luna di miele. I colori del tappeto risaltavano sul tavolino da scrivere, davanti alla finestra dello studio di campagna: l'azzurro rispondeva all'azzurro, il verde al verde; quel fondo carneo luminoso alla lucentezza voluttuosa dei lunghi crepuscoli ancora turgidi di calore estivo. E i cuori si dondolavano mollemente, come un festone di pampini, felici delle ultime illusioni giovanili. La rosa era sepolta dal peso e dall'ombra del calamaio, ma pareva vi facesse forza, sotto, perché la penna pescava cose gentili dall'inchiostro torvo.

Di mattina il sole batteva sul tavolino, suscitandovi una diavoleria di lampeggi e colorazioni inverosimili; e il tappeto, a parte la nuvola del calamaio, sembrava lo specchio fedele del quadro della finestra. Avvenimenti felici vi si svolgevano sopra: pioggie di cartoline illustrate, con cari saluti da tutte le parti del mondo; tentativi di versi; macchioline di acquerelli, lasciate dalla pittrice in erba; e il rotolare delle monete di rame e di argento, puzzanti di pescheria, che la serva, visto che il tavolino era di tutti, vi deponeva sopra; e le schegge infocate della ceralacca schizzate dall'appassionata apertura delle amatissime lettere assicurate; e, infine, il camminare della penna sulla cartella soleggiata: camminare agile e vivo come quello delle fanciulle sulla spiaggia.

Intorno vi fiorivano scherzi, derisioni, critiche, invidiuzze puerili: il parente esteta dichiarò il tappeto la cosa più di cattivo gusto ch'egli conoscesse al mondo; il parente bonario, funzionario dello Stato, più crudele ancora, si piegò ad esaminare con un solo occhio la trama e dichiarò che si trattava di seta tessuta con l'ortica: la disegnatrice in erba, fatta più disinvolta da questi giudizi, lo macchiò d'inchiostro di china. E il gattino dei nostri vicini, balzando dalla finestra aperta, si esercitò a diradarne le frangie come il suo padrone i pampini del pergolato. Ma tu resistevi intrepido, o piccolo tappeto nuovo; con tutti i colori della giovinezza: rosso di sangue, azzurro di gioia, smeraldo di speranza; e i tuoi cuori pareva oscillassero, in un cerchio magico di danza, come veri cuori palpitanti di coppie innamorate.

Ma adesso le cose sono cambiate: finita la festa, gabbato il santo. Adesso il tappeto è qui, nel grigio inverno della città, esule drappo che la padrona ha voluto al seguito delle sue debolezze sentimentali. La solitudine affiora attorno, come il muschio sull'acqua stagnante; passano le cornacchie col loro lamento che ricorda quello del corvo del tetro poeta d'oltreoceano: poi gli scheletri degli alberi sogghignano nel cimitero della nebbia e delle luci vespertine.

I colori del tappeto se ne vanno: e sarebbe ingiusto chiedere loro di più. Hanno fatto la loro stagione, e basta. Il primo a trascolorarsi è stato il bordo: e non muoiono anch'essi, in questa stagione di caccia, i luminosi uccelli violacei e ramati, dal lungo becco verde simile allo stelo stroncato di un fiore?

Il tappeto languente si rianima ancora, in certi giorni di sole, e ritrova un sorriso d'illusione: ma il sole va via presto, e nella penombra i cuori sembrano lumache morte, mentre gli schizzi dell'inchiostro danzano come folletti neri intorno al monumento funebre del calamaio che ricorda quelli dei caduti in guerra. Carte melanconiche piovono adesso sulla desolazione del tavolino: gli avvisi delle tasse, la nota del dottore, l'annunzio di una morte, l'annunzio più funebre ancora delle nozze di un uomo brutto con una donna bella. Tutto sopporta il decaduto tappeto che vede già, negli occhi cattivi della sua padrona, anche l'annunzio della sua prossima fine. Invano, con un estremo luccichio, con un dondolarsi tenero dei cuori che tentano un'ultima seduzione, pare chieda la grazia sovrana.

– Salvami almeno dalla morte nel sacco della Sacra Famiglia. Tante cose abbiamo sopportato assieme, liete e tristi. E non sopportiamo forse ancora assieme la lista della spesa giornaliera, le lettere dei seccatori, la nota per la lavandaia?

Ah, ma a questo punto la padrona si sdegna e protesta: ricorda al tappeto che la nota per la lavandaia bisogna rispettarla, se non altro perché, dicono, fu da un grande maestro messa in musica.

– E, – aggiunge, – lasciando il resto del pesante fardello del logorio quotidiano, basta accennare alla foderetta del guanciale, che si porta via l'ombra delle insonnie coi suoi mali pensieri, ma anche l'impronta dei sogni buoni, e l'angolo ancora bianco della luce delle albe che si rinnovano: e la tovaglia che sentì le nostre querele ma anche le cordiali risate familiari e i complimenti agli ospiti benigni; e, infine, il fazzoletto ancora umido di lagrime, o con un nodo per una cosa che si vuole e non si può ricordare.

È inutile dunque che tu chieda pietà, o piccolo tappeto, che se hai ingannato non è per colpa tua ma dell'uomo che ti ha tessuto come tanti altri suoi inganni. Non è colpa tua: ma son bene le colpe degli altri quelle che più duramente si scontano.

Tu quindi te ne andrai rassegnato, lasciando il posto a un tuo compagno più severo, d'un colore neutro, che non sorriderà ma non procurerà neppure distrazioni.

Forse ti rimanderemo in campagna, a coprire un baule; forse andrai in una casa povera, sul tavolino di uno scolaretto ambizioso che ti amerà e disprezzerà nello stesso tempo. Ad ogni modo andrai anche tu per la tua strada, fino a cadere morto, come tutto cade, uomini e foglie; ma neppure allora andrai disperso, poiché anche per i tappeti c'è l'eterna legge della resurrezione; e rinascerai in tela da imballaggio, o in cartastraccia, o, fatto concime, in una rosa di maggio.

LA CHIESA NUOVA

Tornavo, sofferente anch'io per un malessere fisico, dall'aver visitato, in una clinica, una carissima persona da lungo tempo malata di un terribile male: male al cui sbocco la morte risplende come un giardino di rose e d'aranci in riva al mare, in primavera: forse il giardino dal quale l'uomo fu scacciato per il suo peccato originale e dove rientrerà dopo che la vita gli avrà succhiato atomo per atomo ogni possibilità di gioia e di speranza.

La malata mi aveva chiesto un veleno; ed io risalivo la strada sfolgorante di verde e di luce, pensando al modo di procurarglielo.

Così, oltre l'angoscia, mi accompagnavano, neri e sinistri, la disperazione e il delitto.

Là, in fondo alla grande strada dove le ville fra i parchi profondi sembrano case di fate, e sono invece quasi tutte cliniche e alberghi di dolore, lassù c'è una farmacia dove forse potrò riuscire a procurarmi il veleno.

Cammina, cammina, come il bambino smarrito nella selva, il terrore e la speranza spaventosa di un'uscita nel vuoto, mi guidano. Ma la stanchezza del corpo frena il triste camminare: un ginocchio s'irrigidisce e rifiuta di seguire l'altro: eppure continuo; e la mia ombra mi pare il diavolo zoppo che spaurisce e fa ridere i fanciulli.

La strada è lunga, però; tramonta il sole, cade la sera, ed ho paura di smarrirmi davvero.

Domani. Lasciato il progetto al divino domani, per tagliare corto imbocco una strada nuova che so diretta alla mia casa.

È una strada nuova, ma aperta in un parco antico divorato dalla città affamata di spazio. Lecci millenarii la fiancheggiano, e la loro ombra ha come un senso di ostilità e di tragedia: sembrano grandi vecchi sopravvissuti ai loro discendenti, capitani fatti prigionieri dopo l'ecatombe del loro esercito.

Strada nuova? Eppure mi sembra di riconoscerla; come credo di riconoscere i lecci, coi loro occhi rossi di tramonto fissi a guardarmi dallo sfondo del cielo.

Io ho percorso altre volte questa strada, ho conosciuto questi alberi. Quando? In una vita anteriore? O nella fanciullezza ricca e dolce, nel paese favoloso della mia stirpe antica come il mondo stesso?

Non ricordo, e un senso di stordimento mi prende: penso alla leggenda che dice appunto la Sardegna un grande scoglio sopravvissuto alla sommersione dell'Atlantide: ad ogni modo sono certa di aver percorso questa strada con compagni ben diversi da quelli che adesso, muti e ferrati come un branco di sgherri, mi stringono e spingono.

La gioia azzurra, l'illusione vestita d'iride, il peccato, forse, ma coperto di porpora e d'oro come un principe d'Oriente, mi accompagnavano, in quel tempo lontano; e i lecci non erano sinistri e torvi: felici, anzi, come antenati in mezzo alla numerosa famiglia, e superbi come capitani in mezzo all'esercito vittorioso, non si degnavano di por mente alle comitive dei piccoli uomini che violavano col loro passaggio la quiete panica del luogo.

Adesso tutto è ombra: e il luminoso mistero della vita si è mutato in quello tenebroso della morte.

D'un tratto però la strada svolta, sale, va verso l'occidente; e d'improvviso uno sfondo migliore rischiara il triste andare: è uno sfondo agitato anch'esso; un cielo quasi verde, ferito di nuvole vermiglie, dolorante, ma in lotta contro le tenebre: un cielo di dolore e di speranza.

Il suo riflesso però rimaneva per me esterno: potevano brillare i miei occhi, ma non penetrava la luce nell'anima mia.

Domani.

La lieve salita rendeva più faticoso l'andare: il ginocchio malato si faceva trascinare malamente dall'altro come un bambino stanco dalla madre cattiva.

Ancora un poco e saremo a casa: già si vedono le ville nuove, affacciate alla sera con le loro loggie di trina e le terrazze fiorite: le ville nuove, tutte belle e agghindate come spose novelle. Il silenzio le circonda, così profondo che dà un senso di stupore come quando si è bevuto un liquore forte.

La vita è dolce, là dentro; tutti vi sono felici, ricchi e sani: le porte ben custodite non si aprono all'ospite terribile che mi aspetta, da lungo tempo insediato nella mia stanza, e al quale io non ho saputo chiudere mai la porta.

E il contrasto rende più oscuro il cammino.

D'improvviso però mi fermai. Dove la strada è più silenziosa, come in vetta ad un monte, sorge la chiesa nuova: la piccola chiesa del nuovo quartiere dei ricchi. Un po' questi, un po' i poveri che vivono intorno ai ricchi, molto i più ricchi e felici del mondo, i bambini innocenti, hanno contribuito a costruirla.

Qui non si sa descriverla: come si fa a descrivere una piccola chiesa nuova, che invece d'incenso odora di vernice, che non ha cupola né torre, ma una semplice croce timida che pare voglia nascondersi fra le nuvole della sera?

Ancora non avevo veduto la chiesetta; tanto però ne avevo sentito parlare, fin dalla posa della prima pietra, da una bocca innocente, che mi venne desiderio di visitarla.

Da quanto tempo non entravo in una chiesa!

Si usa dire: la miglior chiesa è la casa, e Dio è in noi. E così abbiamo dimenticato il vero Dio, che è sopra di noi, l'Altissimo; e nostro compagno è Satana che ci offre i regni della terra.

Questi pensieri già cominciavano a sviare la mia mente dalla sua strada, e allontanavano di qualche passo i miei compagni feroci: la curiosità sola, ed anche un po' di stanchezza, entrarono con me nella chiesa.

Dentro c'era come un'allucinazione di luogo incantato. Persona viva non l'animava: solo le sedie, legate fra di loro, nuove e fresche, pareva pregassero, in mancanza di fedeli.

Sulle prime il pavimento mi parve azzurro, come un vetro sul mare: era il riflesso delle vetrate azzurre.

I santi sono coperti di viola. E sento un primo colpo al cuore, perché mi sembra che essi si siano nascosti dietro i veli del lutto per non vedere l'anima mia attraverso i miei occhi di morte.

Poi mi metto a sedere e ricordo. È la Settimana di Passione.

E a poco a poco ricordo il resto: la piccola Bibbia sulla cui copertina gli uomini salgono l'erta verso Gerusalemme, il vangelo di Matteo, la donna Cananea, i segni dei tempi, e su, su, fino a Gesù nell'orto degli olivi, e le sue ultime parole: sia fatta la tua volontà, o Signore.

Di nuovo ho un senso di sogno. Mi sembra di riconoscere anche la chiesa: quell'azzurro perlato e alto delle vetrate lo conosco: conosco i volti santi velati di viola, ma di quel viola che domani si muterà in rosa: e infine riconosco i fiori sull'altarino di legno accanto a me.

Sulle prime il loro colore si era nascosto nel colore del velo; ma adesso che i miei occhi cominciano a vedere, anch'essi si rivelano, vengono a me quasi con un grido di esultanza.

Sono i giaggioli del mio orto.

Chi li ha portati? Io non lo so: ed ecco di nuovo non li vedo più. Ma adesso sono io che mi nascondo, per nascondere il tumulto improvviso dell'anima mia, che si sovrappone al primo come l'onda si sovrappone all'onda nel mare agitato.

E il velo è più grave di quello dei santi, perché intessuto di lagrime.

Allora, come nell'involucro di un sogno vero, rivivo la vita anteriore che già mi era riapparsa sotto i lecci.

La chiesa è quella, il bosco è quello. È la chiesetta antichissima, in cima al Monte Orthobene, sopra la cascata di lecci, nell'ora quando il cielo si sprofonda fino a Dio, e dal mondo salgono le nuvole rosse che hanno assorbito e disperdono le passioni degli uomini.

Sono ancora fanciulla: la vita è dentro il mio pugno, come una manciata di gemme; ma io la depongo ai tuoi piedi, Signora del Monte, come nella canzone nuorese la giovane fidanzata morente offre le sue collane alla Vergine Maria.

Tutto io ti offrivo, Regina del Monte, purché tu mi conservassi la fede. E il canto dei fedeli intorno a me rinnovava il mito della nave salvata dalle onde: se ne sentiva il rombo di lotta, nelle voci di mare e di vento, nella cadenza monodica della melodia.

Su Munsignore sacradu,
In su mare navighende,
Mentres fit periculende,
In s'abba casi annegadu,
Cando a tie hat invocadu,
Sa tempesta est isvanida.
Imploranos, de su Monte
Reina, s'eterna vida.

Quando riaprii gli occhi mi sentii pure io salva: e con me l'infelice che da me aspettava la morte.

E così ritornai a casa: l'ospite mi venne incontro, come fosse lui il padrone, porgendomi il pane e la bevanda per ristorarmi, l'unguento per sanare il male.

Ben venga l'ospite inesorabile e divino, che purifica le vene e brucia le scorie del peccato; l'ospite sacro che se ben trattato lascia la casa ribenedetta e il ramo d'olivo che il Signore ci manda per mezzo della sua mano: il Dolore, che è l'intermediario fra noi e Dio.

LA GRAZIA

I miei primi piccoli successi letterarî furono accompagnati, come certi grandi successi, da vivi dispiaceri.

In famiglia mi si proibiva di scrivere: poiché il mio avvenire doveva essere ben altro di quello che io sognavo: doveva essere cioè un avvenire casalingo, di lavoro esclusivamente domestico, di nuda realtà, di numerosa figliolanza.

Finché si era trattato di novelline per ragazzi, transeat; ma quando cominciarono le novelle d'amore, con convegni notturni, baci e paroline compromettenti, la persecuzione si manifestò inesorabile, da parte di tutta la parentela, con rinforzi esterni, che erano i più temibili e pericolosi.

Una ragazza per bene non può scrivere di queste cose, se non per esperienza o per sfogo personale: cosa che, se attira in un certo modo su di lei la curiosità dei giovanotti dell'intero circondario, non desta in loro l'idea fondamentale di chiedere la mano di sposa della scrittrice.

Vuol dire che tutto il mondo è stato sempre paese.

Ma non di questo io mi dolevo: le frecce che miravano più dritto e mi ferivano al cuore erano quelle della critica letteraria locale. Ricordo in modo speciale una lunga lettera anonima, scritta su carta protocollo come un regolare atto di accusa, che con raffinatezza crudele mi raggiunse un bel mattino di settembre, mentre si era in procinto di partire per una festa campestre. Nove giorni durava questa festa, intorno alla chiesa della Madonna di Valverde, nella conca omonima, dolce al mio ricordo come la selvaggia culla dove furono allevati i miei primi sogni d'arte e d'amore.

Si dormiva, per modo di dire, – poiché buona parte della notte si passava fuori, al chiarore dei fuochi intorno ai quali si ballava al suono della fisarmonica, – in certe celle addossate alla chiesa: e durante la giornata la nostra casa era la verde conca col suo ruscelletto, le pietre per sedie, le ombre degli alberi per tende.

Io portavo con me la lettera anonima, come un cilizio che doveva fra le gioie della terra ricordarmi l'espiazione da venire:

e, simile al bandito mistico al quale la tradizione attribuisce la fondazione della chiesa di Valverde, mi nascondevo fra le rocce ed i lentischi, per rileggere i capi d'accusa che stroncavano la mia opera appunto come quella di un malfattore.

I colpi più giusti ed inesorabili della denunzia prendevano naturalmente di mira gli errori di grammatica: ma non questo era il maggior dolore: il dolore che mi uccideva era il vedere stroncate e calpestate le mie povere creature: neppure una si salvava dall'eccidio, ed io ero lì, con loro, la più maltrattata e rotta.

E il colore tragico della disavventura prendeva toni più foschi dal fatto che la lettera, si diceva, era stata scritta da una donna.

Toccava però ad un'altra donna rendermi subito giustizia.

Come nei sogni che aboliscono il tempo e la distanza, ma anche con quella luce di angoscia misteriosa che illumina i sogni e fa sentire all'anima sopita la vanità della visione, mi rivedo sul ciglione sopra la valle pietrosa, poco distante da certe rocce scavate e con le aperture basse che non mi permettevano di penetrarci; le *domus de janas*, i celebri monumenti megalitici, abitazioni o tombe preistoriche, dove la fantasia del popolo fa ancora abitare certe piccole fate generose o malefiche a seconda dei casi.

Il cielo, ad occidente, sopra il versante opposto della valle, è tutto di carminio, e al suo riflesso le foglie dei lentischi sembrano tante fiammelle.

Come l'esule che fissa l'orizzonte pensando alla patria perduta, io sto a sedere su un macigno e penso che dunque la mia carriera letteraria è finita. La mia vita oramai è simile a quella valle solitaria, senza strade, senza giardini, sotto una luce di passione che non avrà sbocco se non nelle tenebre della morte.

Sarò anch'io come il lentischio, che solo per gli umili che ne conoscono il segreto nasconde nelle sue radici la potenza del fuoco, e nel frutto selvatico l'olio per la lampada e per gli unguenti.

È troppo poca cosa, però, vivere solo per i poveri, quando si ha sedici anni e si crede di avere il diritto di esistere non sulla terra ma nel sole.

È l'ingiustizia stessa che grava sul povero: l'ingiustizia che, se solleva ancora di più sopra sé stesso l'uomo grande, arrivato al vertice della sapienza umana, atterra le creature ignoranti.

– L'ingiustizia...

Una voce ha risposto ai miei pensieri, come una misteriosa eco interiore. Ma no: è proprio una voce viva; mi volgo quasi spaventata e vedo dietro di me, simile ad una delle *janas* che abitano le case delle rocce, una piccolissima vecchia tutta vestita di nero. Anche il suo rosario è nero; ma due cose raggianti illuminano la sua figura: la medaglia grande che pende dal rosario, di argento filogranato, con due zaffiri; ed il piccolo viso di lei rassomigliante alla medaglia. Il tempo ha logorato ugualmente il viso e la medaglia, lasciandovi lo stesso splendore: e gli occhi della vecchia pare abbiano acquistato quel loro liquido bagliore d'azzurro, a furia di guardare i due zaffiri antichi.

Questi occhi adesso si affissano su di me, e a loro volta mi dànno l'impressione che una nuova luce si sovrapponga all'arido splendore di prima: la luce della fede.

La vecchia si è seduta per terra, a' miei piedi, e sgranando il suo rosario come davanti alla Madonna di Valverde, pronunzia la sua preghiera.

– L'ingiustizia mi ha spinto a cercarti, figliolina mia d'oro; e sono venuta qui perché là dove stiamo c'è troppa gente maliziosa che ascolta. Perché mi guardi così? Non mi riconosci?

La riconosco sì, adesso: è la vecchietta che si è portata in un canestro tutto quanto le occorre per dormire e per nutrirsi – punto centrale la caffettiera – e passa i nove giorni del rito in un angolo della stanzetta che a noi è stata concessa ad uso di cucina.

Proseguì:

– Tu, dicono, sai scrivere meglio degli avvocati: persino la Regina legge i tuoi scritti. È un dono che Dio ti ha dato, e tu devi adoperarlo per il bene dei poveri. Tu devi scrivere una supplica per conto mio. La carta te la compro io, anche se costa una lira. Me la fai, questa grazia?

– Di che si tratta?

Ella mi guardò, sorpresa che solo io ignorassi la sua sventura.

– Come? Non lo sai? Mio figlio, il mio unico figlio, Sebastiano, è stato condannato innocente a venti anni di reclusione, per un delitto che egli non ha commesso.

Questo preambolo è invariabile in tutte le storie del genere; per ciò osservai:

– Dicono tutti così…

Ma il viso della piccola madre si coprì di una tale maschera d'angoscia che ne rimasi turbata.

– Quando te lo dico io, che Sebastiano è innocente, tu mi devi credere. E se no, a che ti serve il talento?

Questa osservazione mi lusingò da prima, poi mi fece pensare: sì, l'alata intelligenza può intendere e scavare il mistero delle vicende umane meglio che una grave per quanto coscienziosa istruttoria.

Allora lasciai che la vecchietta raccontasse la lunga e complicata storia del suo Sebastiano.

L'origine del dramma risaliva nientemeno che all'infanzia di lui, e ad una lepre addomesticata che egli aveva rubato nell'ovile attiguo a quello di suo padre.

Il padrone della lepre, anche lui ragazzo, figlio unico pure lui del pastore accanto, aveva giurato di vendicarsi. Gli anni erano passati. Sebastiano, già uomo di trent'anni, si era fidanzato e doveva sposarsi; ma alla vigilia delle nozze la promessa sposa dichiarò che non intendeva mantenere la parola data.

Per quale vera ragione non si seppe mai: si disse che le avevano dato da bere l'*acqua dell'oblio*; ond'ella aveva dimenticato il suo amore e non voleva più sposare un uomo che non amava.

Ai replicati rifiuti di lei, Sebastiano si rassegnò: dopo tutto, ragazze da sposarsi se ne trovano in tutti gli angoli del mondo, e basta frugare con un bastoncino per farle saltar fuori.

Ma un fatto tragico avvenne: una notte, nell'ovile del pastore padre della ragazza, lui assente, furono sgarrettate dieci vacche, e poiché il mandriano si opponeva e gridava fu ucciso a pugnalate.

– Quella notte, – afferma la piccola madre, – il mio Sebastiano dormiva in casa, accanto al focolare. Ebbene, alla prima alba, tanto io che lui si sentì un grido strano che strisciava intorno ai muri della nostra casa come la punta di un pugnale.

Era il grido del nostro vicino d'ovile, del padrone della lepre. Aveva egli colto l'occasione che le apparenze accusavano mio figlio, per vendicarsi? Noi non l'abbiamo mai saputo di certo, se non dal nostro cuore. Il fatto è che Sebastiano fu preso e condannato. Ed egli quella notte aveva dormito accanto al focolare, innocente come il fuoco stesso.

Vera o fantastica, questa versione della madre, io non cercai di controllarla: né d'altronde ne avevo i mezzi. Ero come un avvocato sul serio, che pur di avere una causa appassionante, l'accetta con buona volontà, e si investe di una parte che può procurargli un successo. Io volevo questo successo, che mi risollevasse, sopratutto, ai miei occhi stessi.

– Faremo la supplica: ma a chi?

– E me lo domandi, cuoricino mio? Alla Regina.

La vecchietta diceva questo, come si trattasse di scrivere una lettera confidenziale ad una mia zia o magari alla mia mamma; mentre il nome della grande, della fulgida Regina, alta sopra i nostri cuori come la stella del mattino, faceva rabbrividire l'anima mia.

E fui presa nel cerchio di fede e di fantasia della piccola donna che credeva ciecamente alla potenza magica della parola scritta: potenza d'altronde che se scaturisce dal cuore vivo dell'uomo può davvero attraversare i secoli e gli spazî infiniti e arrivare dal mendicante al re.

Con la parola scritta io dunque comunicherò con la nostra Regina: attraverso la mia voce muta Ella sentirà il cuore della piccola madre, e giustizia sarà fatta.

Avere qui ancora il foglio della supplica! Sostituirebbe, col suo ingenuo soffio di umanità, tutte queste paginette che hanno l'aria di una novella, e non lo sono; o forse era un documento di letteratura che il commosso ricordo trasforma e fa rivivere di più profonda vita?

Non si sa dirlo. So che era scritto in bella calligrafia, a nome della madre, con la firma apocrifa identificata da una piccola croce tremula, significativa immagine della madre stessa, della sua fede, del suo dolore.

Anche l'indirizzo fu scritto da me.

A Sua Maestà
Margherita di Savoia
Regina d'Italia
Roma

Passò del tempo, e nulla si seppe.

La madre sperava sempre. Io non ci pensavo più, felice di aver per conto mio ripreso nel pugno la fede in me stessa.

Un giorno Sebastiano, che aveva ancora da scontare tre anni, fu per effetto di amnistia rilasciato libero: la madre venne a trovarmi, tutta raggiante come quel giorno fra i lentischi rossi di Valverde.

– Vedi che la Regina ha fatto la grazia?

Invano tentavo di disilluderla. Se la Regina non avesse parlato, ella diceva, il decreto di amnistia non avrebbe mandato libero Sebastiano.

Ed in segno di gratitudine ella mi offrì un ricordo che conservo ancora: è una fiaschetta da viaggio, fatta di una piccola zucca tutto intorno finemente istoriata: lavoro di arte, di pazienza, di attesa, che il condannato aveva eseguito nella casa di pena.

NUMERI

Sognavo di essere appena uscita da una clinica, dove per lunghi giorni ero stata tra la vita e la morte. La gioia di vivere ridestava in me un senso di rapida e leggera fanciullezza; camminavo in punta di piedi, sentivo odore di alba e di rose nella strada asfaltata che per la doppia incessante corsa delle automobili scintillava e tremava tutta come un ponte sospeso sul fiume glauco del crepuscolo.

A casa non mi aspettavano ancora. Che felicità, per i miei ragazzi, rivedermi al posto della mensa da tanti giorni vuoto! Mio marito prenderà dalla cantina la sua più antica bottiglia. Per completare la festa penso di portare anch'io qualche cosa: ed ecco mi si apre subito a fianco la vetrina luminosa e fragrante di una pasticceria. Entro. Una strana coppia, un uomo e una donna che si rassomigliano perfettamente, grassi, rossi, calvi entrambi, con gli occhi di pistacchio, si sporgono verso di me dal banco di metallo. Io indico la torta che voglio comprare. La donna l'avvolge, la lega, mi dice:

– Cinquantanove lire e trenta centesimi.

È un po' cara; ma non voglio fare brutta figura: traggo il portamonete per pagare; e questo portamonete è una scatola di fiammiferi.

Eppure è lo stipendio ultimamente riscosso da mio marito. L'uomo, al banco, accetta la strana moneta; ma dev'essere un sovversivo perché dice con aria tragica:

– Ecco come lo Stato paga i suoi funzionari.

E mi restituisce, contandoli uno per uno, sessantun fiammiferi.

Nel medesimo tempo la luce si spegne; un avventore seduto in un angolo della pasticceria, al quale non avevo badato, esclama con voce ironica e trionfante:

– Questo, a casa mia, non succede, posso giurarvelo.

Io riconosco la voce: è quella di un mio vecchio amico, scapolo impenitente, che si vanta di vivere come gli uccelli dell'aria: senza casa, senza impegni, senza denari.

– Come? – domando. – Se lei non ha casa, la luce certo non ci si può spegnere.

Sempre al buio, egli ribatte:

– Lei si sbaglia, illustre amica. Io ho la casa sui monti. E c'è un candelabro con sei braccia e ventitré candele. Mia madre, che è ancor viva e vegeta, lo tiene sempre acceso.

Mi svegliai con un profondo senso di angoscia. Angoscia per la fine improvvisa del sogno, ma anche per la rivelazione di quella vecchia madre che nella casa sui monti teneva accesa la luce patriarcale, mentre il figlio, già vecchio anche lui, errava per le strade ambigue di una vita senza scopo e senza luce.

Ma subito mi riprese un senso di leggerezza, quasi allegria: ricerco i numeri sognati, li ricordo nitidamente, godo la gioia fantastica della mia infermiera quando le regalerò questa magnifica cinquina. Lei correrà al botteghino del lotto: ci rimetterà certamente le due lire del biglietto; ma per tre o quattro giorni vivrà nel fasto e nell'ebbrezza della speranza di una vincita favolosa. Povera Lina, povera e grande come le pie donne che accompagnarono Gesù al sepolcro, tu lo meriti: tu che sei la mia prima e vera amica; tu che tratti il mio corpo come un corpo santo, che in esso rivedi appunto la divinità del Cristo crocefisso; e scherzando affermi di essere, e lo sei davvero, la mia seconda balia. E credi ciecamente nei miei sogni perché sai che l'anima, quando riesce a staccarsi dal corpo dolente, spazia nel regno della verità inconoscibile all'uomo che crede di essere sveglio e vivo solo perché sono svegli e vivi i suoi sensi mortali.

Ma Lina quel giorno non venne. S'era ammalata anche lei e mi mandò a dire che le dispiaceva solo perché non poteva assistermi. Non so; un senso quasi di rispetto m'impedì di comunicarle, per mezzo della suora che l'aveva sostituita, i numeri sognati: un caso, che, come del resto molti casi della vita, ha dell'incredibile, e a me prima di tutti sembra grottescamente inverosimile, mi diede però lo stesso giorno il modo di liquidarli.

Era il primo giorno che mi si permetteva di alzarmi, e già qualche persona di mia conoscenza domandava di visitarmi: altri telefonavano, e, verso sera, mentre stavo per rimettermi a letto, io stessa dovetti andare al telefono perché un signore chiedeva con insistenza di parlarmi.

Era l'uomo del sogno.

– Sa che ho sognato di lei? – gli dissi dopo la sua comunicazione. – Niente malignità, oh! Anzi lei mi ha dato i numeri del lotto.

– Li ha giocati?

– Io? Io non ho mai giocato al lotto; anzi mi ricordo che una volta tolsi la mia del resto inutile amicizia a una signora intelligente che ci giocava.

Sentii l'uomo ridacchiare: e mi parve di essere ancora nella pasticceria misteriosa, al buio, nella nebbia del sogno. Egli disse con ironia:

– Ebbene, mi dia i numeri e, se crede, mi tolga pure il saluto.

Sullo stesso tono glieli diedi: egli se li fece ripetere due volte, per non sbagliare.

La convalescenza è felicemente finita; questa volta non è un sogno l'uscita dalla sinistra dimora che tuttavia, forse per lo stesso dolore e lo stesso sangue che ci si lascia, diventa tristemente cara. È l'alba della terza domenica dopo Pasqua: un'alba che è tutta una rete sfolgorante di suoni di campane e di canti d'usignuoli. Il rumore della città che si desta ha pur esso qualche cosa di armonioso, di fluviale; tutti gli uomini, oggi, hanno riaperto gli occhi con letizia e quelli che già camminano sono come ragazzi in vacanza. Io non posso più restare a letto: mi sollevo, suono. Lina accorre, allarmata.

– Lina, io voglio alzarmi; io voglio andar via.

La donna, tutta bianca e profumata come un giglio, mi tasta il polso.

– Eppure febbre non ce n'ha! Buona; non vaneggi. Si rimetta giù: le porto il caffè.

– Lina, mi dia almeno un giornale.

Ecco, col caffè ristoratore, un giornale della sera avanti; la prima escursione si fa nella terza pagina, la seconda attraverso la cronaca cittadina, la terza nell'ultima pagina: e proprio in fondo, quasi inquadrati nella stessa cornice nera, vedo alcuni numeri e alcune parole che mi dànno un senso di vertigine mortale. Sono i numeri dell'ultima estrazione del lotto: i *miei* numeri: 59 - 30 - 61 - 6 - 23.

E, sotto, un annunzio funebre: la morte per "improvviso malore" dell'uomo al quale io ho dato questi numeri.

Dopo il primo stordimento, cerco di orientarmi. Ha l'uomo giocato o no? E quanto ha giocato? Se la *posta* è stata di molte lire, la vincita è enorme. Vediamo a che ora è morto: alle undici del mattino: a quell'ora l'estrazione è già avvenuta: l'innocente bambino che, bendato come la sorte, estrae dall'urna i numeri fatali ha già forse incrinato l'arido cuore dell'uomo che da tanti anni batte i selciati della *Città* nella vana ricerca della fortuna.

È così? Non è così? Richiamo Lina: voglio farle domandare notizie, ricercare il filo della verità.

Ma quando rientra, invece di dar retta alle mie domande, ella spalanca i vetri e dà un grido di gioia: poi si inginocchia sotto l'azzurro della finestra e si fa il segno della croce.

Un suono d'organo e un coro di voci bianche riempiono la triste camera: il mondo è mutato; è tutto un tempio dove si celebra una festa primaverile: pace ai morti e pace ai vivi.

La donna si solleva e dice:

– È la Comunione in fiocchi. Il Signore è uscito dalla sua Casa e va a trovare gli infermi.

THÉROS

Tutti i nostri ragazzi, durante la scorsa estate, s'erano innamorati di questa Théros, la celebre attrice cinematografica, allora di gran moda.

E la parola ragazzi significa anche ragazze, e donne e uomini anziani: poiché si era in un paese veramente dolce e solatio di Romagna, dove si usa chiamare le persone affini a noi "cari i miei ragazzi", o in senso più generale, anzi evangelicamente universale: "cara la mia gente".

D'estate, si sa, il cuore è più grande e buono del solito: si diventa, superati i primi caldi che realmente dànno più alla testa che al cuore, tutti innocuamente pazzerelli, leggerini e spensierati. Già le vesti si sono diradate, le braccia tornano a nuotare nude nell'aria che sa di salsedine: negli armadi abbiamo finalmente imprigionato le volpi con gli occhi di vetro e i fantasmi scuri e pelosi che da Santo Omobono in poi ci hanno angariato in tutti i modi: adesso, dopo una buona sculacciata col battipanni, essi meditano cupe cose, mangiandosi la naftalina di cui hanno piene le tasche. È tempo ormai di stoffe farfallesche, di ragnatele iridate: e quando il sarto ce ne porta una, alla vigilia della partenza dalla città, ci succhia il nostro ultimo sangue cattivo, come alla mosca il ragno portafortuna. Fortuna è, certo, lasciare un po' indietro la città rombante e polverosa, voltando le spalle alla propria casa come ad una moglie esigente e brontolona.

Si va verso l'altra casa, è vero, ma questa è l'amichetta sbarazzina, che ha dormito a lungo cullata dal rumore delle onde: adesso si sveglia, spalanca gli occhi glauchi delle sue finestre e ci accoglie sbadigliando e stiracchiandosi come un gattino affamato. Pare seccata della nostra invasione: invece poi ci stringe fino a soffocarci di tenerezza e di gioia: sopporta tutte le chiacchiere, le confusioni, il disordine, l'andirivieni della nuova vita: ragazzi, ospiti, mendicanti, venditori ambulanti di cianfrusaglie, erbivendole e pescivendole, tutti sono suoi amici: persino i rospetti verdolini, in queste sere ancora molli dell'odore umidiccio del prato, vengono a salutarla fin sulla soglia della cucina ospitale.

E in questa casa aerea, fatta di nulla, ma sempre pulsante come il cuore di un uccello, che sono benvenuti i giornali, le cronache, le riviste del cinematografo: anzi sono essi, con le loro meraviglie, a completare la meravigliosa corsa di questi giorni senza peso, che galleggiano come meduse sul mare finalmente placato, sia pure per poco, della nostra gravosa e mossa esistenza. Un'atmosfera d'irreale e di iperbolico si è davvero diffusa intorno: sullo schermo dell'orizzonte passano vascelli rossi e gialli, carichi di fantasie: nei mattini di turchese, sul nastro bianco della riva, sfilano teorie di bellissime donne seminude; verso mezzogiorno, quando il sole a picco tira fuori da ogni goccia d'acqua un gioiello fino, centinaia di teste macabre eppur ridenti galleggiano sui bacili d'argento delle onde, simili a quella di San Giovanni decollato: e i bambini delle colonie marine, neri e per lo più deformi, seduti sulla sabbia, in cerchio intorno alla maestra che ha l'aria di una suora, vi trasportano nelle regioni della Papuasia bonificate spiritualmente dai coraggiosi missionari.

Passano a bassa ed alta quota aeroplani e dirigibili; nella navicella di uno di essi si ammira la testa di un'aviatrice: e lungo la strada litoranea è una corsa ininterrotta di automobili di ogni colore: pare s'inseguano, o trasportino gente che fugge un pericolo di morte, o corra verso un punto che è assolutamente necessario raggiungere.

Ma l'ora buona, quella che stacca dalla realtà pur tenendoci dentro di essa come il fiore nel vaso, è quella del primo meriggio, quando la gente è tornata a casa, e sulle terrazze dei grandi alberghi le donne, abbigliate per la colazione, sembrano, per i loro colori e la trasparenza degli sfondi, fatte di vetri di Murano: la gente modesta sta invece, dopo la borghese e parca mangiatina del mezzogiorno, nei giardinetti fioriti di girasoli, all'ombra morta dei pioppi e delle paulonie: ma veduti dalle sedie a sdraio, dopo la mollezza del bagno fatto un'ora prima, e qualche discreto sorso di albana, questi giardini si protendono in boschi fitti; coppie di amanti si guardano negli occhi, sdraiati sull'erba tropicale, che è poi la gagliarda gramigna nostrana: e non manca il ruggito del leone, che è quello del giovinetto asino del nostro buon vicino e amico Pollini.

All'incantesimo concorre certo la lettura dei giornali illustrati; ed è questa, sopratutto, l'ora del trionfo della bella Théros. Essa è lì, sulle copertine incendiarie delle riviste patinate, come su quelle dei giornaletti da pochi soldi: è davanti a tutti, fanciulli, donne, anziani, e la sua figura domina il mondo: persino qualche vecchietto si lecca l'angolo della bocca e qualche signora austera e melanconica si lascia cadere la testa sul petto.

Bella? Eppure non è veramente bella, Théros, e il suo pseudonimo greco che vuol dire Sole di Estate non risponde alla classica figurazione di Venere: ha le mani e i piedi grandi: mani per afferrare verghe d'oro e braccia muscolose di uomini ardenti: piedi fatti per correre le interminabili strade del mondo, arrampicarsi sulle vette della fama, schiacciare i cespugli spinosi davanti alle romantiche caverne dove nascondersi e sfuggire l'inseguimento della vita brutale di ogni giorno: ma la sua persona alta, esile, pieghevole, di una dolcezza tragica, di una tenerezza corazzata di energia e di coraggio, ricorda, non so, uno di quegli uccelli migratori che volano sopra i mari e le lande, e sfidano le tempeste e i pericoli, pur di trovare e ritrovare, ad ogni stagione, la terra adatta ai loro amori.

E il viso di Théros ha pur esso una bellezza strana, diversa da quella delle sue innumerevoli compagne, inconfondibile: in mezzo ai capelli, che sono di spiga e di crisantemo, il suo viso ricorda quello del Nazareno, per la bocca pura e amorosa, per la luce che ne estenua i lineamenti, a volte fino al chiarore del martirio: ma gli occhi sono solo quali una donna può averli; e c'è dentro tutta la giovinezza dell'umanità, col colore del cielo, del mare, del deserto, delle notti delle metropoli tempestose; occhi di ghiaccio e diamante, fissi a guardare un punto invisibile, che forse è la pupilla di un uomo in passione, forse di una madre che piange la morte del figlio; forse nulla. Nulla: l'infinito, il vuoto e terribile mistero dell'esistenza.

È questo mistero, d'un tratto riempito di ogni gioia e di ogni dolore umano, che attira verso la grande commediante l'attenzione dei suoi adoratori, e li affascinava nelle ore dei loro ozî estivi: mistero di vita, carnale e divino nello stesso tempo, eternamente cantato dai poeti estrosi.

Ma adesso siamo di nuovo qui, nella capitale, ricacciati nel sacco della più grezza realtà. Brutte cose si sentono: donne tagliate a fette, non per passione, ma per turpe rapina; un delitto egualmente orrendo nel quartiere, cioè un mite socievole cagnolino accecato e avvelenato per odio contro il suo padrone; la sterlina gravemente malata di un misterioso morbo; nuvole vanno e vengono, dentro e fuori di casa, e se qualche giornata è serena, la brina la riveste di gelo; ma quando queste mattine ridono, coi loro denti cristallini, sbeffeggiando i vecchi reumatici e brontoloni, che sono di nuovo angariati dai fantasmi neri e pelosi, ancora puzzanti di naftalina, dei vestiti invernali, arrivi tu, Mirella, con le guancie che hanno la freschezza della brina e gli occhi scintillanti come il prato sotto il sole; tu, che, sì, sei rimasta fedele alla tua *Rivista* di Cinelandia, e la tieni sotto il braccio, unita alla racchetta adorata, scaldandola col fuoco del tuo sangue adolescente.

E sbuffi, e ti spogli del tuo soprabito sportivo, e butti via, con un moto della testa, il berrettino giallo che sembra uno spicchio di luna: e dici: – Oh, che caldo, che caldo, oggi! Si stava meglio in estate.

Per consolarti, allora, apri la tua *Rivista*: e, manco a dirlo, ecco campeggia subito, su uno sfondo verde e rosso come le angurie di Romagna, la figura di lei, Théros, coi capelli lunghi ondulati fino al collo d'ambra, intorno al dolce e tragico viso intento a una visione, per dirla con parole usate ai nostri antichi tempi, una visione arcana.

Ma per te non esistono arcani, Mirella; e Théros è quello che è: è quello che tu sei; è la gioia di vivere; è l'estate, che già per te è cominciata col solstizio d'inverno, cioè col crescere del giorno e col crescere della tua statura e della forza dei tuoi desiderî.

IL CEDRO DEL LIBANO

IL GIUOCO DEI POVERI

In quel tempo ci piaceva il giuoco dei poveri: cioè fingere di essere realmente poveri, di aspettare il soccorso del prossimo e, se occorreva, andare ad elemosinarlo. Il fatto dipendeva dalla morte serena e improvvisa di una vecchia mendicante che da mezzo secolo viveva in una specie di legnaia in fondo al nostro orticello. Avrebbe dovuto pagarne il fitto – quindici soldi al mese – ma se n'era andata con tutti gli arretrati; e mio padre anzi pagò i funerali.

– Troveremo poi il gruzzolo che deve aver lasciato nascosto in qualche buco – egli disse; ma non si aveva mai il tempo, né la voglia e neppure l'illusione di trovarlo davvero.

La sua fortuna, la vecchia gobbina, la lasciò tutta a noi, ragazzette romantiche ma non tanto, che ci si installò nel suo domicilio per fingere, dunque, di *giocare ai poveri* e per fare il comodo nostro. Ella aveva lasciato la stamberga relativamente pulita, con un saccone di stoppie coperto da una ruvida coltre, dono di mia madre; uno sgabello, del quale, del resto, si poteva fare a meno perché negli angoli c'erano, come nei boschi, ceppi e tronchi d'albero più comodi di certe sedie civili; un'anfora di creta, sbocconcellata; un canestrino con rimasugli di pane che parevano sassolini; e infine il bastone.

Ah, di questo, proprio, ne presi io il sacro possesso, sebbene, quando era necessario farne uso, gli avvolgessi il pomo nodoso col fazzoletto da naso. Era tutto unto, questo bastone, e nei giorni di caldo pareva sudasse. E già faceva caldo: luglio, con gli alberi dell'orto e degli orti attigui pesanti di verde, palpitanti di cicale; e l'arsura profonda ma asciutta e non polverosa delle lunghe siccità meridionali, che alla notte, sotto la luna, ha un odore quasi inebbriante di erbe che languiscono, di fiori aromatici che resistono ad ogni calore.

Ma le ore più belle, per le tre, o quattro, a volte anche cinque ragazzine, riunite nella casa della mendicante, erano quelle che precedevano l'incanto notturno: le ore del lungo vespero, quando la mamma preparava la cena, e dalla cucina verso la porta opposta dell'orto arrivava l'odore delle patate fritte con un po' d'aglio, e delle animelle infarinate.

A noi, che importava della sicura cena materna? Noi eravamo povere mendicanti, senza pane, senza luce, tranne quella della luna; anche senza acqua, perché tanto era scarsa quella delle distanti fontane che la serva minacciava di rompere la *nostra* brocca se, di nascosto, la si riempiva a quella della casa.

Tempi crudeli, di antica leggendaria carestia: nessuno dava un obolo, un pane, una crosta di formaggio, alle povere mendicanti, che al crepuscolo, dunque, mentre gli altri bambini, anche quelli poveri sul serio, giocavano nella strada il sontuoso e danzante gioco degli ambasciatori, con relative nozze e regali di gioielli e vestiti mai veduti, ritornavano stanche, curve, affamate, – affamate davvero, questa volta, – al loro triste e mirabile rifugio.

La più vecchia sedeva sullo scalino della porta, col bastone al quale pareva avessero rotta la testa, abbandonato al suo fianco: era tragica, in apparenza, o, più che tragica, arcigna e preoccupata per le ingiustizie sociali, – chi troppo ricco, come don Francesco Antonio Maria Valadier Castillo che s'era fatto costruire un inutilissimo palazzo nelle sue *tancas* solitarie, con fontane segrete; chi povero come le mendicanti scalze (questo perché lo volevano loro, di nascosto della madre, e soprattutto della serva) assetate e con lo stomaco più vuoto della loro stamberga –. Sì, arcigna e desolata, nel viso corrucciatissimo, ma in fondo beata come un cherubino, appunto per la visione del palazzo e delle misteriose fontane di don Francesco Maria Castillo, laggiù, nelle *tancas* solitarie, azzurre alla luna, con le perle delle lucciole sul velluto verdone del musco.

Le altre mendicanti sedevano sui tronchi degli alberi, sospiravano, si pizzicavano, sbadigliavano. Una si era buttata sul giaciglio della vecchia e brontolava il rosario: ma d'un tratto si alzò urlando e corse fuori. E fuori anche le altre, atterrite.

– Che hai veduto? Che hai veduto? Lo spirito della vecchia?

– Accidenti a lei: nel saccone ci sono ancora le pulci.

Poi, qualcuna pensò bene di cambiar metodo. Ed ecco che, all'ora del convegno, arrivava, imitando a perfezione la vecchia gobbina, appoggiandosi a un pezzo di canna, con un fazzolettino pieno di roba. Balbettava:

– È tutto quello che ho potuto avere: oggi c'è stato un matrimonio; oggi c'è stata la consacrazione di un prete.

E dal fazzolettino venivano fuori, se non abbondanti, squisite offerte: frittelle con lo zucchero, fettine di salame, frutta primaticce.

L'assistenza era ancora scarsa: ma ci pensò bene l'amica Francesca a renderla più proficua; anche perché era di natura generosa, lei, generosa e vanitosa: non invano s'inorgogliva di una lontana parentela spagnolesca con don Francesco Antonio Maria Castillo.

Ed ecco inventò le feste campestri, i battesimi di lusso, persino i funerali dei ricchi, quando ai mendicanti vengono distribuite copiose elemosine. E portò non fazzolettini ma fazzolettoni di roba: e una sera, caldissima, persino le granite di limone, che si scioglievano entro una tazza di cristallo.

A questo punto della storia apparve un personaggio importante. Era un professore, di liceo: abitava in una casa il cui orto confinava col nostro: ritornava per le vacanze. Lo si conosceva di vista, ma era come se per noi non esistesse. D'un tratto, però, la sua figura cascante, già grigia e disfatta, apparve in maniche di camicia e in pantofole, sul muricciuolo di divisione e dominò il nostro orizzonte. Con la mano scarna e tremula come quella di un vecchio malato mi accennò di avvicinarmi: con un vago terrore mi avvicinai, prendendo, per istinto di difesa, l'atteggiamento della vecchia mendicante, alla quale neppure satanasso avrebbe potuto far male.

Il professore non mi vedeva: non vedeva nulla: i suoi occhi erano vuoti come quelli delle statue. Domandò:

– La vecchia è morta?

– È morta.

– Allora dirai a tuo padre che la stanza della legnaia appartiene a noi, a me. Lui lo sa benissimo, l'usurpatore. Pensi dunque a restituirla: altrimenti son liti, avvocati, tribunali.

– Corbezzoli! – disse il mio babbo, nel sentire l'ambasciata: poi si volse a mia madre: – Tu sai che l'infelice, non si sa bene per quale ragione, s'è dato a bere.

Fatto sta che le mendicanti continuarono a frequentare il rifugio, ma con paura: paura del professore, che passeggiava sempre nel suo orto pieno di ortiche, scompigliandosi i capelli con la mano irrequieta; paura di un essere quasi inumano, che, senza ragione, per uno di quei terribili misteri della vita, aveva smarrito la sua limpida strada.

E una sera egli saltò il muricciuolo, perdendo una pantofola, e, senza darci il tempo di fuggire, venne a piantarsi davanti al nostro gruppo impaurito e tuttavia felice dell'avventura: piegò la testa, che sembrava irta di spine; la sollevò con fierezza, sporse il mento e chiuse gli occhi. Disse:

– Dio era buono e di buon umore quando creò gli uccelli, i pesci, i dolci animaletti delle foreste: anche quando creò le pecore, i cani, le scimmie non c'era male. Ma un giorno ch'era nervoso creò l'uomo: quanto di peggio si può pensare da un Dio maligno. E poi, per maggior cattiveria, i leoni, le tigri, le vipere, la donna: tutto per contorno al piattino dell'uomo.

A bocca aperta noi si ascoltava, senza capire. Si capiva, solo, che egli aveva bevuto: a pensarci bene, adesso, si può dire che forse egli non aveva bevuto: ma quando uno gode cattiva fama...

Piuttosto ci colpirono altre sue parole.

– La vecchia doveva aver quattrini: li ha nascosti, qui dentro, e mi sorprende che l'usurpatore non li abbia ancora scovati. Ma voi, creature, fate bene il vostro gioco: vivere da poveri, accanto a un tesoro nascosto, senza intaccarlo, senza neppure conoscerlo. La casa però è mia: lo hai detto, a tuo padre?

– Ma che vada all'inferno; e che vi lasci in pace, altrimenti gli rompo il testone col randello della vecchia – disse mio padre: e ci proibì di ritornare nella legnaia.

In ottobre si seppe una triste cosa: il professore, con sollievo della sua famiglia ed anche con sacrifizî finanziari di una sua vecchia zia, era ritornato alla sua sede: ma una notte ritornò a casa d'improvviso, ubbriaco, e, poiché non vollero aprirgli la porta, andò a dormire nella legnaia, sul saccone della vecchia.

– Lasciamolo stare, – disse mio padre, – tanto ha poco da vivere.

Infatti fu così. Agli ultimi di ottobre fu trovato morto, sul saccone della vecchia: morto di stenti, di orgoglio, di fantasticherie. Ma il suo viso era tranquillo, quasi sorridente. Sotto la sua testa, entro il saccone, fu rinvenuto il gruzzolo della mendicante: anche lui non lo aveva cercato.

Faceva ancora caldo: cadevano, sì, le foglie scarlatte degli alberi, ma i peri, dai quali pendevano ancora i frutti gialli, lucidi e grossi come piccole campane d'ottone, s'erano rimessi storditamente a fiorire.

CUORI SEMPLICI

Per la millesima volta, forse, in vita sua, l'uomo seduto fra i cespugli della duna trasse il portafogli di pelle chiara, gonfio e caldo, che gli dava l'impressione di un suo stesso membro, e ne tolse un foglietto piegato in quattro: avrebbe potuto non leggerlo, tanto lo sapeva a memoria e le parole, anzi, gli si erano impresse nella carne, vive anch'esse e parte di sé stesso; ma no; lo spiegò con cautela, poiché la carta minacciava di aprirsi e quasi di volatizzarsi; rilesse le diaboliche righe: «Figlio d'ignoti, sguattero di bordo sempre in salamoia, Rosa Bini non è pane per i tuoi denti».

C'era la luna, alta sul mare così calmo che sembrava di alabastro; il suo chiarore permetteva all'uomo non solo di rileggere il foglietto, ma di distinguere, entro il portafogli, i biglietti di banca del quale era zeppo: quelli grossi in un reparto, quelli più modesti in un altro: i cartoncini da visita, le piccole fotografie; e il quadrifoglio-fantasma che, dentro un astuccio di carta velina, riserbava tutto per sé un ripostiglio centrale fermato da un gancio a molla.

Anche le cose, intorno a lui, fino alle lontananze dell'orizzonte, gli apparivano nitide e chiare, come sotto un sole bianco; ecco laggiù il piccolo molo, che sembra la coda del nero villaggio dei pescatori steso sul prato di gramigne; poi le antiche ville dei signori del luogo, con portici e balconi inondati di luna; e più in qua i villini recenti e l'albergo nuovo, a un solo piano, rotondo e rosso-giallo, posato come una torta sul vassoio argenteo delle terrazze sul mare: e che era suo. Suo, di sua esclusiva proprietà, col piazzale alberato davanti, la fontana, le statue: suo, del figlio d'ignoti, dello sguattero in salamoia; mentre al suo fianco, oltre la breve duna mobile spinosa di cardi selvatici, il recinto di rete metallica arrugginita, e, in mezzo, fra un'ortaglia grama, la casupola di Amedeo Bini, il salinaro ubbriacone e prepotente, rimaneva sempre la stessa, anzi peggiorata, d'un bianco sporco, il tetto spennacchiato, messa come in bando, come un lazzaretto, lontana dall'abitato.

Eppure quella triste casa era forse ancora, per il quadrato albergatore, la più interessante di tutte, poiché ci viveva, già anziana ma sempre bella, col vecchio padre paralitico, quella Rosa dalle lunghe trecce azzurrognole attorte sulla piccola testa di schiava; che, appunto come una schiava, si era piegata al suo grigio destino.

Adesso egli aveva cuochi patentati ai suoi comandi, sguatteri e camerieri: gli affari andavano bene: tutte le ragazze del villaggio, che sapevano di pesce ma anche di tinture e di profumi, e quelle del borgo dei salinari, ricchi a seconda la prodigalità del sole d'estate, non ricordavano che egli era "figlio d'ignoti" e aveva girato il mondo con un grembiale di tela di sacco avvolto intorno alle reni di pinguino: e neppure badavano alla sua testa già calva e al viso ancora abbrustolito dal fuoco dei fornelli e dalla salsedine dei lunghi viaggi: anche lui le guardava, poiché gli occhi li aveva buoni e vivi, e permetteva che alcune di loro, del resto ben vestite e meglio accompagnate, prendessero posto, nelle sere della stagione, ai tavolini delle sue terrazze: ma in fondo al cuore gli rimaneva come un rimasuglio di salamoia, e l'idea che sulle carte del matrimonio sarebbe stata impressa quella sigla di mistero e di vergogna, quel ricordo di genitori "ignoti" lo allontanava, forse per sempre, da una seconda richiesta di nozze. O forse, dal fondo salmastro del suo rancore, germogliava ancora una speranza, una fantasia, simile a quei fiori delle saline che sembrano morti e son vivi, e per campare, anche tolti dal cespuglio, non hanno bisogno d'acqua, ma si nutrono da sé per anni ed anni.

Che fosse andato a cercare fin laggiù, adesso che l'albergo era chiuso e gli rimaneva tempo e volontà di svagarsi, non sapeva bene neppure lui. La notte di primo autunno era ancora tiepida, e si sentiva anzi, nell'aria, dopo una giornata di sole, un odore quasi primaverile. Al largo, sul mare chiarissimo, si vedevano le paranze, soffuse di azzurro, andare come in sogno; o meglio quali fantasmi, irreali ma quieti; fantasmi felici; come, del resto, tutto aveva del fantastico, in quella notte per sé stessa così diversa dalle altre; e il suo albergo, la sua fortuna, l'ombra medesima che si accovacciava al fianco e in qualche modo gli mostrava il suo corpo, un giorno povero e scarno, adesso forte e squadrato, sembravano all'uomo distaccati e lontani dalla realtà. Poiché in fondo, egli conservava anche un senso melanconico e timidamente stupito della vita: gli sembrava sempre di sentire il vuoto e l'inumano clima del neonato buttato via alla terra, dal calore del grembo materno, come un detrito quasi immondo; e l'umiliazione panica della prima fanciullezza, poi quella, cosciente e fra rabbiosa e rassegnata, della giovinezza pur seria e laboriosa, e lo stesso suo modo di tirare avanti l'esistenza, fra mare e cielo e il caldo e i cattivi odori delle stive e di una umanità grezza, a lui, se non nemica, indifferente, gli davano un senso di deformità quasi fisica, come se egli fosse un gobbo o uno storpio, esiliato dal giardino degli uomini.

Ma la bontà naturale, la sua stessa mansuetudine di bestia maltrattata stendevano una luce quasi mistica intorno a lui; come quella che la luna, adesso, spandeva sulle cose assopite, se non morte.

Assopita doveva essere anche la donna, nella sua casupola, o forse anche lei piegata a risalire il corso della sua grama giornata, poiché si vedeva ancora un barlume non di candela ma di fuoco alla finestra che l'antico cuoco di bordo sapeva essere quella della cucina. Gli sarebbe bastato, come altre volte, scavalcare la rete, per accostarsi alla finestra, e almeno vederla; ma non ne aveva neppure il desiderio: gliel'avevano descritta così fredda e melanconica che l'antico sogno si era pur esso sbiadito e irrigidito; almeno sembrava: come i fiori delle saline.

Sembrava. Poiché il cuore gli si destò dentro, con un improvviso fremito quasi di spavento, quando la porta della casetta si aprì e ne uscì, chiara alla luna, una figura di donna. Aveva stretto intorno alla testa, e legato sulla nuca, un fazzoletto scuro: sulle prime, però, nel barbaglio della sua commossa visione, all'albergatore parve che la donna fosse a testa nuda, coi folti capelli bruni avvolti e annodati come Rosa usava acconciarseli. Ma questa che si avanza fino al cancelletto della rete e lo apre, e s'inoltra nella striscia di sabbia dura che sfiora la duna dov'egli rimane immobile e mortificato, questa non è Rosa: è anch'esso un fantasma, silenzioso e grigio coi piedi nudi, il viso più pallido ed evanescente di quello della luna, coi lineamenti che vi sembrano appena disegnati, e, mistero illogico come quelli dei sogni, gli occhi chiusi. Inoltre aveva in mano uno strano arnese, fatto a cerchio, che all'uomo parve una specie di salvagente: e poiché ella passava dritta, senza vederlo, avanzando fino alla riva, egli ebbe l'impressione che, illusa dal calore della sera, ella, come usano a volte le contadine, andasse a bagnarsi.

Giunta presso l'acqua, invece, si fermò, sedette agile per terra, versò alcune manate di sabbia entro il recipiente e lo scosse a lungo. Era un setaccio: e quando la sabbia fu ripulita, ella, come forse usava da bambina, ne formò uno di quei grossi pani da contadini, tutto ben lisciato intorno, e con la croce nel centro.

– È pazza, o è sonnambula? – egli si domandava: e ne provava, in tutti i casi, un dolore indefinibile, ma più profondo di quanti ne aveva sentiti; quello della fine irrimediabile del suo sogno.

Tuttavia attese ch'ella finisse la sua infantile faccenda: accovacciata presso il pane, ella però non pareva disposta a muoversi: solo, col dito, segnava e cancellava alcune lettere sulla sabbia. Ed egli credeva di leggervi il suo nome.

– È pazza? È sonnambula? – continuava a domandarsi. Nel primo caso avrebbe voluto afferrarla, ricondurla dal padre e dirgli: «Vecchio boia, ecco il pane che adesso fa tua figlia: mastica tu, adesso, se puoi»; se ella era invece malata di sonnambulismo bisognava non svegliarla, poiché poteva morirne.

Che fare? Il tempo passa, già un velo d'umidore sale dal mare, e non è prudente, né per lei né per lui, trattenersi oltre in quel luogo solitario dove può anche trafficare qualche malvivente.

Infine egli si decise: imitando il modo furtivo e trasognato col quale ella era venuta, si avanzò fino a lei: non osava parlare, ma ricordava che i sonnambuli, se si svegliano spontaneamente, non soffrono danno.

E attese, un momento, che fu uno dei più ansiosi per il suo trepido cuore d'uomo semplice: ed ella si svegliò: i suoi occhi, nel suo viso di medusa, erano quelli di un tempo: ed anche la sua voce, quando disse, con una certa canzonatura: – Ti avevo veduto, sai.

VECCHI E GIOVANI

Il cortile era in comune; se cortile poteva dirsi lo spiazzo triangolare che divideva e univa le tre casupole ai suoi angoli, una più malandata dell'altra; tutte e tre abitate da gente laboriosa e tranquilla, rassegnata al suo umile destino. Un muro a secco, di grosse pietre, chiudeva il recinto; vi si vedevano, al di sopra, i monti neri e turchini, di schisto, che al sole parevano di metallo; e anche le rocce che affioravano qua e là sul terreno erboso dello spiazzo, – levigate dai piedi duri e scalzi di molte generazioni di ragazzi che vi avevano pestato sopra, – erano della stessa natura: alla luna sembravano bestie accovacciate, mansuete; di giorno servivano da sedili alle donne, e agli uomini a sollevarvi e a posarvi il piede quando si allacciavano lo sprone e poi saltavano sui cavalli pazienti, per recarsi ai campi.

Adesso, però, non c'erano più ragazzi, le tre famiglie essendone sprovviste; anzi, si può dire, mancavano pure gli uomini, poiché uno di essi era *al servizio del Re* cioè a fare il soldato, e degli altri due, padre e figlio, il vecchio giaceva mezzo paralitico in fondo ad un androne, e l'altro già abbastanza anziano anche lui, pastore di vacche brade, era sempre fuori di casa, nel suo lontano ovile.

Nelle due casette davanti, verso la solitaria straducola che conduce al cimitero sotto i monti neri, abitavano poi solo due donne: la vedova selvatica di un contadino, che dopo la morte del marito viveva rintanata nella sua stamberga, sempre a filare, rigida e taciturna come una Parca. Non l'aveva richiamata alla sua antica gaiezza neppure il recente matrimonio della figlia giovanissima, anche perché era stato un po' melanconico, cioè celebrato prima che lo sposo, diffidente e geloso, partisse per il servizio militare. E anche la sposina, che la madre lasciava viver sola nell'altra casetta, non sembrava allegra: andava a cogliere le olive nel piccolo predio del marito, lavorava in casa, e spesso si accovacciava sullo scalino della porta guardando lontano e sospirando: ma a volte, come presa da mattìa o spinta da una violenza interna, balzava su, snodandosi le lunghe trecce nere e lucenti “come ala di corvo”, e si protendeva sul muro del recinto, come quando aspettava i convegni col suo fidanzato: così usava fare la bella della fiaba, lanciando dal balcone le trecce perché l’amante le afferrasse per salire fino a lei.

La moglie vecchiotta e bisbetica del pastore di vacche trovava molto da criticare nella bruna irrequieta sposa, ed anche nella madre che non la sorvegliava: e a lungo parlava male di loro col suocero, chiamandole pazze e peggio ancora; fino a stancare l’infermo che pensava solo all’eternità. Anche col marito, quando al sabato sera tornava per cambiarsi la camicia, non parlava d’altro, con insinuazioni maligne: tanto che egli si infastidiva e difendeva la piccola sposa solitaria, che, dopo tutto, aveva sangue vivo in corpo, e che corpo, maledetto sia Giuda, non muffito come quello di certe donne. La moglie si offendeva, replicava, lo caricava d’ingiurie, tanto che egli se ne andava all’osteria e non tornava che a mezzanotte; poi, dopo aver ascoltato la messa dell’alba, riprendeva la via dell’ovile, rigido in sella, con la barba brizzolata, sì, ma gli occhi vivi, verdi e azzurri di tutta la fresca luce del mattino.

La moglie, non avendo di meglio, andava a lamentarsi di lui con la vedova; proprio con lei. Ma la vedova, dura e fredda come uno spiedo, si limitava a dirle che gli uomini sono fatti così, tutti a uno stampo: e se si vuole passare la notte del sabato con loro non bisogna infastidirli.

Poi il soldato tornò, fatto uomo, con un formidabile appetito e una rinnovata voglia di fare all’amore con la sposa. Tutto andava bene; ma un fatto, del resto non insolito negli usi del paese, turbò di nuovo, pochi giorni dopo il ritorno di lui, l’apparente pace del cortile. Una mattina, nell’aprire la porta, mentre il marito era nel suo predio a seminarvi il grano, la giovine moglie trovò sullo scalino dove aveva passato tante ore di attesa una bambina avvolta bene in uno scialle, col visetto peloso come una mela cotogna, nascosto dalla lunga frangia della cuffia di lana.

Dormiva come nella sua culla, calda, sebbene il tempo fosse quasi invernale; ma lo strano fu che, accorse, alle grida della sposa, la vedova e la scorbutica vicina, fu accertato che la creatura, ben nutrita e curata, doveva avere per lo meno un mese di vita. E, di solito, i fatti come questo avvengono quando i bimbi sono appena nati. Ad ogni modo fu accolta bene, e portata a vedere, dentro un canestro, anche al vecchio paralitico, che la guardò dal suo giaciglio con gli occhi vuoti di statua da arca funeraria; e non parlò, ma ebbe nel viso giallo un fugace chiarore di vita.

Tutti della contrada vennero a vedere la bambina piovuta dal cielo con la rugiada della notte autunnale: e commenti, induzioni, sospetti e malizie non ebbero fine.

Chi non parlò troppo fu il marito, ritornato dal predio con la sacca della semente finalmente vuota. Sporse il viso, ricoperto di una improvvisa maschera leonina, e digrignò i denti: pareva volesse divorarsi la creatura; ma subito si dominò; l'osservò bene, piegandosi, quasi annusandola, poi guardò il viso della moglie, sollevato supplice verso di lui, gli parve che nessuna rassomiglianza rivelatrice legasse la donna e la bambina: e, con ordine militaresco, disse:

– Portatela al Municipio.

Ma la suocera sollevò il canestro, dove ancora, in mancanza di culla, tenevano la trovatella; e dichiarò energicamente che se la teneva lei.

L'altro non replicò, ma dal viso non gli cadde più l'ombra del sospetto: che la creatura potesse essere il fiore del tradimento della scervellata sposa.

La suocera, e anche gli altri, vedevano la cupa sebbene ondeggiante passione di lui: e tentavano, col tempo e la tolleranza, di placarlo.

La bambina fu nascosta, allevata con latte di capra come una bestiolina abbandonata: la sposa, in silenzio accorato e paziente, lavorava giorno e notte, e quando era sola piangeva. Il marito non parlava, anzi stava fuori settimane intere, nel suo predio, dove scavava con ferocia le pietre e le radici più profonde, come cercando qualche cosa che gli rivelasse il mistero della sua infelicità. Così passò il tempo: ai due sposi, poiché le leggi della natura non si possono frodare, nacquero bambini; e i sassi del cortile furono, come cani e cavalli di pietra, frustati, cavalcati, abbracciati e morsi dai piccoli guerrieri felici.

A loro si univa la "figlia di ignoti" che cresceva dentro la tana della vedova come una viola nel crepaccio di una roccia: aveva nove anni, due lunghe trecce corvine, e gli occhi profondi, liquidi e glauchi, color di crepuscolo già stellato; ma tristi: gli occhi delle creature nate dall'amore trepido come quello delle cerbiatte che il pericolo minaccia; ed era timida, silenziosa, come se appunto nel sangue le scorresse la trepidazione di una colpa atavica; quando qualcuno dei grandi si avvicinava al gruppo dei bambini, ella correva a nascondere il viso in grembo alla sua madre adottiva.

Un giorno il padre degli altri bambini la poté sorprendere e osservare bene in viso come quando l'aveva veduta nel canestro. E il sospetto tornò a coprirgli il viso con un velo mortale: si pentì di non avere, a suo tempo, approfondito il mistero, di non aver inchiodato la moglie al muro per farle confessare il suo peccato. Poiché la bambina era lei tale e quale.

Adesso era troppo tardi per la vendetta; anche per le ricerche, che sarebbero state inutili e ridicole. La ghirlanda dei figli legittimi circondava la piccola reietta con una muraglia più solida di quella di una fortezza. Ma ella sentì lo sguardo di odio che la saettava, e corse a nascondersi nel grembo della vedova. Questa però non era, per un'eccezione straordinaria, a respirare col respiro del suo fuso: la vicina di casa essendo gravemente malata, l'assisteva lei; e la bambina corse laggiù, in cima al triangolo roccioso, a cercare la sua protettrice. Ma per sbaglio entrò nella caverna del paralitico, ed egli le sorrise, come può sorridere la morte alla visione della sua ultima aurora.

– Vieni, – le disse, senza voce, – ho una cosa da darti: è da tanto che ce l'ho. Ma devi chiamarmi nonno.

Ella guardava di lontano, spaurita e attratta nello stesso tempo. Con la mano che ancora si moveva, egli le fece vedere nella penombra una medaglietta d'oro attaccata a una coroncina di madreperla. Affascinata, la bambina si avanzò: ma, poiché egli capiva ch'ella aveva paura ad accostarsi al giaciglio, le lanciò il sottile rosario che cadde e si spense come una stella filante; e disse:

– Era della tua nonna: prendila e nascondila.

Così, col tempo, si schiarì il mistero. La moglie bisbetica

del pastore di vacche morì, e la vedova pietosa continuò ad assistere il vecchio paralitico. E un giorno il santone chiamò a sé il marito ombroso e gli disse:

– Non hai nulla in contrario se mio figlio sposa tua suocera?

Da tanti anni l'ex-combattente non rideva più, come a questa proposta.

– Tutto il paese suonerà il tamburo delle latte e dei paiuoli davanti al nostro cortile, la sera delle nozze di quei bacucchi.

– Lasciali suonare – disse il vecchio: – e tu suonerai la tromba dell'angelo della resurrezione.

– Ma perché?

– Perché la creatura che vive con tua suocera è sua figlia e figlia di quel finto tonto di mio figlio.

LA GRACCHIA

Come un cristallo o una porcellana, lievemente percossi, vibrano di una lunga nota musicale, così oggi il limpidissimo cielo del nuovo inverno è tremulo di un suono caratteristico, inconfondibile. Sono le gracchie, le belle intelligentissime cornacchie nere, tornate ancora una volta dai paesi nebbiosi del nord, che dopo aver ripreso asilo negli alti pini delle vecchie ville romane o sui cornicioni dei campanili e delle torri solcano il cielo fresco giovanile sopra i nostri giardini; e il loro grido di gioia lamentosa, grido di amore, grido che non somiglia a nessuno di altri uccelli, ma ha bensì un ritmo quasi umano, ricorda, come certi profumi, a chi da lungo tempo lo conosce, zone di vita che si credevano oramai dimenticate.

In un suo recente libro di ricordi giovanili, Ivan Bunin, il grande scrittore russo sotto la cui penna ogni parola diventa luce di poesia, ricorda spesso questi uccelli che hanno un loro mistero quasi di favola vivente.

Egli li ricorda con grazia e simpatia; forse anche perché il suo primo e credo unico delitto fu contro uno di questi intelligentissimi volatili, che animavano i campi, i cortili, i tetti della sua pittoresca dimora, quando ancora bambino, solo per il gusto atavico e certo barbarico di adoperare un pugnale forse un giorno appartenuto a un guerriero tartaro, uccise crudelmente una povera gracchia già ferita e impotente a difendersi.

Si riscatta, il poeta, ricordando in seguito le belle irrequiete cornacchie e tingendole di un colore vivido, iridato come quello delle loro piume quando riflettono la luce della primavera. E dovunque, nel paesaggio, nei giardini, nella stessa casa dove il giovinetto irradia la pienezza della sua vita meravigliosa, un volo, un convegno, un canto di gracchie, un loro passaggio, mettono sfumature e toni di gentilezza pensierosa, che trascendono dai soliti particolari paesistici.

Ecco, mentre va a caccia col padre, vede fra chine nude e solitarie di un burrone alcune gracchie radunatesi «qua e là quasi prive di asilo allo scoperto, pensierose». *Sedevano*, egli dice; e realmente, quando la cornacchia riposa, si piega sulle zampe e pare seduta. «Mio padre le guardò, e disse che anche le gracchie cominciavano, come si suole nell'autunno, a radunarsi in consiglio, a pensare alla loro partenza».

Più in là, al loro ritorno dai paesi del sud, esse rianimano i luoghi cari al poeta. «Monotone, solenni e trionfanti, senza turbare il mite silenzio del giardino, gridavano le gracchie, lontano, nelle bassure delle vecchie betulle».

«L'incessante, discorde grido delle gracchie, che, con impetuosa e dolorosamente felice ebbrezza, strillavano e si davano da fare in tutti i giardini circostanti...».

Poi ricade l'autunno, e anch'esse s'immelanconiscono di nuovo, con una sensibilità nostalgica, difficile a ritrovarsi in altri uccelli migratori. «Sui frontoni riscaldati dal sole delle scalinate se ne stavano piacevolmente strette, come monachelle, le gracchie di solito chiacchierine, ma ora molto quiete».

Per sette anni una giovane cornacchia nera ha abitato la nostra casa. Era un maschio, ma per lungo tempo l'abbiamo creduta, o preferito di crederla, una femmina, per la sua incomparabile bellezza, per il modo di muoversi, dirò quasi elegante, per la morbidezza delle piume, ed anche, dopo un certo periodo di addomesticamento, per la sua fiera bontà. Per una debolezza superstiziosa, o meglio per innocente astuzia, suggerita dall'amore pietoso che sentivamo per lei, a proteggerla contro la probabile avversione delle persone di servizio ed anche di qualche membro della famiglia, si era escogitato il rimedio di far credere che essa rappresentasse quasi un uccello sacro, un essere che spandeva intorno a sé un fluido benefico, una specie, insomma, di amuleto animato, un simbolo apportatore di fortuna. Ma non ce n'era bisogno: poiché in casa tutti, e specialmente le donne di servizio, le vollero bene. Tutti, nel quartiere, la conoscevano: grappoli di ragazzi stavano di continuo arrampicati alla cancellata del giardino, per vederla e chiamarla. Dal pergolato o dalla terrazza, o anche se stava dietro la casa, essa rispondeva, e il suo strido non era sempre uguale: poiché con un istinto meraviglioso conosceva le voci amiche e quelle che non lo erano;

o se anche semplicemente si beffavano di lei. Quest'istinto, più che umano, ha per lunghi anni destato in noi un senso di sorpresa e, a volte, quasi di turbamento. Poiché la nostra ospite non si sbagliava neppure un attimo sulla natura dei sentimenti dei personaggi che capitavano in casa; e a taluni andava incontro, si lasciava lisciare ed anche prendere, ad altri saltava addosso inferocita, e, se essi si indugiavano, metteva in allarme tutta la casa coi suoi stridi nemici. Guai, poi, se vedeva qualcuno portar via roba di casa: la lavandaia aveva di lei un sacro terrore ogni volta che veniva a prendere i panni.

E si sarebbe detto che conoscesse persino il carattere delle cose che gli conveniva toccare o no: certo gli oggetti lucenti, gli anelli, i bottoni, gli aghi, il ditale, le piccole monete dimenticate in qualche angolo, erano trafugati e nascosti da lei, ma bastava che io le dicessi, quando dallo spigolo del tavolo da lavoro essa mi faceva compagnia e assisteva alle mie piccole industrie: «Checca, rimetti a posto il ditale», perché questo ricomparisse miracolosamente nel cestino del cucito. Lasciata sola, strappava sistematicamente i giornali che le capitavano sotto, quasi indispettita che, per leggerli, si trascurasse di darle attenzione; ma non toccava i libri; e, poiché anche ai miei lavori di scrittura assisteva spesso, posata sull'orlo dello scrittoio, lacerava, se gliene lasciavo l'occasione, qualche lettera e qualche nota; ma non toccò mai una delle mie cartelle; e una volta, ricordo, fra le carte intaccate dal suo becco impertinente, rispettò solo una lettera per me importantissima.

Casi? Saranno; ma curiosi e interessati. Essa girava per le stanze con piena libertà, e preferiva gli angoli più belli; spesso si nascondeva, certo per un atavico istinto, ma rispondeva, se chiamata, da una lontananza illusoria di foresta; e se non rispondeva, se anche la si cercava affannosamente fuori di casa, voleva dire che era in un ripostiglio noto a lei sola, a covare un nido immaginario. Curiosa in modo straordinario, si interessava e si rallegrava, – o si allarmava, – di ogni novità. Se i pacchetti che andavano via di casa formavano il suo tormento, quelli che arrivavano ne erano la delizia: non aveva pace finché non vedeva il loro contenuto, e pareva volesse aiutare ad aprirli, col suo becco industre e potente, sciogliendone lo spago.

Ma certi oggetti sconosciuti le destavano un inconcepibile terrore: un mio vestito a fiorellini rossi dovetti portarmelo via in campagna, perché fu la cosa che più la costrinse, ogni volta che lo vedeva, a fuggire e nascondersi. Forse perché questo vestito chiassoso e giovanile non era adatto per la sua austera padrona.

E come la piccola Checca era misurata, parca, sana nel suo metodo di vita! Faceva il bagno tutti i giorni, e l'acqua doveva essere più che limpida; anzi l'assaggiava, poi immergeva la testa per provarne la temperatura, e infine si spruzzava le ali o saltava dentro la catinella perché l'abluzione fosse più completa: infine si metteva al sole, ed erano estasi veramente piene di voluttà quelle che poi la compensavano di tanti altri godimenti dei quali la sua vita schiava certamente la privava. Più selvaggio dell'animale nato per la libera vita degli spazî è certamente l'uomo che lo rende suo prigioniero: solo conforto a chi ne sente un certo rimorso è il vedere come l'animale si adatta, si affeziona, si educa spontaneamente alla sua innaturale esistenza. La nostra Checca era diventata una cornacchia perfettamente domestica: si metteva sul nostro ginocchio o sulla spalla; stava accanto al fuoco per scaldarsi; col becco tirava il lembo della sottana alla cuoca per avvertirla che sentiva l'odore della carne e farsene dare un pezzettino; dallo spigolo della tavola da pranzo assisteva ai nostri pasti, e non mangiava i cibi se non i più delicati; sbucciava i frutti, rifiutandone i semi; beveva dal bicchiere; e se uno della famiglia le faceva ingiustamente un torto, sapeva a chi ricorrere per lamentarsi e ottenere conforto. E se uno di noi era triste, o stava male, ella lo sentiva benissimo: s'immelanconiva, si metteva sulla spalliera della poltrona, o sul ferro sotto il letto del sofferente, e non mangiava, non riprendeva la solita vita finché la vita familiare non riprendeva il suo ritmo. Ma nei sette anni ch'essa stette con noi, nulla di veramente doloroso accadde: fu un'epoca di serenità, di lavoro, di speranza: di quelle che si ricordano con riconoscenza verso Dio.

FERRO E FUOCO

Un preistorico rito, oltre a quello di fare il pane in casa, voleva mia madre, nella nostra casa di Nuoro, insegnare alle sue farfallesche figliuole. Questo rito era venuto dalle montagne della Barbagia fin dai tempi in cui all'ansito dei puledri selvaggi si univa quello degli indomiti cavalieri Iliensi.

Si trattava di assistere al sacrificio del maiale e manipolarne le carni e i grassi fumanti. Per fortuna la battaglia, davvero a ferro e fuoco, era da vincersi solo una volta all'anno contro un nemico al quale, si può dire, fino a quel giorno io e le sorelle non avevamo dato importanza.

Veniva giù in marzo, coi caldi venti orientali, l'arzillo adolescente maialino: scendeva dai cari boschi di lecci dell'Orthobene con una grossa ghianda ancora ficcata nella zanna rabbiosa, coi piedi legati, sul cavallo del servo che lo portava in arcioni e invano tentava di placarne le proteste.

La gabbia dove veniva ficcato, sebbene alta e spaziosa, non lo consolava di certo: erano, i primi giorni, grugniti che spaventavano persino il prode gallo del cortile; e tentativi di smuoverne le sbarre e persino il grande truogolo di granito che forse gli ricordava le pietre della patria perduta. Poi la fame e l'ingordigia lo domavano: il truogolo diventava la fonte della sua nuova felicità. E che opima felicità. Tutto gli era concesso: le grasse succulente pappe di crusca, le ultime ghiande; e poi i fichi d'India rossi del sole della valle, e le scorze dei cocomeri per rinfrescarlo del loro ardore; e le perine selvatiche che portavano l'aspro odore degli altipiani ventosi; infine di nuovo ghiande, ghiande, ghiande; le sue zanne, a furia di masticare, diventavano lucide come punteruoli d'avorio.

Ma nello svolgersi delle stagioni lo accompagnava e confortava anche l'affetto della padrona: affetto sincero, scevro di equivoco interesse, pietoso anzi per la crudele sorte di lui: e l'animale doveva sentirlo, perché fiutava sdegnoso l'ipocrita simpatia degli altri suoi fornitori di cibo. Una volta mia madre dovette assentarsi per tre giorni da casa: ebbene, il porco vivente in quell'anno di grazia dimostrò il suo dispiacere con un sacrifizio che pochi amanti abbandonati sono disposti a compiere: per tre giorni non volle mangiare.

È vero che si rifece nei giorni seguenti, e sempre di più a misura che cresceva e ingrassava; gli occhi gli si affondavano fra le guance cascanti e le orecchie molli di grasso; la beatitudine più invidiabile lo penetrava tutto; mangiava e dormiva, e anche nel sonno gemeva di voluttà. Arrivò un giorno in cui non poté più sollevarsi; ma sembrava un ubbriaco, gonfio di abominevole felicità.

Allora, in un fresco turchino giorno del primo inverno, arrivavano due valentuomini: uno, smilzo e nero, con un berretto frigio sulla testa rapata e le maniche della camicia rimboccate sulle braccia pelose: sembrava un boia; l'altro un pacioccone roseo e lucido: erano due celebri macellai. Il maiale viene, con grandi sforzi dei due bravi, tratto fuori dalla sua reggia. Dove lo conducono? Esso protesta, poiché non vorrebbe ritornare neppure nei boschi natii, dove sulle rosee famiglie dei ciclamini cadono i confetti delle ghiande: ma è verso un luogo ancora più bello delle radure fiorite d'asfodelo dell'Orthobene che l'infelice deve andare: verso i prati che i poeti d'ogni tempo hanno garantito per i più ameni del mondo, ai confini della terra. Verso la morte.

Il pacioccone è il più feroce. Tira fuori la lesina, col manico di corno inciso, lunga e acuminata come lo stiletto di un sultano geloso: il porco, rovesciato in terra, impotente a muoversi, sente il pericolo e urla; ma l'uomo gli affonda il ferro nel punto preciso del cuore, e non una stilla di sangue accompagna l'agonia della vittima. Poi arde il rogo, in mezzo al cortile, e i due uomini vi dondolano su, come in un giuoco di giganti, l'animale morto; arde il suo pelame irto ancora di dolore, e il fumo appesta i dintorni, richiamando sulla cresta del muro del cortile le faccette diaboliche di tutti i monelli della contrada. Una scena quasi dantesca si svolge adesso intorno alla vittima, che viene rapidamente raschiata del pelame abbrustolito, poi spaccata dalla gola all'inguine; sgorgano le viscere fumanti, che vengono versate in un *laccu*, il grande recipiente di legno che serve anche per l'innocente manipolazione del pane; viene scolato il sangue; un solo viscere è lasciato per ultimo, nella voragine ardente del grande ventre vuotato: è il fegato.

E adesso, amici, non inorridite, anzi esaltatevi come i bambini arrampicati sul muro, dal quale attraverso il velo acre del fumo che ancora esala dal rogo, assistono allo spettacolo come dall'alto di un anfiteatro: poiché il boia e il pacioccone con un cenno quasi ieratico, invitano chi dei presenti vuole mordere il fegato caldo della vittima. E c'è, sì, chi lo morde: una delle signorine la prima; l'esempio è imitato; le preghiere, le urla dei ragazzi perché sia permesso anche a loro il rito sembrano quelle di figli di guerrieri. E, invero, la cerimonia ha un significato epico: poiché la bocca che morde il fegato ancora caldo di una vittima non conoscerà mai il gemito della viltà. Così, tante volte, quando ho piegato il viso sulla voragine sanguinante della vita ho ricordato il curioso rito degli antichissimi avi.

E coraggio bisognava dimostrarne subito, nelle faccende seguenti; meno male il primo giorno, quando il quadro continuava a colorirsi di tinte omeriche, e i macellai, dopo aver squartato il porco, dividendo il bianco dal rosso, versando il sangue raddolcito dallo zucchero e dallo zibibbo nei budelli più grossi, s'incaricavano di arrostire allo spiedo il miglior pezzo di filetto; e prendevano parte al banchetto alla tavola dei padroni; e, andati via loro, alla sera, il profumo del sanguinaccio cotto sembrava quello di un dolce da sposalizio. Ma la mattina dopo le signorine dovevano, con ancora in mente il fumo dorato dei romanzi letti di nascosto la sera prima, indossare i grembiali dei giorni di fatica grossa e schierarsi intorno all'esecrato tavolo di cucina. Era un'opera da carnefice: bisognava insanguinarsi le dita e le vesti, e fare smorfie di ripugnanza al contatto della carne cruda. I grandi coltelli affilati, le mezzelune, e, se occorreva, persino le scuri simili a mannaie, funzionavano nelle piccole mani bianche, con la forza crudele della rivolta che sobillava dentro le fanciulle: e gli occhi di queste avevano lo stesso lampeggiare dei feroci strumenti.

E taglia e taglia, e spacca e pesta, solo quando il rosso e bianco monticello della carne e del grasso triturati sorgeva sul margine della tavola, gli occhi ritornavano miti, il riso, lo scherzo, le beffe, fiorivano di nuovo in bocca alle ragazze: anzi, scaldate dalla fatica esse raddoppiavano lo sforzo per finire presto e bene l'opera.

E la servetta, che nel grande mortaio di marmo pestava il sale grezzo venuto dalle spiagge di Baronia, il sale per coprire il lardo, roteava i neri occhi d'antilope, dichiarando che se un uomo l'avesse a tradire, ella gli avrebbe pestato le ossa nello stesso modo.

Poi le ragazze aiutavano a colare lo strutto nelle vesciche che venivano appese in alto come lampade di alabastro: e ad insaccare la carne salata e pepata nelle lunghe budella che anch'esse, da viscide spoglie di biscia, si trasformavano in rosee collane di salsicce. I loro festoni venivano appesi alle travi di quercia della cucina, e per farle essiccare presto si accendeva il focolare centrale, con legno fresco di ginepro. Il fumo ne scaturiva denso, ma non acre, anzi con un odore d'incenso. E tutta la cucina, col suo grezzo soffitto, la mensola coi candelieri di ottone, il luccicare dei rami, prendeva un aspetto festivo, un colore di tempio dell'abbondanza, di quell'abbondanza che nelle previdenti massaie sarde giustamente desta un senso di orgoglio. Alla sera, quando il fumo era fuggito nella fredda notte stellata, e nella cornice di pietra del focolare rimaneva solo il mucchio odoroso delle brage, qualcuna delle signorine non sdegnava sedervisi accanto, sotto la lampada di ottone ad olio, riprendendo la lettura di un romanzo proibito.

E non facevano più le smorfiose, le signorine al completo, quando la domenica seguente, ritornando affamate dalla messa elegante del mezzogiorno, vedevano sulla tavola da pranzo il grande vassoio di stagno, forse un giorno dimenticato da Ulisse nel suo breve sbarco nell'Isola: poiché sul vassoio stava un bel cuscino caldo e dorato di polenta, e sul cuscino posava, tra foglie di alloro, come un diadema di gloria, un doppio cerchio di salsicce arrostite allo spiedo. Gloria e premio per l'opera coraggiosa delle brave ragazze.

TRASLOCO

Appena arrivati nella nuova casa, di loro proprietà, mentre gli operai scaricavano i mobili e li collocavano secondo l'ordine dei padroni, i bambini furono confinati, del resto con loro piena soddisfazione, nel giardino chiuso, come un'uccelliera, da un'alta rete metallica. Era un pezzo di terreno ancora nudo, con solo un platano superstite del campo nel quale erano state costruite le nuove case: i bambini, quindi, due gemelli di quattro anni, robusti e testuti, e una pupa di tre mesi, nella carrozzella che, tutta veli, coperta di seta a vivi colori, trine e nastri, pareva una cesta di fiori, potevano completamente starci al sicuro. Ad ogni buon fine la carrozzella fu fissata accanto alla ringhiera di ferro della scaletta che dalla terrazzina della sala da pranzo scendeva in giardino: e ogni tanto il padre felice, giovane ancora ma già un po' calvo e col viso affaticato, si affacciava alla balaustra per sorvegliare i bambini e godersi un po' della loro gioia.

Era davvero felice anche lui: aveva risolto finalmente il problema quasi centrale della sua modesta esistenza, e poco non gli sembrava: avere una casa sua, un nido comodo e pieno di luce e di sole, dal quale nessuno più poteva scacciarlo; ed anche uno spazio libero, che dalla terra al cielo serviva solo per il respiro, il moto, la felicità dei suoi bambini. Ed ecco che essi già se lo godevano fin da quel momento, allegri liberi come le farfalle di maggio; persino la pupa, nei suoi panneggiamenti sontuosi, faceva smorfie di sorrisi e gorgheggiava guardando il cielo con gli occhi languidi di civettina quasi cosciente, mentre le manine irrequiete tiravano i nastri del corpetto, e pareva li aggiustassero appunto con civetteria.

– Proibito toccarla anche con un dito: e state buoni, e non fate inquietare la mamma, che è già tanto stanca, – raccomandava il padre, prima di dare una capatina all'ufficio – altrimenti sapete cosa vi aspetta.

Essi lo sapevano bene; quindi si contentarono di mettere in attività il loro trenino, lungo il viale che sembrava proprio una strada ferrata in costruzione: e, con la scatola e alcuni stecchi, costruirono la stazione: si davano anche qualche spintone e qualche graffio, ma non protestavano per non richiamare l'attenzione della mamma, già davvero molto stanca e irritata, ed evitare quindi, al ritorno del padre, "ciò che li aspettava". Ogni tanto, adesso, era lei che si affacciava alla terrazzina, col suo bel grembiale azzurro dall'ampia saccoccia, i capelli corti lucidi come il rame, gli occhi turchini un po' chiari di quella luce verdastra di quando era nervosa: e bastava un suo richiamo per mettere in soggezione grandi e piccoli; ma quando verso il tramonto, urgendo nelle camere la sistemazione delle cose di maggior importanza, la sorveglianza di lei e della serva si rallentò, i gemelli ne profittarono per accostarsi alla carrozzella e tentare qualche distrazione nuova. La sorellina, anche, li attirava, specialmente quando pareva che, mostrando la lingua e prendendoli forte per un dito, si beffasse di loro, ma era la carrozzella, così lucida, mobile, viva, col mistero dei suoi congegni e col ripostiglio sotto il materassino, che, a poterla avere un po' in loro possesso, li avrebbe soddisfatti come un miracoloso giocattolo. Soprattutto il ripostiglio era per loro una fonte di vivissima tentazione; la mamma, quando andavano ai giardini, ci ficcava dentro tante cosette, pannolini, la scatola del borotalco, involtini, persino il sacchetto delle caramelle e qualche libro con le figure: come non pensarci dunque?

Il diavolo, poi, quel giorno, parve favorirli in modo veramente infernale. Poiché d'un tratto la serva venne giù di corsa, prese la bimba e lasciò la carrozzella in loro completa balìa.

Era l'ora in cui la giovine mamma dava il latte alla pupa: ed era l'ora in cui, per quanto, come in quel giorno, stanca, scontenta e disorientata, ella si sentiva improvvisamente felice. Era, invero, una felicità quasi fisica, press'a poco simile a quella della bambina che le succhiava avidamente il seno. Le sembrava che col latte se ne andasse dal suo sangue una linfa che era di più; e si sentiva più leggera, dopo, o almeno meno inquieta, meno sofferente.

Anche adesso la pupa succhia, geme, ronza come un ape; le preme il seno con la manina fredda, guarda di sotto in su con gli occhi velati. E se si stacca un momento sorride: è un sorriso perfettamente inconscio, un movimento dei muscoli; la madre però s'illude, credendolo un vero sorriso, magari interessato, ma ad ogni modo rivolto a lei; e se ne illumina tutta, e, a sua volta riconoscente, presa da una vaga ebbrezza, parla alla creatura, con un linguaggio adatto, tutto diminutivi, gorgheggiamenti, balbettii: un gergo da uccelli, quando portano il pasto ai nati del nido. Eppure non è del tutto innocente, quel chiacchierio; anzi a volte si fa amaro e dispettoso, e confida alla bambina i presunti torti del padre. Di tutto il disordine intorno, di tutte le cose che andavano male, il colpevole, al solito, era lui; si era intromesso anche nel modo di disporre i mobili nella camera loro da letto, collocando il cassettone in piena luce, mentre lei lo avrebbe voluto nell'angolo in penombra. Almeno del cassettone e dei suoi ripostigli avrebbe dovuto essere padrona lei: no, egli la trattava come una bambina, pretendeva che non avesse le sue robe nascoste, i suoi segreti. E invece, come tutte le donne anche più vecchie di lei, ella aveva i suoi ricordi, i suoi cimeli: il suo passato era quasi di ieri; come potersene disfare tutto in una volta? D'ieri la sua fanciullezza, i giorni di povertà arricchiti però dalle illusioni d'amore; d'ieri il romanzo stroncato dalla necessità familiare di un matrimonio di convenienza: come non lamentarsene, almeno con la figlia? Fuori, i gemelli non davano segno di vita; d'improvviso però uno di essi strillò, anzi invocò l'aiuto della mamma, poi tacque. Ella aveva trasalito nervosamente, senza potersi muovere né mandare la serva che lavorava al piano superiore.

Del resto quando i bambini erano al sicuro, le loro questioni, le zuffe, i lamenti e le folli gioie non l'inquietavano eccessivamente. La sua sola minaccia era: «Adesso viene papà e vi aggiusta lui». Si sarebbe detto che, almeno riguardo a questo, lasciasse a lui tutte le responsabilità della loro educazione: e in fondo davvero le sembrava che essi fossero più figli del padre che suoi. Forse perché non li aveva potuti allattare; forse perché nati dall'unione con un uomo che le era quasi estraneo e indifferente, o perché il loro nascere l'aveva fatta quasi morire.

Con la pupa era altra cosa: una cosa tutta loro, di loro due, unite dalla stessa carne femminea, dalla stessa fragilità, forse dallo stesso destino.

– Sicuro, sicuro, sicuro, sicuro...

La pupa si stacca di nuovo dall'acino del seno materno, e di nuovo sorride: pare capisca la canzone intima che le sfiora il viso; e chiude gli occhi, sazia, beata.

Anche la madre ha una sensazione come di un canto che la invita a dormire: si placa, finalmente, i pensieri si raddolciscono: adesso le sembra che la casa sia già in ordine; ed è la casa *loro*, dove c'è tempo per finire di sistemarsi, di stendersi, di riposarsi per tutto il resto della vita. Non occorre più neppure uscire, portando in giro, attraverso i pericoli delle strade, il proprio fastidio, la maschera della serva travestita da bambinaia di stile, la carrozzella impegnativa, il segreto della propria scontentezza.

Questo senso di riposo le diede un momento quasi di sogno: il platano attraverso la vetrata, vibrava come un'arpa, tutto d'oro sull'oro dello sfondo: il *loro* platano, vivo, amico, protettore. Sì, le parve che l'albero avesse qualche cosa di paterno; la cullava, le prometteva ombra, frescura, salute: e per la prima volta anche lei sentì la gioia della proprietà, il respiro di chi, dopo un camminare malsicuro per campi altrui, è arrivato alla sua terra e vi si trova in pace.

Ma sentì che ancora qualche passo doveva farlo: mettere in ordine i cassetti, chiudere i ripostigli, seppellire i suoi piccoli segreti.

– Bisogna metter dentro anche la carrozzella: è ora – disse alla bambina già addormentata, asciugandole il latte dalla bocca. E andò per rimetterla nel suo nido, ma dalla terrazzina vide uno spettacolo che non la fece gridare solo per riguardo alla curiosità della serva.

I bambini avevano messo sottosopra le coperte e il materassino della carrozzella, e dal ripostiglio traevano gli oggetti ch'ella vi aveva nascosto per metterli al sicuro durante il trasloco e richiuderli poi di nuovo nel cassettone. Ma nell'accorgersi ch'ella era più mortificata di loro, e quasi per un istinto di aiutarla a scusarsi, essi stessi le andarono incontro, porgendole un pacchetto di lettere e una busta di fotografie.

– Libro – disse uno, guardandola sfacciatamente; e l'altro aggiunse: – Figure.

E attesero entrambi ch'ella dicesse: – Adesso vi aggiusterà papà.

Ma ella metteva il libro e le figure nella sua tasca profonda, e pensava che era necessario bruciarli, adesso che le dita dei suoi figli li avevano messi definitivamente all'indice.

CACCIA ALL'ANATRA

Il vecchio guardacaccia aveva ricorso al classico trucco dei mariti che si ritengono traditi; aveva detto alla sua nipotina Betta che, dovendo recarsi al paese per affari, sarebbe ritornato solo verso sera.

– E se per caso capita qui il signorino sii, come sempre, servizievole e obbediente: ma niente confidenze, mi raccomando; né a lui né al suo autista: non è gente che fa per te. Sta con Dio.

E con Dio, ma un Dio sospettoso e cupamente iracondo, egli adesso se ne stava fra i giunchi e le pietre verdi e viscide della riva dello stagno che i suoi antichi padroni avevano scavato artificialmente per completare la tenuta da caccia sotto la vecchia villa gentilizia che adesso era quasi ridotta a una bicocca.

Egli la vedeva, dal suo nascondiglio, grigia e screpolata, con le loggie che si sfasciavano, il tetto ricoperto di erbe e i cornicioni sdentati, dove le cornacchie trovavano i loro rifugi. Anche il parco era diventato tutta una cosa col bosco di lecci barbuti intorno: solo si salvava la casetta sua, del guardacaccia, bianca e marrone, accovacciata come un cane fedele a fianco del cancello chiuso: un filo di fumo saliva dal comignolo, su fino al cielo lattiginoso di febbraio, e bastava quel segno di vita per rallegrare il luogo melanconico. Ma il cuore del vecchio non si rallegrava. Ogni tanto gli sembrava di sentire la tromba dell'automobile del suo giovine ultimo signore, e provava un senso, se non di spavento, di panico, simile a quello dei volatili acquatici che popolavano lo stagno e si alzano pesanti a volo cercando di salvarsi; poiché anche lui dal tempo dei tempi, e adesso più che mai, forse per un istinto ancora più naturale di mescolanza, quasi di parentela con la selvaggina da lui coltivata e custodita, sentiva un oscuro pericolo al contatto dei padroni, signorotti che a loro volta conservavano tutto il loro carattere di dominio primordiale, e, quando poi erano a loro volta dominati dal freddo furore della caccia, partecipavano al selvaggio carattere degli animali da preda. C'era stato un periodo, dopo la morte dell'ultimo signore, in cui il vecchio aveva creduto, non senza però un certo rimpianto e la nostalgia delle ère chiuse per sempre, che la sua vita oramai poteva considerarsi come quella di un servo pensionato. La tenuta era sempre sotto la sua tutela, ma affidata a miti cacciatori di città, che non gli prodigavano rimbrotti e insulti: finché un giorno, con uno di questi, bonaccione e buontempone, era venuto, così per svago e curiosità, l'ultimo erede, esile e biondiccio, che reggeva il fucile da caccia con lo spavaldo e innocuo divertimento dei ragazzi che maneggiano quello portato dalla Befana.

Ma fu una bella giornata che rinnovò quasi i fasti sonori delle battute da caccia quando gli amici dei signori arrivavano a cavallo, con le ondate tumultuose dei cani frementi, e le trombe squillavano come ai tempi di Carlo Magno.

Vi fu un banchetto; stridettero gli schidioni feudali della cucina linda della piccola Betta, e la tavola fu imbandita sotto gli elci che avevano i fiori del colore dorato delle pernici.

E Betta, anch'essa svolazzante nelle vesti ancora corte, coi capelli iridati come le penne delle folaghe e gli occhi pieni della luce cangiante e liquida della foresta e dello stagno, versava il vino nei bicchieri stemmati ancora cerchiati da qualche filo di polvere delle credenze di quercia della villa, e volgeva il viso di profilo per nascondere nella bocca serrata un sorriso di beffa e di compiacenza per le paroline dei galanti cacciatori.

E il signorino era tornato altre volte, solo, per conto suo.

Il vecchio era da mezzo secolo al servizio dei signori, che lo avevano sempre maltrattato, non per voluta cattiveria, ma perché questo era il loro carattere. Le loro donne, a volte, si servivano delle donne del guardacaccia, ma sempre con la stessa indifferente lontananza dei padroni dai servi buoni e passivi: eppure egli non li odiava, e la fedeltà gli scorreva nel sangue come la linfa pura nell'acqua di sorgente. Inoltre era religioso come un eremita, del quale possedeva qualche sfumatura: una religione soffusa di credenze, se non superstiziose, certamente mitiche: conosceva gli alberi, le erbe, le fiere, gli uccelli, i cani, e ne sentiva le voci, le passioni, i dolori e le gioie. Tutto si animava, per lui, anche l'acque ferme e le pietre sepolte dalla vegetazione palustre: e il sole, la luna, gli astri, tutti gli elementi, gli rivelavano meglio che a un poeta, la loro natura divina.

Ma non amava, quasi non capiva, l'uomo. Gli si era mostrato sempre sotto un aspetto bestiale: padroni, servi, ladri di caccia, tutti lo avevano deluso e spaurito. Almeno con gli animali si sa come combattere: o almeno lui lo sapeva; e non lo stupivano le arti della volpe, e neppure la crudeltà necessaria del lupo: ma l'uomo, l'essere più vicino a Dio, egli non sapeva da qual parte prenderlo: persino i suoi figli lo avevano depredato, abbandonato e tradito: e adesso anche la nipotina, che egli aveva allevato, orfana ed ultima, come una cerbiatta alla quale è stata uccisa la madre…

Anche lei, adesso, trovava tutti i mezzi per incontrarsi col signorino, pur sapendo che egli la cercava solo per istinto di maschio. – Signore, buon Dio, – pregava il vecchio, piegato fra i giunchi, giunco pure lui in mezzo all'acquitrino della sua mala passione, – ci sarebbe, sì, il mezzo di salvarsi: andarsene, portarla via, lontano: ma dove si va, alla mia età? E mandarla via sola è ancora peggio. Possiamo forse correre alla ventura, come il cieco e la ragazza col piattino? Del resto la colpa è sua, di lui, del brigante vestito da cavaliere: egli sa bene quello che fa e che vuole, e ci considera né più né meno come questi palmipedi in tempo di caccia. Ma io ti darò una lezione, maledetto: una lezione che ti insegnerà come tirare il colpo anche con la mano sinistra.

La tromba dell'automobile, intanto, non si faceva sentire; ma le orecchie del guardacaccia erano tanto buone ancora da distinguere il fruscìo; e uno ne sentì, ad un tratto, lontano strisciante, minaccioso nel suo silenzio appunto come quello del passo del brigante che tesse i suoi agguati.

La tromba non risonava, no, per non dare l'allarme; eppure un'anatra si levò dai cespugli della riva, seguita dai suoi anatroccoli: erano tutti d'argento, con solo la cima delle ali orlata dei colori dell'iride: e i becchi a cucchiaio, gialli e lucidi come d'avorio.

– Ecco, – pensa il vecchio, – persino loro sentono il pericolo, e quella stupida no: è più stupida delle anatre.

Passò qualche momento: una incertezza quasi paurosa lo fermava nel suo covo, come fosse lui la vittima destinata al colpo del cacciatore: aveva sperato che questi, prima di ogni cosa, anche per salvare le apparenze, fosse sceso allo stagno per tirare qualche colpo; ma il tempo passava, e le cose intorno pareva partecipassero, immobili alla sua angosciosa attesa. Anche l'anatra, con la sua nidiata, si era di nuovo nascosta fra i cespugli.

Egli si drizzò, alto, col busto e la testa eretta come quella di un serpente: e gli occhi verdognoli ne avevano la luce velenosa: ma d'un colpo tornò a ripiegarsi, quasi stendendosi a terra. Aveva veduto il signorino, col suo vestito grigio stretto da una cintura di cuoio e il cappello verde con una penna di fagiano, affacciarsi alla porta della casetta, da vero padrone: poi sentì un lungo fruscìo nel sentiero che scendeva allo stagno. Scendeva, il giovine cacciatore; e il sole, liberatosi dal velo dei vapori mattutini, adesso faceva parer belle anche l'acqua stagnante e le erbe marce dell'acquitrino. Un fulgore di bontà brillò anche nella coscienza del vecchio. – No, – egli disse a sé stesso, – non bisogna commettere il male. Dio non vuole. Piuttosto ce ne andremo, io e la disgraziata; sì, mendicheremo se Dio vuole così; ma il male non si deve commettere.

Il fruscìo si avvicinava, e con esso una lieve vibrazione di voci e di risate sommesse. Egli riaprì gli occhi, e questa volta erano velati di sangue. Betta accompagnava il cacciatore; vestita di grigio anche lei, morbida e tremebonda come le anatre fra i cespugli.

Stette dritta alle spalle del giovane, mentre egli issava il fucile e chiudeva un occhio per pigliar meglio la mira. Ma era uno scherzo; poiché i volatili si erano tutti nascosti, e un silenzio, una immobilità come di morte dominavano intorno.

Il colpo vero, giusto e sicuro, lo tirò il vecchio: mirava alla mano destra del cacciatore; e la mano fu trapassata: ma un repentino movimento della ragazza l'aveva portata in avanti, e la palla andò a smarrirsi nel fianco di lei.

IL CAMINO

Da tanti anni il professore sognava di avere un camino: ne aveva fatto costruire uno nella sua villetta di Cervia, nel salottino d'angolo, coi mobili di giunco, ma faceva tanto caldo, nelle brevi settimane che egli vi passava, che la stessa fiamma avrebbe riso a vedersi suscitata sotto la mensoletta della cappa sempre fiorita di rose e garofani: nella sua casa di città, invece, sebbene fosse una villa di costruzione non recente, coi solidi muri di una volta, le stanze alte coi pavimenti di finto mosaico, il termosifone funzionava dai primi di novembre a tutto aprile; e il fuoco non si vedeva neppure nella cucina, perché negli antichi provinciali fornelli erano stati sostituiti i più moderni apparecchi a gas e anche a elettricità.

Era dunque venuto Celestino, il fumista, per esaminare l'angolo ove meglio si poteva costruire il camino. Oltre all'essere fumista, Celestino era una specie di factotum del professore: conosceva la casa a menadito, forse più del padrone stesso, perché era lui che, d'estate, vi faceva da guardiano ed eseguiva le riparazioni; cambiava le carte, verniciava le persiane, coltivava il giardino: si intendeva di tutto, era bravo e pasticcione in tutto, e melenso oltre ogni dire: sonnecchiava sempre, svegliandosi solo quando si trattava di fare i conti. Anche adesso guardava qua e là con gli occhi socchiusi, con la bocca aperta e un po' storta; sebbene facesse già freddo aveva ancora la paglietta, tirata indietro sul capo: pareva uno di quei santi campestri molto alla buona: un Sant'Antonio del fuoco.

– Ecco, – dice il professore, che si confida con Celestino come in trenta anni di insegnamento e di scritture non si è mai confidato coi suoi allievi e i suoi lettori, – mi pare vada bene quest'angolo della stanza da pranzo: è il luogo che preferisco: dalla vetrata si può scendere in giardino e prendere la legna nel sotto scala della gradinata: è più spiccio. E sbrigati; perché oramai sono tanti anni che si parla di questo camino; e adesso ci ho i dolori reumatici, e voglio infischiarmi del termosifone, che fa venire il mal di testa. Anzi non voglio più neppure accenderlo; tanto non voglio più ricevere nessuno. Mi hanno messo in pensione, e anch'io voglio fare il comodaccio mio; voglio ritornare come era mio padre che è morto beatamente mentre se ne stava a godersi un bel fuoco di ginepro, davanti al grande camino della nostra cucina.

Sarebbe stato facile adattare un caminetto posticcio; ma il professore, giacché ci si era messo, voleva un camino autentico, scavato nella parete, da metterci dentro comodamente i piedi: la faccenda però presentava alcune difficoltà, e Celestino, per quanto flemmatico e lavoratore, ci faticava assai: non è a dire, poi, i brontolii della governante, per il disordine e il polverio della sala da pranzo. Il padrone invece sembrava beato: assisteva ai lavori come si trattasse della costruzione di un palazzo, e disegnava il prospetto del camino con finezza artistica: quando poi l'operaio se ne andava, egli sedeva davanti alla buca della parete, fra le macerie, facendo le prove di quando il camino avrebbe funzionato. Vedeva divampare il fuoco, sentiva il gemere degli spiriti del vento imprigionati dal tubo della conduttura, e ricordava la sua infanzia e la sua fanciullezza con luci romantiche, quali solo in certe notti d'inverno e di bufera gli erano balenate nel tepore del letto solitario. Nella fredda atmosfera della realtà, quei tempi remoti, piuttosto duri e meschini, mentre egli faticava come Celestino per scavarsi una nicchia nella muraglia della vita quotidiana, una buca dalla quale saltasse fuori un po' di calore e di benessere materiale, quei tempi gli apparivano come uno strato di barbarie, di privazioni, di servaggio. La sua famiglia era povera: il padre, contadino, se voleva il fuoco doveva raccattarsi le legna; e il pane per i figli era acre del suo sudore: quello che non gli costava niente erano le fole che, nelle sere d'inverno, quando la neve chiude in casa anche i più poveri, raccontava ai figli, forse per sopperire col loro nutrimento di sogno allo scarso nutrimento della realtà. Dopo tutto era un uomo buono, biblico rassegnato alla sua sorte; era famoso per le sue storielle, e ne sapeva di quelle che, con le frangie che egli ci metteva, duravano anche sette notti. In fondo, il figlio non ricordava di aver mai gustato un romanzo, né ammirato uno scrittore di fantasia, come le narrazioni di suo padre e il loro autore.

Adesso, poi, a quest'ammirazione sentiva unirsi una tarda tenerezza: forse perché anche lui invecchiava, e se avesse avuto famiglia, della quale si era privato per odio antico alla famiglia povera e alle responsabilità del suo capo, pensava che anche lui avrebbe raccolto i figli attorno al fuoco e raccontato loro delle fiabe. Ma in fondo rideva di queste fantasticherie: i figli adesso non vogliono fiabe; vogliono verità solide, parole che abbiano valore autentico; e soprattutto quattrini. Quattrini egli ne aveva pochi; il suo patrimonio consisteva tutto nella villetta di Cervia, che non rendeva un soldo, e in quella sua casa di città, gravata di tasse, risucchiata dalle riparazioni e dai conti di Celestino, ma dove, almeno, egli viveva a modo suo, come l'orso nella sua tana.

Quattrini! Erano stati sempre il suo sogno: e a questo si allacciava forse anche il sogno del camino antico, perché le fiabe paterne che più lo avevano impressionato, colorite certo dal desiderio dello stanco lavoratore che le raccontava, erano quelle dei tesori nascosti, ritrovati a giusto punto da chi ne aveva urgente bisogno. Il mondo è pieno di tesori: le rovine, i muri delle vecchie case, i tronchi scavati degli alberi secolari, i paglierricci dei falsi mendicanti, persino i sepolcri, ove la morte irride i vani beni della terra, nascondono tesori infruttiferi, che aspettano chi sappia trovarli.

Così predicava il padre; e il figlio ci aveva creduto, finché non si era convinto che l'uomo con gli occhi bene aperti alla realtà cerca il tesoro entro sé stesso, nel suo genio e nel suo lavoro, e spesso, non trovandolo neppure là, nelle casse del prossimo.

– Io non sono un genio, e ho sempre lavorato poco, – egli diceva a sé stesso, quella sera di autunno, seduto davanti al camino già ultimato ma ancora fresco di calce e col ripiano di cemento improntato dalla paletta dell'operaio, – quindi essendo anche proclive all'onestà, forse più che altro per pigrizia, sono rimasto povero, senza neppure l'eredità paterna non accettata:

cioè quella delle speranze e delle illusioni dell'uomo primitivo. Ma non importa: purché riesca a vedere il miracolo della fiamma, entro questo imbocco di galleria che può condurre a luoghi piacevoli. Sì, mi ricordo...

Sì, ricordava tante cose, adesso: l'imbocco appunto di una specie di galleria naturale, sui monti sopra il suo paese, che dopo una paziente esplorazione conduceva i ragazzi a un fantastico belvedere di rocce dal quale si vedeva un paesaggio bellissimo, esteso fino al mare. Anche in quelle grotte esistevano tesori, ma custoditi da spiriti maliziosi che non bisognava disturbare: e i ragazzi, che possedevano anch'essi ben altre ricchezze, se ne guardavano bene.

Di ricordo in ricordo, di fantasia in fantasia, il professore si lasciava scivolare a un vago sopore, a quel lieve incantesimo che rievoca quasi tangibilmente le cose lontane e risuscita i giorni morti.

Così gli parve di vedere nel camino la fiamma che sprigionava dai ceppi l'odore del ginepro; e quest'odore a sua volta spalancava, al di là di una galleria muschiosa, un panorama di boschi, di rocce, di chine verdi scendenti al confine azzurro del mare. Ma d'improvviso la figura quasi evanescente di Celestino, con la sua aureola di paglia, apparve dietro i cristalli della vetrata, in uno sfondo di rami neri sui quali si libravano ancora, come uccelli notturni, grandi foglie secche. Aveva in mano un bel cestino di giunchi, colmo di pezzi di legna e di trucioli: picchiò lievemente ai vetri, e al professore, venuto ad aprire, disse sottovoce:

– Se permette, facciamo dunque la prova del camino.

L'altro non domandava di meglio. Celestino collocò la legna sugli alari e vi cacciò sotto una manciata di trucioli, ai quali diede fuoco. Il fumo filava bene dentro il tubo della cappa, e in breve le foglie tremule della fiamma germogliarono dai ramicelli neri. Dopo tanti e tanti anni il professore rivide lo splendore del fuoco vivo illuminare la sua casa desolata. Era come se una nuova aurora sorgesse per lui: l'aurora di una nuova fanciullezza che doveva finire solo con la morte.

– Voglio anche dormirci, qui – disse a Celestino, piegato sulle ginocchia come un bonzo in adorazione del fuoco. Quando le brage cominciarono a staccarsi dai tizzi, che pareva si convertissero in oro, l'operaio aggiunse altra legna, poi si sollevò e andò a riempire di nuovo il cestino: infine salutò, e disse che sarebbe ritornato più tardi per vedere se tutto continuava ad andar bene.

Tutto andava bene: una felicità giovanile riscaldava il cuore dell'uomo: gli sembrava di non essere più solo; come già a suo padre, una ghirlanda di figli lo accompagnava di qua, di là, come le ali della speranza e dell'amore. E tutta la stanchezza della sua vita si allentava; cadevano i rancori; le ingiustizie patite, e alcune ancora recenti e sanguinanti come ferite, si mutavano in fiori di offerta a chi tutto giudica e paga con puntualità. Di nuovo fu vinto da un lieve sopore; di nuovo fu risvegliato dalla presenza di Celestino. Senza parlare l'operaio aggiungeva legna al fuoco, finché in fondo al cestino apparve una cosa strana: un mucchio che pareva di brage ed era di monete d'oro.

– Padrone, – egli dice, con la sua voce melliflua, – le ho trovate in un sacchetto, scavando qui nel muro per il camino: sono sue: a me dia quello che solo mi spetta.

E con la mano che pareva una cazzuola ancora bianca di calce, sollevava le monete e le lasciava ricadere nel cestino. Erano tante: e sembrava si moltiplicassero senza numero, luminose, al riflesso del fuoco, come occhi di sole finché il professore si svegliò: e furono solo i suoi vecchi denti ricoperti d'oro a scintillare nel riso schietto che gli rischiarò il viso, poiché la sua felicità non scemava, anzi si faceva più limpida, nell'accorgersi di essere davvero ritornato fanciullo e di aver ritrovato il tesoro dei sogni.

L'UCCELLO D'ORO

Fu visto l'emigrato ritornare peggio di come era partito, con una vecchia valigia legata con una corda, e vestito di una grande giacca povera tutta abbottonata: per di più, sotto il berretto a quadretti, anch'esso in cattivo stato, aveva la testa e metà del viso fasciati di garza e di bende nere: il resto delle guance azzurrognolo di barba non rasa da più giorni; mentre le mani erano bianche come quelle d'un malato. Qualcuno che credeva di riconoscerlo lo scansò, ricordandosi che il mese avanti una donna era tornata dall'estero con la lebbra: e poi anche perché soffiava un vento furibondo, uno di quei classici aquiloni speciali del luogo, che pareva volesse davvero, come fa l'aquila affamata con gli agnelli, portarsi via la gente che si azzardava a uscire con quel tempo.

L'uomo quindi, solo, con la sua pietosa valigia strangolata, le vesti gonfie di vento, si fermò, come per orizzontarsi, nella piazzetta che strapiombava, a guisa di bastione, sopra la valle. Bellissima era la valle, nei tempi buoni; adesso, sotto la luce spettrale del crepuscolo, le cascate di olivi e i boschi di castagni si agitavano tumultuosi con un rombo metallico di mare in tempesta. L'albergo per villeggianti, che spadroneggiava solo in questa piazzetta tutta sfarfallante di alberelli rossi e gialli, era in parte chiuso; ma la porta a vetri, sotto la pensilina di cristalli scuri, brillava di luce come un camino.

L'uomo esitò, prima di decidersi a suonare; non intimorito, e nemmeno timido, ma perché sapeva che il proprietario dell'albergo era adesso un suo parente, al quale un tempo egli aveva prestato denari, solo in parte restituiti: e non voleva far pesare una presenza interessata; anzi egli tornava con buoni propositi, con desiderio di simpatia e di pace.

Solo dopo qualche momento, dopo aver guardato in su verso il paesetto ammucchiato in una specie di forra, e tutto terroso e fumoso, con qualche scintilla di lume, come una carbonaia in funzione, premette il bottone del campanello. Aprì una donna grassa, vestita di rosso, con un gran viso ridanciano che però, alla vista della valigia e della testa fasciata del forestiero, si fece subito ostile e inospitale.

Egli domandò del proprietario.

– È fuori del paese – ella rispose pronta, già decisa a non lasciarlo neppure entrare. – Io sono la moglie. L'albergo è chiuso per restauri.

Egli capisce che non c'è da far niente; e non protesta, non insiste: solo, con un sorriso che sembra idiota, dice il suo nome. La donna lo guarda meglio; forse sa del debito del marito, e quella valigia, quella testa fasciata, quelle scarpe che portano ancora le rughe e la polvere di un esilio poco fortunato, la induriscono nella necessità di difendersi. Per non sembrare del tutto inumana, disse:

– Torni quando c'è lui. C'è, sa, in cima al paese, un'osteria con alloggio.

E spinge, spinge la vetrata, perché il vento pare voglia aiutare l'uomo a penetrare nella casa. Ma non lo aiuta a salire l'erta strada che come una scalinata pietrosa s'inerpica su per il paesetto e pare vada a perdersi sul cocuzzolo del monte già tutto nero sotto un cielo glaciale. E come da un ghiacciaio il vento vien giù con una ferocia di tormenta: è un piombare selvaggio, non di una, ma di stormi di aquile, con fischi, sibili, beccate che penetrano fino al petto del viandante e lo costringono a chiudere gli occhi, a difendere la sua valigia che tende a seguire la rapina del vento; a ricordare che nella città donde veniva c'era almeno, nei giorni di forte bufera, una corda legata da un punto all'altro dei grandi viali perché i pedoni potessero afferrarsi e procedere senza cadere.

Qui, nel suo paesetto, del quale conosceva ogni pietra, ogni porta, si sentiva più malfermo e strapazzato che nella metropoli sconosciuta. Tutto era chiuso e scuro, e in cima all'erta non appariva neppure il lume dell'osteria. Ma a metà strada egli riconobbe una porticina, riparata dall'arco di una scaletta esterna; vi abitava un tempo un suo cugino, calzolaio, molto povero: e gli venne in mente di bussare, pensando che spesso il povero è più ospitale del ricco. Anche lì, tuttavia, esitò. Dalle fessure della porta uscivano fili di luce e voci e strida di bambini. Non sono graziose né beneducate, le creature della povera gente, ed egli non credeva d'intenerirsi nel sentire le querele di questi suoi piccoli parenti, ma pensava che la sua apparizione li avrebbe forse divertiti, e nello stesso tempo fatto piacere ai grandi. Avrebbe detto, sedendosi all'umile focolare:

– Adesso vi racconterò le storie del mondo lontano.

Ma questi erano pensieri suoi, di campagnuolo che, nonostante l'esperienza e la furberia acquistate appunto nel girare il mondo, ha conservato un fondo di semplicità biblica.

Dentro, intanto, i ragazzini litigano, si dicono parole ingiuriose, ridono e piangono, finché una voce alquanto rauca, di donna raffreddata, che deve essere la madre, non li minaccia di bastonarli, e non ottenendo l'effetto desiderato, aggiunge esasperata:

– Adesso, il vento fa venir giù il lupo mannaro.

In questo momento l'uomo bussava; e un silenzio fulmineo soffocò le piccole querele. Nella strada il vento urlò più forte, assecondando la minaccia della madre. Ma la prima ad avere qualche paurosa reminiscenza era lei; e quando ai replicati colpi alla porta si decise ad aprire nel veder l'uomo quasi mascherato, con quella valigia poco rassicurante, indietreggiò e parve gonfiarsi nei suoi stracci come la gallina che vede minacciati i suoi pulcini. Subito però riconobbe l'emigrato: lo riconobbe dagli occhi, ancora dolci e mansueti, del colore delle castagne del luogo: e il suo viso scarno si contrasse in una sofferenza quasi fisica.

– Tu – disse con impeto. – Ti credevamo laggiù... ricco. Come sei tornato! Sembri davvero il lupo mannaro.

– Tuo marito dov'è?

Ella si piegò fin quasi a terra: scoppiò a piangere e non rispose. Era un pianto d'indignazione, più che altro: poiché il marito era morto ed ella credeva che tutto il mondo fosse in obbligo di saperlo.

Ancora più spaventati i bambini si nascosero l'uno contro l'altro, chiudendo gli occhi per non vedere l'uomo nero. Egli entrò, si mise a sedere, si guardò attorno: però non parlava e lasciò che la donna si calmasse. Ella non si calmava: pareva anzi impaurita anche lei dal ritorno, dalla visita di lui, e volesse a sua volta spaventarlo col racconto delle sue disgrazie.

Oh, sì, ella lo sapeva bene; dappertutto c'è grande miseria, disoccupazione, bisogno; ma nelle città si ottiene almeno una minestra, un asilo per gli orfani: qui, invece, la gente è dura; qui i poveri devono vivere come bestie selvatiche, nutrendosi d'erba e di radici.

L'uomo ascoltava, buio in viso, senza farle osservare che intanto sul fuoco davanti a loro bolliva una pentola dalla quale usciva odore di legumi e di grasso: poi, d'un tratto, parve cambiar d'umore e divertirsi alla scena. Si volse verso i bambini, domandò come si chiamavano, li invitò ad avvicinarsi: ma al suono della sua voce, li vedeva sempre più annodarsi fra loro, sordi e muti ad ogni richiamo.

– Bene, – disse infine, come fra sé, – sono proprio il lupo.

– Sì, – proseguiva la donna, con una tosse un po' vera, un po' forzata, – i tempi sono terribili: la gente è cattiva, l'uccello d'oro è volato via dai monti del paese e non tornerà mai più.

– L'uccello d'oro...

Nel mucchio dei bambini si vide allora qualche viso volgersi in qua, qualche occhio brillare come al riflesso di un lampo: oh, in compenso alle credenze del lupo che si traveste da uomo e penetra nelle case dei bambini cattivi fingendosi magari, come questo straniero, un loro parente, essi conoscevano la storia del grande uccello d'oro che dagli antichi tempi viveva nelle grotte dei monti, e quando la buona gente lo invocava di cuore, volava sul paese e disperdeva ogni male. Era più fulgido del sole, potente come lo Spirito Santo: ma bisognava esser buoni per farlo uscire.

Come ossessionato dalla sua idea, l'uomo però ripeté:

– Adesso dai monti scendono solo i lupi.

E gli occhi dei bambini tornarono a chiudersi, e i visi a nascondersi. La madre pareva avesse piacere che facessero così, per allontanarli dal malcapitato, dalla sua miseria e soprattutto dal suo male: e frugava nella pentola aspettando, per tirarla giù, che egli se ne andasse.

Egli lo capiva benissimo: un sorriso, questa volta un po' crudele, gli balenò negli occhi. Si alzò, prese la valigia, fu per uscire: la porticina stessa, col suo battere e il suo stridere, lo invitava ad andarsene. Ma quando la donna corse premurosa ad aprirgliela accadde una cosa che solo più tardi i bambini dovevano capire: l'uomo aveva aperto la giacca, e sotto vi apparve un bel corpetto di lana a maglia, di quelli che usano i signori: una catena d'oro lo decorava; una catena che, tirandola, pescò dal taschino profondo un grosso cronometro d'oro con la calotta incisa e sparsa di piccole perle. Guardare l'ora fu certamente un pretesto per metterlo in mostra, e così pure l'indugiarsi dell'uomo ad aprire un portafoglio tratto dalla tasca interna, e leggervi dentro come in un libro.

La donna aveva occhi buoni; e vide che i fogli del libro erano larghi biglietti di banca. L'uomo ne tirò fuori uno, dei più piccoli, e glielo porse: ella lo prese, esitando, poi con un riso chiaro di gioia, di sorpresa, d'ingenua furberia, disse:

– Ma perché te ne vai? Resta a prendere un boccone con noi. Dove vuoi andare, con questo tempo, malato come sei?

Egli s'inumidì le labbra, gustando la sua vendetta.

– Oh, non è nulla: ho gli orecchioni.

Poi si buttò nel vento; e come l'uccello d'oro non si fece più vedere.

Fra i due, il cacciatore e il cane, questo sembrava il più felice. Era veramente una cagna, da presa, piuttosto anzianotta, grassa, con una faccia buona ma di una bruttezza da vecchia beghina: ipocrita, però, perché quando si trattava di caccia si trasformava in un ferocissimo leopardo. Ne aveva l'aspetto e l'agilità snodata, rimbalzante, quasi elettrica, quella mattina del tardo gennaio che sembrava una mattina di aprile. Da sei mesi il padrone non s'era più mosso dal paese, anzi da casa sua, come fosse malato o precocemente rimbambito e imbecillito: sempre accanto al fuoco, nella grande stanza da pranzo che sembrava una sala d'armi, tanto era piena di moschetti, archibugi, fucili, coltelli da caccia, corni e cartucciere; fumava la pipa e sputava sulla fiamma che si ritraeva indietro indignata. Per conto suo Dama, la cagna, avvilita e annoiata, dopo essergli stata un po' accanto, sbadigliando e stiracchiandosi inutilmente, se ne andava nell'attigua cucina, a rosicchiare gli ossi, a subire l'umiliazione delle pedate della vecchia serva o, peggio ancora, le attenzioni della servetta, che pretendeva di farle leccare gli avanzi del suo caffelatte; finché, stanca di questa miserabile vita, si era data anche lei ai facili e disonorevoli amori della strada, rimanendo pregna di un sudicio cane da pastore.

Era stata l'unica volta, durante quegli ultimi mesi, che il padrone, uscito dalla sua apatia come da una prigione di malfattori, aveva dato in escandescenze tali, con insulti e vituperi non solo alla cagna ma anche alle serve ed a persone che fortunatamente non erano presenti, che persino la vecchissima zia sorda e paralitica, che abitava l'opposta ala della casa, aveva domandato se nella strada c'era una rissa. L'aveva domandato all'altro nipote, il fratello del cacciatore, che la curava e sorvegliava perché il testamento di lei era tutto in suo favore: ed egli, facendole capire che gli urli erano del fratello, si era battuto l'indice sulla fronte. Pazzo, sì, da qualche tempo; infatti quell'altro dava segni di esserlo: e zia e nipote ne sapevano il perché.

Ad ogni modo Dama fu lasciata partorire, e i cagnoli bastardi buttati nel precipizio sotto il paese: tutto il giorno e anche la notte, la cagna si aggirò disperata nella cucina, ove le donne la tenevano chiusa, raspò gli usci, rifiutò da mangiare. Si temette che diventasse idrofoba. Fu allora che il padrone si decise di portarla a caccia.

E caccia grossa avrebbe dovuto essere, poiché egli si sentiva un cuore nero da prendere leoni. Anche Dama, dopo essersi trascinata fiutando nelle stradicole la traccia dov'era passata la servaccia col cesto dei cagnolini buttati nel precipizio, appena fuori del paese diventò un'altra. Si sollevò, si snodò con movimenti felini, balzò sui margini della strada campestre, fra i poggi e la valle, e fermandosi su un dirupo abbaiò.

L'eco ripeteva l'avviso; veramente pochi altri segni di allarme rispondevano dagli uliveti della valle e dalle macchie dei poggi. E nessun altro cacciatore disturbava il luogo. La stagione non era adatta: faceva troppo caldo; si vedevano i campi già verdognoli di grano precoce, e i mandorli fioriti; soffi di scirocco venivano dalle lontananze marine, e il cacciatore, preso a salire l'erto poggio, cominciò a sudare miserevolmente: anzi, d'un tratto si abbatté su un masso, e sputò sui cespugli come faceva sul fuoco di casa sua. La cagna parve guardarlo disorientata e avvilita: ed egli, quasi per farle dispetto, trasse e accese la pipa. Questo era il colmo: Dama abbassò le orecchie e cercò qualche cosa da poter sbattere col muso, come quando la servetta le offriva il fondo del caffelatte. Sembrava, sì, che il padrone si beffasse di lei, che l'avesse portata a spasso solo per farle prendere aria come usava donna Palmira col suo cagnolino coevo di Matusalemme. Il cacciatore fumava, sputava, coi grossi piedi affondati in un cespuglio d'euforbia: pareva lui un volpone preso dalla trappola.

Ma ecco d'improvviso si scuote, si drizza sull'alta persona massiccia, e un'ombra vermiglia gli passa sul viso barbuto: ha vergogna di essersi lasciato sorprendere seduto frollo su una pietra, come una donnicciuola venuta a far legna nel bosco: balza su, si tira sul ventre la casacca di velluto rossiccio, solleva il fucile sulla spalla e fischia al cane, con un sibilo di uccello da preda che si converte nel brivido col quale tutto il corpo di Dama risponde.

Eppure l'uomo che scendeva dalla svolta del sentieruolo era un vecchietto con una logora sacca sulla gobba e un bastone di legno fresco: sembrava un mendicante, e un po' lo era, perché vivacchiava girando per gli ovili ospitali dei pastori di pecore e di porci. Ma un tempo era stato servo in casa del cacciatore e conosceva la storia sua e del fratello, rimasti presto orfani, ma in breve diventati forti, virili, uniti da un affetto, più che di fratelli, di amici. Un dramma aveva devastato la loro giovinezza. Una donna già quasi vecchia, di cattiva fama, un'esperta maliarda in amore, aveva stregato e si era fatta sposare dal primogenito; il fratello e la ricca zia materna si erano separati da lui, rinnegandolo per l'eternità: adesso, dopo solo qualche mese di matrimonio, egli aveva cacciato via di casa la donna; ma la sua vita gli sembrava un edificio crollato dopo un incendio. Sdegnava però ogni commiserazione, ogni riadattamento col prossimo: il disprezzo altrui, il dolore proprio se li divoravano il suo orgoglio e un poco anche la sua forza fisica: ma se li risentivano, come di un pasto da belva, di carne cruda sanguinante. Per digerirli, andava a caccia, e nelle soste solitarie in casa sua fumava tabacco forte e beveva vino come quello, diceva la vecchia serva, che beve Lucifero nella cantina dell'inferno.

Da alcuni mesi, però, sembrava cambiato: non usciva più e beveva meno: solo la pipa fumava sempre fra le sue labbra come il piccolo cratere di un vulcano.

L'omuncolo col bastone gli fu davanti senza dare molta importanza all'incontro: parve più interessato delle rimostranze di amicizia che la cagna, riconoscendolo, gli faceva.

– Andiamo a caccia, eh? È da tanto che non ci si andava. Ma abbiamo avuto qualche disavventura amorosa, eh?

Per chi parlava? Il cacciatore non si degnò rispondergli, se non quando il vecchietto disse:

– Fai bene ad andar su: in valle non ci sono che passeri.

– E per passeri sono uscito – rispose allora, dispettoso: perché neppure in fatto di caccia voleva pareri e consigli da nessuno. Il vecchietto tuttavia insisté:

– Tu, passeri? Ricordi, Gregorio, l'anno della grande bufera? Con tutto quel diavolio sei andato su, fino alla conca di Pietranera, e hai cacciato un'aquila. Adesso i pastori hanno visto un cinghiale, ma non riescono a prenderlo: se ci vai tu lo prendi col solo fiuto.

Il cacciatore sorrise, di traverso: tant'è, l'adulazione consola anche i disperati. E Dama, nel capire di che si trattava, si drizzò sul vecchio, quasi per ascoltarne meglio le parole: le grandi orecchie le tremavano come quella volta, al grande vento, quando Gregorio aveva preso l'aquila.

Ma il padrone era subito ricaduto nella sua ombra. La gloria non serve a niente, quando non si ha più nel cuore l'amore per gli uomini. Ma il vecchio era testardo: aveva piantato il bastone fra due pietre e lo guardava, come aspettando di vederlo d'improvviso germogliare.

– Capisco, Gregorio: non ci hai neppure la cartucciera, neppure il carniere né la zucca dell'acquardente. Ma a te, che ti fa? Hai le gambe di puledro e le pietre si scostano per farti passare. Va su, dammi retta. Pare sia una femmina, perché è rossa e nera: sono più onorevoli da cacciarsi, le femmine del cinghiale. Va, va: non è la giornata della grande bufera, quando anche le querce si schiantarono: ma le belle giornate sono più onorevoli, per un bravo cacciatore. Va, va: andate con Dio.

E tirò un'orecchia alla cagna, che guaì di gioia e poi abbaiò verso il padrone. E fu adesso il padrone a sentire un brivido: come in un miraggio di vapori fulgenti rivide tutto il suo passato; l'adolescenza selvaggiamente bella, la prima gagliarda e audace giovinezza, la caccia all'aquila, le feste col fratello, il canto e gli amori. Poi tutto sparve; la sua ombra deforme, ai suoi piedi, gli pareva la sola vera sua persona: ma quando il vecchio se ne andò, tirandosi su la sacca dalla quale, nella sua povertà e nel suo ricordo fedele, aveva gettato il buon seme della carità umana, il padrone ricordò anche il giorno della grande bufera, quando aveva lottato coi venti e con le aquile.

Ed egli va su, su, oltre il poggio, fino alla località del monte detta della Pietranera.

Questa pietra, nera davvero come un enorme blocco di carbone minerale, stava affondata tra i rovi, nel centro della grande conca; e fra esili graniti bianchi, simili a stele, pareva il demonio fra anime innocenti. Si diceva, infatti, fosse un monolito caduto al tempo della rivolta degli angeli, quando anche le stelle, travolte dalla caduta dei ribelli, s'infransero: e che, a sollevarlo, ci si trovasse sotto un'entrata all'inferno. Il luogo era certamente strano, covo di bestie selvatiche, rifugio di uomini banditi e cacciati dagli altri uomini, meta di pastorelli in cerca di avventure sovrannaturali. Anche le querce si erano fermate sull'alto delle rupi, sull'orlo della conca, quasi diffidando di crescervi dentro: e il sole lo sfiorava, girandovi intorno, illuminando solo, dall'alto dello zenit, la pietra misteriosa.

E il cacciatore, che aveva ripreso tutte le sue antiche energie, guardò anche lui dall'alto della conca, come quando, nel bere il vino forte, guardava dentro la coppa che lo distoglieva dai suoi bassi pensieri: di nuovo si sentì dritto e audace; si tolse il berretto, scosse indietro i capelli inselvatichiti come il puledro liberato dal freno.

– Cerca – disse alla cagna; e quella si slanciò giù volando sulle rocce; sparì, infiltrandosi fra i cespugli e le macchie come un uccello; riapparve in fondo, intorno al masso nero; si vedevano i suoi occhi scuri scintillare diabolici, quasi per il riflesso della pietra, e il padrone a sua volta ne sentiva il riflesso nei suoi. Scese anche lui e si appostò a metà della conca, col fucile pronto: se il cinghiale c'era non gli sarebbe sfuggito certo, fosse la femmina, o il maschio ipocondriaco che difende la sua libertà anche assalendo l'uomo come una belva del deserto. Il cacciatore però si sentiva anche lui un po' belva: anche lui, come appunto il cinghiale, aveva cacciato via dal suo covo la femmina, dopo aversela goduta, e adesso difendeva la sua miserabile libertà con le armi selvagge della solitudine. Belve, del resto, tutti: la donna che gli aveva bevuto il sangue, lo stesso fratello che gli rubava la sua parte di eredità e stava in agguato presso la zia selvatica aspettandone la morte, come egli adesso il passaggio del cinghiale.

La cagna intanto non ricompariva e non se ne sentiva neppure il leggero fruscìo. Tutto intorno era immobile, in un silenzio freddo e pesante, sotto il cielo di un azzurro di diaspro, che aveva anch'esso qualche cosa di pietroso. Cominciando a inquietarsi, l'uomo ricordò certe leggende, di uomini e bestie che sparivano nella conca, senza che più nulla se ne sapesse: neppure le ossa si ritrovavano: egli non ci credeva, o meglio credeva che, più malefici dei diavoli nascosti come vermi sotto la pietra, uomini malvagi combinassero quelle sparizioni. Il primo sospetto che qualche lesto e poco scrupoloso pastore gli avesse accalappiato la cagna lo infocò tutto: allora sentì davvero sapore di sangue, e un senso di odio contro tutta l'umanità gli calò come un avvoltoio sul cuore. Sentì che, se la cagna avesse sofferto il minimo danno, la sua vendetta si sarebbe estesa come un incendio che da lungo tempo cova: contro tutti; la donna, il fratello, la madre stessa se fosse stata viva.

E la cagna davvero non ricompariva; ed egli fischiò, urlò, riempì di echi belluini quel cimitero di pietre.

Da quel momento gli parve di entrare in una specie di allucinazione. Si mosse e andò in cerca della bestia: scivolò, si graffiò tutto, lottando con un rovo che lo tratteneva con morsi di serpente; girò più volte intorno al masso, col desiderio puerile di smuoverlo, come se Dama fosse stata ingoiata dalla bocca infernale. La pietra pareva sorridere: vista da vicino era quasi turchina, con sfaccettature brillanti.

Per quanto esplorasse tutta la conca, il cacciatore non trovò la cagna: esasperato risalì dal lato opposto, deciso di spingersi fino all'ovile dei porcari. Ed ecco, mentre attraversa una breve radura, dolce di verbaschi argentei e di felci nuove, vede Dama sbucare dal limite del querceto e corrergli incontro, poi tornare indietro sui suoi passi, indicandogli la via da seguire. Ci siamo. Ha certamente trovato la tana del cinghiale, e manovra in quel modo per non allarmare la preda. Il cacciatore dunque la segue, ma è di nuovo disorientato perché si accorge che il cane ha un modo insolito di correre, fermarsi, voltarsi, ascoltare, fermarsi ancora ad aspettare il padrone. E poi i suoi occhi sono ritornati buoni, domestici: pare che, invece di trovarsi a caccia di cinghiali, si diverta a giocare nel cortile di casa.

La spiegazione non tardò: poiché in un piccolo anfratto, fra quercioli nani e pietre barbute di rovi, in una specie di nicchia, l'uomo finalmente vide tre cinghialetti che avevano ancora le gambe molli e il pelo giallo e nero umido di sangue: aggrovigliati ancora, come nel ventre materno. Dovevano esser nati da poco, abbandonati momentaneamente dalla madre andata in cerca di cibo.

Il cacciatore si piegò a toccarli, ed essi si sciolsero: i piccoli occhi lo guardarono senza paura: poi uno di essi aprì il muso e leccò l'altro. Avevano fame; e l'uomo, calcolando il tempo dell'assenza della madre, pensò che essa forse era stata veduta e cacciata dai pastori; altrimenti sarebbe stata già di ritorno. Ad ogni modo si poteva aspettarla, caso mai tornasse. Si appiattò dunque di nuovo, a tiro di schioppo, lasciando che Dama, a sua volta, seguisse il suo istinto infallibile: ma, cosa che gli parve straordinaria, si avvide che la cagna si aggirava moscia intorno al covo, fiutando la terra con le orecchie basse come faceva quando frugava nella cucina di casa in cerca di cibo.

Allora pensò che anche lei doveva aver fame; poiché egli era uscito di casa sprovvisto, col solo istinto di togliersi dal suo lungo stordimento, di sfuggire ai pensieri vili che gli piluccavano il cuore come le volpi affamate, quando non hanno altro cibo, si nutrono del frutto del corbezzolo. E, ripreso da propositi che gli sembravano gagliardi solo perché eran feroci, continuò ad aspettare la femmina del cinghiale: l'avrebbe squartata per darne le viscere al cane.

La madre però non torna, e il cane si fa sempre più strano, inquieto, ma di una inquietudine mansueta, come quando lungo la strada fiutava il passaggio dei suo poveri cagnolini buttati nel precipizio. Ed ecco, sotto il sole sempre più alto, il buon sole che illumina anche le pietre maledette, e fa scintillare come fiamme verdi le giovani felci, il cacciatore crede di riprendere a sognare come nelle notti di luna i piccoli pastori erranti.

È un sogno antico, di quando le fate abitavano i boschi, e uomini e bestie si amavano come eguali, sotto la legge dell'innocenza che non conosce né il peccato, né l'odio, e neppure il dolore.

Dopo giri e rigiri simili a quelli di un vortice che attira al suo centro, la cagna si era avvicinata ai cinghialetti, e li annusava: uno di essi, quello che sembrava il più ardito, il primogenito, allungò il muso fino ai penduli acini del ventre di lei: ed essa si stese, e i tre orfani poterono succhiare il latte delle sue mammelle.

Storie da cacciatori? Sarà. Il fatto è che abbiamo veramente conosciuto il signor Gregorio, quando egli aveva ripreso cristianamente in casa la moglie e fatta la pace col fratello.

IL POSTO

Dove era l'officina di Michele Paris il meccanico? Da due ore il suo compaesano ed amico, chiamato anche lui Michele, inutilmente e faticosamente la cercava. Qualche tempo prima il meccanico aveva scritto alla madre, assicurando di trovarsi bene, di lavorare in una grande officina, della quale dava l'indirizzo, di guadagnare abbastanza per vivere, d'andare al cinematografo ed anche alle partite di calcio. Era una specie di rivincita che egli si prendeva, poiché era scappato di casa, con qualche soldarello si intende, non garbandogli l'umile mestiere di fabbro per ferri da cavallo, del suo severo genitore: il quale nei primi tempi minacciava di fracassargli la faccia col martello se riusciva ad acciuffarlo. Adesso le cose si erano dunque placate; Michele aveva mandato anche una sua piccola fotografia, coi capelli rossi impomatati, la spilla alla cravatta, il fazzolettino che si affacciava alla tasca della giacca. Non si dubitava nemmeno che egli un giorno non sarebbe diventato padrone di un'officina e magari di un'automobile. Il primo a crederci era l'altro Michele, quello che adesso da due ore lo cercava per le strade della città.

Bisogna dire che queste strade e questa città erano coperte di neve: una neve da burla, per Michele secondo, abituato alle nevicate alte del suo paese; ma qui tale da stordire con una specie di gelida ubbriachezza tutti quelli che s'incontravano per le strade. I ragazzi pattinavano urlando, le ragazze che andavano a far la spesa camminavano come su un fiume gelato; uomini imbacuccati e impellicciati correvano quasi spinti da un pericolo, e i ragazzi che non avevano la fortuna dei pattini improvvisati si esercitavano in una inesorabile battaglia di palle di neve. Una ne arrivò e scintillò sulla capoccia selvatica di Michele, mentre egli domandava per la ventesima volta notizie dell'officina. Nessuno sapeva dov'era.

Così arrivò a uno spiazzo, in un quartiere nuovo ancora in costruzione. C'era un piccolo mercato, con cesti di verdura appassita dal gelo, pesci che sembravano di vetro e mucchi di arance che, queste almeno, facevano concorrenza ai braceri accesi dalle erbivendole. Brillava anche qualche fuoco, allegro, nel chiarore quasi lunare della bianca giornata, come i fuochi della notte di Sant'Antonio nella piazzetta davanti alla casa di Michele. Ed egli ci si fermò davanti, incantato e infreddolito, sembrandogli di esser capitato in un paese un po' più grande del suo, ma sempre paese. E fu lì che una donna tutta ardente di geloni, maternamente impietosita per il naso rosso e gli occhi desolati di lui, s'interessò finalmente alla sue domande. La strada, sì, ella l'aveva sentita nominare: doveva essere una strada nuova, non molto giù di lì, dove si costruivano case e palazzi. Può darsi ci sia un'officina, apposta per lavori inerenti alle fabbriche; ma altre indicazioni ella non sa dare. Gli regalò anche un'arancia, che egli si portò via fra le mani quasi per riscaldarsi. E cerca e cerca, e gira e gira, fra grandi case grigie e sinistre peggio delle rocce del suo monte, e per strade deserte e fangose, arrivò in un altro spiazzo, che accrebbe la sua sensazione di trovarsi in una solitudine alpestre: era un cantiere. La neve copriva i monticelli di pozzolana, i mucchi di laterizî, i pali e le travi buttate per terra, gli scavi incominciati per le fondamenta: una grande vasca d'acqua gelata rifletteva il cielo di alabastro, e pareva un piccolo ghiacciaio; l'orizzonte era ostruito da fabbriche ancora ingabbiate di travi, tutto bianco e freddo come di marmo; solo, in uno spazio vuoto, si vedeva una linea consolante, viola e bianca, di vera montagna.

E nessuno intorno: dell'officina rumorosa e calda, poi, la traccia svaporava anche dalla fantasia di Michele. Ma, guarda qua guarda là, distinse, fra il labirinto di passaggi del cantiere e delle costruzioni, un ventaglio di fumo che pareva salisse da una buca. Buono è il fumo, che annunzia anche nei luoghi più impervi la presenza e il calore dell'uomo. E Michele, con l'arancia d'ottone fra le mani, si diresse a quella volta. Ed ecco, davanti a una specie di baita, che completava il quadro montuoso, apparve la figura di Michele Paris. L'altro Michele lo riconobbe ai capelli rossi, lunghi e arruffati come la criniera di un piccolo leone; e poiché l'amico non si accorgeva di lui, piegato com'era a soffiare sul fuoco fumoso di un fornello da muratore, si avanzò di nascosto, gli piombò alle spalle, e su queste batté un pugno potente.

Il meccanico balzò in piedi ululando, con gli occhi verdi spalancati. Riconobbe il compaesano; gli restituì senz'altro il pugno sul fianco. Poi si abbracciarono.

– Dov'è dunque l'officina? – fu la prima domanda dell'amico. – E tu, dove stai?

– Qui – dice l'altro, additando il casotto come un castello. – Adesso ti dirò: vieni dentro.

Dentro c'erano arnesi di muratore, un giaciglio fatto di assi e stracci, e, ai piedi di questo, una macchina d'arrotino. Non essendoci altro, si misero a sedere sul giaciglio, davanti al fornello, la cui sola fiamma illuminava l'ambiente. Come quadro non c'era male; ma il compaesano non ricordava di essersi mai trovato, neppure nelle stamberghe più strette e povere del paese, in un luogo più sudicio e disperato di quello: la cosa più confortante era la faccia tosta di Michele Paris. Tirandosi indietro i capelli infiammati ma anche pieni di polvere e di pagliuzze, egli diceva, con la sua voce ancora rauca di adolescente:

– Ci ho la camera, in città, col letto grande e le sedie; ma l'officina non è qui. Qui, – aggiunse abbassando la voce, – vengo per far piacere all'impresario della fabbrica accanto; che, del resto, mi paga. Si tratta di questo: hanno trovato una statua antica, nelle fondamenta; e si crede ce ne siano altre. Valgono migliaia e migliaia di scudi. Allora, perché gli operai o i ladri non se le portino via, io sono qui come guardiano. Ci sto anche alla notte. Ecco.

L'altro aprì la bocca, con un riso muto che mise allo scoperto i suoi denti lupigni: poi la richiuse; si volse a tradimento e diede un altro pugno sulle spalle dell'amico e, mentre questi si drizzava sulla schiena e inghiottiva la saliva per non gridare, disse: – Ho bell'e capito, brutto maramaldo. E non mi ricordavo che eri il più grande bugiardo dei nostri dintorni. E ho creduto alle tue baggianate scritte, e son venuto qui… son venuto qui…

A dire il vero sembrava più disorientato lui dell'altro; il quale prese subito il sopravvento.

– E allora, che sei venuto a fare? Il brutto pecorone sei tu.

Si scambiarono un mucchio di parolacce: dopo di che, però,

vennero ad amichevoli confessioni: e il compaesano disse che era venuto con la speranza che l'altro gli trovasse un posto nell'officina, o dovunque fosse: una sinecura che permettesse anche a lui di andare al cinematografo, farsi la fotografia e mandarla a una ragazza dalla quale era stato sbeffeggiato.

– Ci hai soldi? – domandò l'altro. – Coi soldi si trova tutto.

No, non ci aveva nulla, l'illuso; neppure il tanto per il viaggio di ritorno. Allora Michele Paris confessò che anche lui non aveva neppure da mangiare, quel giorno: tutto il suo capitale consisteva nella macchina d'arrotino, ma con quel tempo non si poteva neppure andare in giro a cercar lavoro.

– C'è però la serva del commendatore che, dovendo sposarsi la sua signorina, ha promesso di farmi arrotare tre dozzine di coltelli. Andiamo a vedere: può darsi che me li lasci portare qui.

Con questa speranza andarono a vedere; ma la serva non era in casa e la cuoca non aveva tempo da perdere coi due poveracci. Tornarono indietro, e il compaesano dovette far le spese lui: comprarono pane, lardo e altre due arance: il nevischio continuava a cadere, fangoso e pungente: ma nel casotto non mancavano almeno le assicelle per alimentare il fuoco. Riconfortati, anzi rallegrati dal calore dei loro sedici anni e delle loro avventure, i due amici si abbandonarono ai loro ricordi, di quando bambini cavalcavano l'asino del padre di Michele secondo; oppure quando, nell'oliveto roccioso, sopra i dirupi del paese, andavano a caccia di talpe. Bei tempi: e al loro ricordo essi si sentivano così felici che ridevano fino a buttarsi l'uno contro l'altro, ripetendo, per scherzo s'intende, i loro esercizi maneschi. Poi, non essendoci altro da fare, si sdraiarono sul giaciglio, abbracciati come bambini; e l'un Michele sognava una grande officina dove egli si arrabattava ad aggiustare un'automobile che era anche una macchina d'arrotino, mentre l'altro, già pratico della realtà, si accontentava dei trentasei coltelli del commendatore.

VENTO DI MARZO

Saranno cose appartenenti alla vecchia letteratura, ma sono anche vere e, se non eterne, infinite: e il fatto è questo, che la signora Dolfin, quella notte, non poteva dormire, a causa del vento furibondo che scuoteva tutta la casa e pareva la volesse respingere come una nave verso il porto.

– Va, vecchia carcassa sconquassata; che hai da cercare ancora nell'oceano? È già molto se ti permetto di salvarti, poiché non mi degno neppure di farti naufragare: va, dietro front.

La casa infatti era vecchia, sebbene ancora solida: solidi i muri, di vero travertino e non di ricotta, diceva il signor Dolfin; ma le aperture e gli infissi tutti spaccati, con fessure per le quali il vento fischiava come un monello fra le dita. Chi, a sua volta, s'infischiava del vento era il signor Dolfin, nella camera attigua a quella della moglie: il fragore del libeccio lo faceva anzi dormire, e, nelle brevi soste di silenzio, si sentiva, come un accompagnamento d'organo in una sacra funzione, il suo russare davvero quasi musicale.

Ma questa sinfonia d'uomo in realtà santo perché accettava la vita come un dono di Dio, e non tradiva nessuna delle sue leggi, irritava maggiormente la signora, e il miglior complimento ch'ella potesse fare al compagno della sua vita era quello di dargli dell'animale.

Ecco però il vento riprende la sua terribile battaglia: e non potendo, in quel luogo, capovolgere velieri e buttare poveri diavoli in mare, si contenta di prendersela con gli embrici dei tetti, con le canne degli orti, e soprattutto con le persiane della casa; pareva avesse un mostruoso bisogno di spaccare i vetri, e divorarseli come un mangiatore di spade. E infatti ecco uno strepito di vincitore gonfiò la camera in fondo al corridoio; le persiane pareva applaudissero con allegro furore, un vetro fu spaccato e portato via. Si spalancò l'uscio, e l'aria si mosse, sino a far scricchiolare anche quello della signora. Ella si buttò giù dal letto come per ricevere in piedi l'assalto: ma vi fu di nuovo una sosta, e in mezzo alla rovina il russare del vecchio sposo parve un suono di zampogna fra i ruderi pittoreschi di un antico maniero.

Ella si infilò la veste da camera, ancora giovanilmente fiorita di grandi peonie, e andò ad esplorare. E camminava piano, con le pantofole felpate, tentando di non fare il minimo rumore; ma accorgendosi che erano l'istinto e l'abitudine a spingerla così, come una lepre fra i roveti. Infatti nella casa non c'era nessuno da poter disturbare; casa davvero silenziosa e deserta, con un profumo di solitudine come quello delle rovine dei castelli un giorno fastosi e pieni di rumore e di vita: e la finestra della camera di fondo, aperta sul buio tremolante di stelle della notte agitata, ne completava l'impressione. D'un balzo, per evitare una nuova invasione del vento, la signora tirò con tutta la forza delle sue braccia ancora bianche e resistenti, le persiane ribelli e, per maggiore sicurezza, legò la maniglia col cordone della sua vestaglia; poi chiuse i vetri, attenta a non ferirsi con quello del quale rimanevano solo due pugnali verdastri, e fermò gli scurini sulle tendine dove i grifi del filé continuavano a rincorrersi tranquilli. Il vento ricominciò: ma era vinto, ormai, e batteva invano le sue armi contro la persiana che non si moveva più.

Allora la signora si volse, e le parve di riflettere sul viso i biancori della camera: quello della coperta del lettuccio, quello del pavimento inghirlandato di edera nera, e soprattutto quello gelido del marmo del cassettone. Un senso di smarrimento era intorno e dentro di lei: il vento aveva sparso qua e là i fogli di carta e di giornale, sollevato la tovaglietta del comodino, rovesciato una scatolina sul cassettone: ma, quello che alla donna sembrava più significativo e di fatali presagi, staccato dalla testiera del lettuccio il ramoscello di ulivo benedetto: le foglie accartocciate si erano disperse, chi sa dove; si erano nascoste, come spaventate dall'assalto dell'invasore: rimaneva il piccolo scheletro del ramo, sul lettuccio funereo.

– La colpa è mia, la colpa è mia, la colpa è mia – ella disse fra sé; e le parve d'inchinarsi, come il peccatore quando, davanti all'altare, si picchia con involontaria ipocrisia il petto.

Poi si guardò attorno, e le parve che, oltre allo scheletrino grigio dell'olivo, i fogli a terra fossero brani di fantasmi: fantasmi ch'ella da due mesi aveva chiuso nella camera, dove non era più entrata per non soffrire la loro presenza. Così, per la noncuranza dolorosa di lei, la persiana era rimasta mal fermata, e il vento aveva avuto buon gioco come il nemico contro l'avversario addormentato.

Ella raccolse i fogli, li fermò sullo scrittorio a fianco della finestra: spiegò la tovaglietta, sollevò la scatola sul cassettone: ogni oggetto le gelava e bruciava le dita, quasi fosse quello di un morto adorato.

E non era forse morto, per lei, il suo unico figlio, il suo sempre piccolo Cesco, che si era sposato, andato lontano, abbandonando il vecchio nido per formarsene uno tutto nuovo? Ella non voleva male alla donnina che si era portato via il figlio. Ma era stata, ed era, gelosa di lei, come tutte le madri che si vedono portare via i figli, d'una gelosia ch'ella era la prima a riconoscere animalesca e superficiale. Più che altro, forse, a farla soffrire era la rottura delle abitudini familiari, o quel senso di vuoto che lascia la partenza di una persona amata. Disse bene chi disse: partire è un pochino morire.

E tutto era morto davvero, nella casa grande in cui le risate, i pianti, le canzoni e le collere di lui, e i suoi passi e soprattutto il suono della sua voce, avevano palpitato come il sangue in un corpo giovane e vigoroso.

Oltre alla scatoletta rovesciata, altri oggetti si allineavano sul marmo del cassettone; un porta calendario di ferro battuto, con l'ultimo foglietto che aveva la data delle nozze, pareva un palo in una pianura nevosa che indicasse la direzione della via da seguire. E lui se ne era andato, per quella via, appunto in un bel giorno d'inverno tutto scintillante di neve: ma la madre aveva chiuso le imposte e dentro le era rimasto solo il buio e la desolazione dei luoghi ove non ci si sa più orizzontare.

Quest'impressione le durava ancora, quando uno squillo, simile appunto a quello di una stazione di campagna all'annunzio del passaggio di un treno, la richiamò all'ordine. Era il telefono.

– A quest'ora? Chi può essere? Forse uno scherzo del vento?

Ma non era poi tanto tardi: la sveglia, nella saletta da pranzo dove da tanto tempo il telefono non funzionava che parcamente per i fornitori della famiglia, segnava le undici.

– Pronti. Pronti.

– Con chi parlo? Pronti. Mamma sei tu?

La voce veniva di lontano, come da una grotta marina; e cavernosa lo era, ma nello stesso tempo incantata, simile a quella dell'eco.

– Cesco! Sei tu?

Così si incontrarono, madre e figlio, attraverso uno spazio iperboreo, nel vento che di fuori pareva appunto il rombo delle onde contro l'apertura scogliosa di una grotta: ma dentro tutto davvero si fece luce, con stalattiti iridescenti e fantasmagorie favolose di perle e diamanti, e intorno l'azzurro dell'infinito, quando la voce lontana disse:

– Mamma, devo darti una buona notizia, una bella notizia. Mamma, Giacinta è... Giacinta è... mamma, mi ascolti?

– Parla, parla – ella rispose, forte, poiché aveva l'impressione che egli credesse di non essere ascoltato.

– Giacinta è... è anche lei madre.

Poi seguirono altre parole; un mese, due mesi, segni sicuri, l'ostetrico, il nome, la gioia di papà, le vacanze e la riunione nella villetta di Cervia, buona notte, scusate il disturbo.

Ma erano tutte parole decorative, come le foglie sullo stelo di un fiore.

LA MIA AMICA

La mia prima e sola amica si chiamava Biancofiore: ed è stata la prima e sola persona al mondo che io abbia cordialmente invidiato. Il padre era medico, ma anche studioso di lettere: di qui forse il nome della sua unica figlia. La madre, una nobile decaduta, ma autentica, di antica origine spagnuola, non usciva mai di casa, bianca, fredda e taciturna più di una monaca di clausura. E anche lei, Biancofiore, cresceva col suo nome, come crescono i fiori col loro e non si può immaginarli con un altro: la rosa è la rosa, la giunchiglia è la giunchiglia. Biancofiore aveva il pallore diafano della gardenia, incoronato dal nero corvino dei capelli lisci e iridati; e anche gli occhi erano scuri, ma di quel bruno meridionale, lampeggiante di sole, con le sopracciglia che restano nere anche nella più tarda vecchiaia.

La casa del dottore era nuova e bella, con tende di merletto alle finestre, lo studio di lui con grandi vetrate, e intorno un giardino piccolo, ma colorato di fiori rari. Piante di gelsomino rivestivano il muro di cinta; una ghiaia fina e preziosa come polvere d'oro perché fatta venire da una spiaggia lontana ricopriva i viali; un albero esotico, nientemeno che di pepe, ombreggiava con le sue frangie di seta una panchina di marmo bardiglio che sembrava di torrone. Una gabbia rotonda e dorata con due canarini pendeva come una lampada nel salotto da pranzo. Tutto per me era straordinario, in quella casa: perché la nostra era vecchia e nuda, la famiglia numerosa e grezza, l'orto pieno di cavoli e di ortiche; un tronco abbattuto per sederci, nel cortile terroso e tumultuoso di galline; l'antico focolare omerico in mezzo alla cucina; e per ricevere le visite, per lo più dei canonici della cattedrale e delle loro candide sorelle, la camera da letto degli ospiti, quando questi non c'erano.

Avevamo anche noi, appesa in cucina, una grande gabbia che pareva una stia, con dentro una vecchia ghiandaia grigia, spelacchiata e insolente. È vero che conosceva uno per uno tutti gli abitanti della casa, ed anche i vicini, e li chiamava a nome, con una strana voce che pareva venisse da un mondo lontano, dal mondo favoloso ove anche gli animali parlano e sono intelligenti e filosofi più che certi uomini del nostro: questi uomini le avevano tagliato la punta delle ali, facendole perdere l'azzurro che ricordava le alture boschive dove era nata: in cambio essa pareva beffarsi di loro, e specialmente della padroncina che si vergognava della vivace prigioniera pensando ai gentili stupidi canarini della sua amica.

Amicizia nata dalla vicinanza sul banco di scuola della seconda classe elementare, e via via rinforzatasi appunto dall'attrazione dei contrasti. Biancofiore, bella, ben vestita, sempre accompagnata da una domestica già anziana che scimmiottava la frigida austerità della nobile padrona, non aveva, nonostante l'esempio e la biblioteca del padre, che una gracilissima intelligenza: io la stordivo con le mie invenzioni, con l'essere la prima della scuola, con la beffa benevola ma condita d'invidia, che per vendicarmi indirettamente di lei mi prendevo delle cose e delle persone che la riguardavano. Del resto questo istinto, fatto, più che d'ironia, di umorismo, era comune in tutta la nostra razza pastorale, povera ma orgogliosa, selvatica ma intelligente: è il sale che condisce il pane degli umili. E, così, io andavo nella casa e nel chiuso giardino di Biancofiore come in un piccolo paradiso che non avrei mai posseduto; e i tulipani, le azalee, le rose bianche, l'albero del pepe, la gabbia d'oro con le fiammelle dei canarini, le vetrate che riflettevano con fantasie lacustri il cielo e le siepi di gelsomini; il vestito rosa della mia amica, le sue collanine di corallo, mi lasciavano, dopo queste visite, il gusto amarognolo delle feste godute in casa altrui. L'orto coi cavoli, il tronco per sedile, il focolare fumoso, tutto mi umiliava e mi irritava, e soprattutto la ghiandaia sempre vigile e curiosa che mi chiamava con la prima sillaba del mio nome, e pareva indovinasse e deridesse i miei sentimenti.

Poi vi fu la tragedia dei cani. Il padre di Biancofiore, dopo che alcuni ladruncoli avevano tentato di scalare il muro del giardino, si procurò un grande bellissimo cane lupo, sempre agitato come un'onda in tempesta: alla notte i suoi occhi si vedevano di lontano: legato davanti al cancello del giardino, riempiva il luogo tranquillo di veri ruggiti, e la gente andava a vederlo appunto come un leone in gabbia. Allora mi vergognai anche del nostro mite, del nostro nero Maometto: un cagnolino bastardo, la cui ragione di esistere nessuno l'aveva mai capita: era vecchio e umile, amico di tutti, anche dei ladri: infatti, una volta che ci erano state rubate le galline, non ne aveva dato il menomo avviso: non solo, ma persino i gatti gli destavano paura. Nel vicinato tutti si ridevano di lui: dicevano che gli avevamo messo la dentiera: la stessa ghiandaia lo sbeffeggiava. Inoltre cominciarono ad arrivare certe poesie anonime, composte proprio contro di lui, ed erano veri libelli, dove la povera bestia veniva insultata, calunniata, derisa, minacciata di essere accalappiata e ridotta in salsicce. Era, certo, uno scherzo di cattivo gusto, e Maometto forse leccava la mano al suo codardo poeta: ma io ne provavo rabbia e umiliazione e, d'accordo con le sorelle, si decise di compiere un delitto. Complice, suggestionata da me, fu Biancofiore: dalla vetrina dei medicinali del padre riuscì a sottrarre una polverina velenosa. Maometto la prese, mischiata a una polpetta: la prese proprio dalle mie mani, scodinzolando con gioia, guardandomi coi suoi occhi umani che non ho mai dimenticato; poi cominciò a tremare, corse a nascondersi nel suo covaccio, morì da stoico, senza un solo lamento. Allora io e le sorelle ci si mise a piangere: e mai lagrime di coccodrillo furono più sincere.

Eppure la sorte di Biancofiore e della sua amica fu molto diversa: ella rimase nella sua bella casa, coi suoi canarini, i tulipani, i gelsomini, la serva fedele, mentre io salivo la scala della vita, con tutti i suoi diversi gradini, a volte di marmo lucente, a volte di pietra aspra e corrosa. Non mi mancarono l'amore, la maternità, l'agiatezza, la fama, le vanità mondane; ma neppure il dolore, la malattia, il disinganno. In certe ore, quando appunto la scala disuguale della vita pare mancante di qualche gradino precipitato non si sa come, e nel vano si scorge un vuoto minaccioso come quello di un trabocchetto, io mi siedo sullo scalino ancora fermo, con le spalle al pericolo, e guardo la strada già fatta, pensando se non sarebbe stato meglio non farla. Allora ricordo la casa nuda e primitiva, lo spigolo di una parete bianca dove erano rimaste le tacche impresse da me negli anni giovanili, come le linee di un termometro che segnava la febbre dei miei sogni; il tronco per sedile, l'uccello che parlava, Biancofiore nel suo giardino di tulipani e gelsomini.

Biancofiore non si era mai mossa dal suo sfondo, come non si muove una figura, per quanto bella e viva, dal quadro ov'è dipinta: aveva la mia stessa età, ma dimostrava sempre quindici anni; e adesso era sola, con la vecchia serva fedele che pareva anch'essa una figura del quadro, destinata a viverci sempre. Gente del paese portava, qualche volta, loro notizie: notizie sempre eguali, ma sempre buone. Non si sapeva se Biancofiore avesse mai avuto una passione, un dolore, una malattia. Come i popoli felici, non aveva storia. Non scriveva mai, non mandava neppure un saluto: forse si era anche dimenticata del passato, dell'amica, come ci si dimentica di un oggetto perduto che non si spera più di ritrovare. Lo scalino della sua vita era la panchina di marmo, che non saliva, ma neppure scendeva, e soprattutto non presentava pericoli se non quelli di un improvviso ma subito riparabile acquazzone. Le sue mani sempre giovani, con le dita che come i ceri non accesi non si consumano mai, lavoravano solo qualche maglietta per i bambini poveri; sebbene i bambini poveri non dovessero goderne molto calore, perché lei non ci metteva molto del suo.

Con tutto questo la sua antica amica riprendeva a invidiarla, più che se Biancofiore avesse trascorso una vita di movimento, di lusso, di passioni soddisfatte, di ambizioni raggiunte. Dall'alto del suo scalino, l'amica salita in alto vedeva il panorama del suo passato come sotto la luce ineffabilmente triste di un luminoso tramonto di maggio; le rose del mattino sfogliate, la sera che si avvicinava, senza più il mistero dei sogni, anzi col sorriso duro delle realtà di un altro giorno passato invano.

E allora, tra vanità e vanità, col vuoto alle spalle e davanti la visione delle cose perdute, meglio la vita immobile di Biancofiore. Ella almeno non rimpiange nulla; come un bambino morto nei suoi primi anni rimane anche lei sempre bambina, innocente e pura; i suoi sogni sono intatti, gli uomini per lei sono sempre buoni, i fiori e le stelle sempre fiori e stelle.

Ma una volta arrivò a Roma, in pellegrinaggio, la sua serva vecchissima: pareva venisse dai tempi e dai paesi fondati da Jolao[1]: anche la sua voce era lontana, di un mondo mitico, come quella della ghiandaia. E con quella voce disse:

– La mia padrona è morta, ai primi di maggio. Non aveva nulla: è morta così, come di languore. E adesso lo posso dire, in confidenza: durante tutta la sua vita non ha fatto altro che invidiare, la sua prima e sola amica.

1. Uno dei primi colonizzatori della Sardegna.

LA STATUETTA DI SUGHERO

Era venuto l'uomo del sughero, cioè il negoziante che ogni sette anni acquistava il prodotto non dato dalle ghiande delle querce sugherifiche centenarie del vastissimo bosco sull'altipiano della *Serra*, ma dalla corteccia dei tronchi; corteccia spugnosa, elastica, a strati ogni anno sovrapposti gli uni agli altri, compatti e leggeri, a maturazione completa, come un legno dolce e, alla superficie, rivestiti di una scorza fungosa grigiastra che serve ad accendere e avvivare il fuoco. Il sughero scelto veniva estratto da lavoratori abili, che lo incidono all'altezza e alla base del tronco, poi in lunghezza, in modo che si stacca a strisce larghe, alquanto concave, che vengono bagnate per allargarsi e appianarsi, e infine legate a pacchi come lastre di gomma rossastra, preziosa quanto il marmo. E viaggiano, queste umili escrescenze nate e cresciute nei boschi primordiali, dove pascolano i porcellini allegri e intelligenti, e i pastori solitari spezzano le ossa coi denti forti come zanne d'avorio; vanno dapprima al macero delle fabbriche di tappi e poi in tutto il mondo, a rendere più allegre le feste, a saltare con orgiastica violenza fra i pazzi zampilli delle bottiglie di vino spumante, ad accompagnare, con lo scoppio che provocano, le risate elegantemente perverse delle donnine già un po' ebbre; ed anche nei cordiali simposi degli umili, dove la padrona ha cura di non buttare il turacciolo che può servire ancora.

Gli alberi padri di tanta chiassosa ricchezza rimangono fermi sulle loro profonde radici, scorticati e sanguinanti come martiri; ma a poco a poco l'aria balsamica li risana, la natura li riveste pietosa d'un primo velo poroso come la garza che avvolge le piaghe; i ciclamini e i funghi calpestati si risollevano ai loro piedi e la pernice d'oro svolazza fra i loro germogli. Un'altra èra deve passare prima che vengano di nuovo martirizzati; e donna Giacinta, in quei sette anni di abbondanza, nasconde le migliaia di lire ricevute dal loro fecondo sacrifizio, in ogni angolo della casa. Con qualche lastra di sughero sottratta al negoziante, il pastore porcaro ha, intanto, fabbricato non solo tutti i recipienti, le tazze, i vassoi necessari all'ovile, ma anche quelli che fanno comodo alla sua padrona: vasi cuciti col filo forte della pelle d'agnello, e tappati ermeticamente, vasi più grandi, concavi, buoni per lavare la roba di casa; recipienti per mettervi ad addolcire le olive, e altri più grandi ancora per la farina lievitata; e tazze per bere, secchie per attingere l'acqua, catinelle per lavarsi i piedi. Il sughero è amico dell'acqua e del vino, al quale serve da tutore fino all'ora della maggiore età e spesso anche fino alla più grande vecchiaia; è amico del fuoco che alimenta con prontezza devota, è amico dei bambini che facilmente vi possono incidere i loro giocattoli; ridotto in fogli sottili e quasi trasparenti si trasforma in decorazioni delicate, per quanto di gusto discutibile, e persino in biglietti da visita; e fra le altre mille cose alle quali può servire, ma questa volta in modo nocivo, alle donne che hanno qualche vendetta piccola o grande da compiere.

A una di queste singolari fattucchiere donna Giacinta aveva un tempo attribuito la sua disgrazia. Il suo unico figlio, Gioachino, bellissimo giovane esuberante di vita, Gioachino che era stato coraggioso e valoroso volontario di guerra, e, al ritorno, più agile e robusto di prima, s'era divertito nel miglior modo possibile consentito dall'ambiente del paese, era un giorno partito alla ventura con pochi soldi in tasca, come un disoccupato in cerca di lavoro, e dopo i primi anni non aveva più fatto sapere nulla di sé. Una ragazza al servizio della casa, ingannata e delusa da lui, aveva combinato la *fattura*, intagliando nel sughero una statuetta deforme, e anche poco decente, che rassomigliava allo Zeus degli scavi preistorici, e l'aveva flagellata di spille con la capocchia rossa. Così per opera di questo minuscolo mostro, ma soprattutto per la ferma volontà demoniaca della fanciulla delusa, la disgrazia doveva pesare a lungo sulla casa della benestante donna Giacinta: e la benestante donna Giacinta, trovata la statuetta proprio sopra la cornice antica di un uscio che dalla sua camera comunicava con quella del figlio, attribuiva la scomparsa di lui alle maledizioni della ragazza: senza ricordarsi che la sua avarizia, che raggiungeva una vera idolatria per il denaro, i suoi continui rimproveri, i menzogneri lamenti di mancanza di denaro, il cattivo nutrimento, le persecuzioni alle serve, e specialmente a quella piccola bruna dal viso di oliva che piaceva a suo figlio, lo avevano costretto a fuggire di casa.

Era dunque venuto l'uomo del sughero, a portare la caparra. Da molto tempo egli ricompariva ogni sette anni, a tempo giusto, al cominciare della primavera, dopo essere stato di persona a visitare il bosco e a valutarne il prodotto. Il sughero si sarebbe potuto estrarre con più frequenza, ma egli preferiva aspettare che fosse ben maturo: ci si guadagnava di più tanto lui che la proprietaria. Veniva di lontano; ma si teneva in corrispondenza con lei, perché non facesse il torto di preferire un concorrente; ed era puntuale, onesto, anzi il più generoso di tutti gli altri compratori.

Ecco che arriva. Donna Giacinta, lo chiamava l'annunziatore degli anni, o meglio dei periodi, delle sette vacche magre e delle sette vacche grasse, conforme la somma che egli, in rapporto del bosco, onestamente offriva. E questa volta si trattava proprio dei sette anni di abbondanza. Il primo a rallegrarsene era l'uomo, perché aveva una famiglia numerosa da aiutare e viveva solo per quello. In quei sette anni s'era un po' invecchiato, ma di una luminosa vecchiaia; aveva un alto bastone, col manico ricurvo, intagliato da lui in un ramo di noce, e la barba lunga, di un bianco metallico, increspata come un'onda: rassomigliava al patriarca Giacobbe, vecchio, sì, ma ancora potente, col pastorale del comando.

Donna Giacinta, poiché non voleva che le serve sentissero dei suoi affari, lo ricevette nella camera di Gioachino dove c'era il suo scrittoio da studente che invece di intenerirla l'aveva sempre irritata, perché il ragazzo vi teneva, non i registri delle entrate e delle uscite, ma disordinati quaderni di poesie, minute di letterine amorose e altre dannose scritture.

Seduto davanti a questo scrittoio l'uomo parlò pacatamente dell'affare: disse che c'era una ottima produzione di sughero, questa volta, ed essendo questo cresciuto di prezzo per nuove applicazioni industriali, offriva una somma dalla proprietaria assolutamente inaspettata. La sola caparra raggiungeva una ragguardevole somma. Poi si parlò dei giovani, e il negoziante raccontò che i suoi figliuoli s'erano tutti sposati, e alcuni avevano già qualche bambino.

– Avranno sposato donne ricche, – dice la baffuta Giacinta, raccogliendo intanto i denari che l'uomo le aveva contato, – oh, certamente ricche.

– Ma perché ricche? Brave ragazze, sono piene di salute e di buona volontà. E allattano i loro marmocchi e fanno il pane per i loro uomini. Questa è la vera ricchezza. La mia casa è sempre allegra come una sala da ballo in giorno di festa. E di suo figlio, donna Giacinta, ha buone notizie?

Donna Giacinta raccoglie i denari e tende l'orecchio come per ascoltare il lieto frastuono della casa del patriarca. Ma non sente che il silenzio della sua; un silenzio che va di camera in camera come un fantasma, e se si ferma presso qualche mobile facendolo scricchiolare sinistramente. È il silenzio stesso della morte.

– Gioachino... – comincia, e vorrebbe mentire, dicendo che, sì, Gioachino ha scritto, ultimamente, che sta bene, lavora, campa; che lei naturalmente da buona madre lo aiuta come può e lo invita a ritornare presto, a crearsi anche lui una famiglia, a rianimare, a far rivivere la casa morta.

Ma il suono stesso di quel nome, da molto tempo non pronunziato, le sembra quello di un'eco; e, per la prima volta, le si presenta chiara l'idea che Gioachino sia morto: è il suo spirito, di ritorno dalle terre lontane, che va in camera, nella casa vuota.

Nascose il denaro in uno dei tanti suoi ripostigli. Non lo metteva alla Banca perché aveva paura: pezzi di carta per pezzi di carta meglio quelli che si possono spendere subito. Ma dove spenderli? Non lo sapeva neppure, come spenderli; e i soli che andavano a prendere aria, con suo grande affanno, erano quelli delle tasse. Eppure la visita e le notizie dell'uomo del sughero le avevano lasciato un'insolita inquietudine. Vedeva la casa di lui piena di gente, le donne che allattavano, o gramolavano la pasta; i giovani che alla festa tornavano mezzo brilli e con le tasche vuote, ma facevano ballare sul ginocchio il loro primo bambino, augurandosi di farne presto ballare un secondo sull'altro ginocchio.

Finalmente ebbe un'idea: tentare di aver notizie del figlio e, se non altro, mandargli denaro. Forse lo invoglierebbe a tornare. Ma dove cercarlo? Era più silenzioso e introvabile del fantasma che si appoggiava ai mobili e li faceva gemere.

L'idea che fosse morto, peggio che in guerra, che le sue ossa biancheggiassero in terra straniera, a poco a poco la vinceva e allargava intorno a lei un vuoto freddo e inumano: allora si ricordò di Dio e si mise a pregare.

– Signore, fatemi almeno avere sue notizie: lo aiuterò, gli manderò tutto il denaro che ho in casa.

Più grande offerta non poteva fare, scambiando Dio con un usuraio.

E fu esaudita; poiché qualche tempo dopo il figlio le scrisse dalle Indie inglesi: s'era fatta una magnifica posizione, ed anzi aveva il piacere di mandarle un assegno di cento sterline.

LA MELAGRANA

Era una domenica, di novembre. La serva del Paradiso doveva avere anche lei, per l'arrosto festivo, spennacchiato piccioni e pollastrelle, perché il cielo, bianchiccio come un'aia pulita, era sparso di piume violacee e lionate. La stiratrice del quartiere, che quel giorno non doveva lavorare, lavorava il doppio: aveva lavato, nella vasca per il bucato, i suoi sette bambini, li aveva cambiati e, con in mano ciascuno un pezzo di pane e una fetta di ricotta, lasciati uscire nella strada: e adesso lavava le loro vesti, nell'acqua insaponata e oleosa del loro santo sudiciume. Aveva mal di denti, ma era contenta lo stesso, perché il marito stagnaio aveva mandato i soldi dall'Africa; e orgogliosa dei suoi bambini sani e puliti, che si erano addossati in fila, come in un altorilievo, sul muro color creta del giardino del Commendatore: le pareva, anzi, di sentire una voce cantare, in lontananza, nella lontananza della sua fanciullezza con un tono dolciastro e irreale come quello del cielo sopra il giardino: era la radio del Caffè del Dopolavoro, in fondo al campo del pattinaggio.

La strada è di tutti. E dunque uscirono ben presto i figli del fornaio, e i due maschietti del lucidatore di mobili. Questi due erano i più meschini, sporchi e, sembrava, affamati. Ma si capiva perché: la madre era morta di mal di petto, il mese prima, e adesso badava a loro una parente anch'essa malaticcia e stanca: ad ogni modo tutti erano pronti a gridare, ad arrampicarsi dove si poteva, e sopra tutto a darsi le botte: e la battaglia sarebbe presto cominciata se in fondo alla strada, dove finiva il muro del giardino, non fosse apparso il nemico comune.

Nemico temuto e temibile per la sua audacia, ma anche per un certo suo colore misterioso.

Era tutto nero, con un grembiale che aveva il luccicore duro e unto del carbon fossile; solo i capelli erano color terra, opachi e umidi, come se egli, sbucando da una miniera intatta, avesse sfondato con la testa l'ultimo strato di argilla. E da una specie di cava egli invero sbucava; perché era il figlio del carbonaio.

Come i ragazzini del lucidatore di mobili, neppure lui aveva, per la pausa festiva, mutato vesti; e neppure s'era lavato, cosa per lui perfettamente inutile; ma lo spirito della giornata gli turbinava dentro, con una voglia ebbra di fare cose cattive, di sentirsi libero del demone che per sei giorni della settimana lo schiacciava coi sacchi del carbone portati a spalla, demone a sua volta. Un'occhiata gli bastò per avvolgere in un principio di gas asfissianti l'orda nemica; specialmente le bambine, che pure avevano per lui l'ammirazione morbosa che si ha per il figlio dell'orco: le bambine che conoscevano, sulla pelle bianca delle loro braccia, i mazzolini di violette delle ecchimosi dei pugni di lui. Appena lo videro si strinsero meglio al muro, mentre i maschi si schieravano loro davanti: tutti disposti al coraggio, alla lotta.

Ma una cosa insolita avviene. Arrivato a metà del muro, il ragazzo si ferma, spalanca gli occhi, e con un baleno di cristallo, li richiude, fa un cenno di sì con la testa, come rispondendo a una sua fulminea domanda: e apre la bocca, coi denti di smalto che riflettono la luce. E con un solo slancio balza sul muro, scavalca la bassa cancellata, si lascia andar giù, come un sacco vuoto del suo carbone. Il gruppo avversario non si sorprende: anzi, dimenticando la difesa delle bambine, le strapazza per veder meglio dentro il recinto: sebbene sappia già di che si tratta.

Si trattava che nell'ultima settimana un uragano aveva, con una violenza da esercito in guerra, devastato il giardino. Le foglie erano quasi tutte cadute: quelle della paulonia pendevano come stracci dalle fronde stroncate; e quelle del fico nano, che con le contorsioni grottesche dei suoi rami rappresentava il buffone del giardino, sembravano pipistrelli addormentati. Così il luogo aveva perduto alquanto il suo richiamo di piccolo paradiso terrestre, di paradiso perduto per la razza dei bambini poveri del quartiere, ma in cambio si vedevano, non più velati dal ricco fogliame, alcuni frutti meravigliosi: gli ultimi cachi, rossi e lucidi come boccole di corallo; e la prima melagrana del giovane albero, che la offriva in mostra, rossastra, dura e col capezzolo spaccato, con una insolenza provocatrice.

Era quello che ci voleva, quel giorno, per il figlio del carbonaio: strisciando come il serpente fra i cespugli si avvicinò alla pianta, vi si allungò, tese il braccio: il frutto cadde, come una meteora, fra lo scintillare dorato delle foglie che l'accompagnavano:

il ragazzo se la cacciò in tasca e fuggì via correndo quasi carponi sotto il muro, mentre una voce tonante, simile a quella che scacciava appunto i nostri padri dal paradiso terrestre, risonava dall'alto di una finestra. Ma quando il servo del Commendatore venne giù, in giacchetta azzurra e scarpe di feltro, il vero ladro era sparito, e due dei suoi disgraziati ammiratori, i figli del lucidatore, tentavano di seguirne la traccia, quasi fiutando l'odore del frutto proibito. L'uomo li conosceva bene tutti, canaglie figli di canaglie; inseguì dunque questi due, d'impeto, li afferrò con le dita, come un rastrello, per le orecchie e i capelli, fece atto quasi di sbatterli uno contro l'altro come faceva con le pantofole del padrone, poi se ne lasciò sgusciare di mano uno, il più grande, per meglio pestare a pugni e schiaffi l'altro, che allungava il collo e faceva un viso di gatto strangolato.

– Non siamo stati noi – gridò correndo in avanti il fratello.

– Chi è stato dunque, mascalzoni?

Ma nessuno di quelli che lo sapevano fiatò: forse per un istinto di omertà, forse per vendicarsi in qualche modo dell'uomo che picchiava. Passò però una piccola suora di porcellana nera e bianca, con un po' di azzurro negli occhi e un po' di viola sulle labbra, e volle rendere giustizia. Una melagrana? Sì, aveva veduto un ragazzo, alla svolta della strada, che spaccava contro il muro una melagrana e la mordeva. Ma neppure lei disse chi era.

Così il servo lasciò il ragazzo, che corse via piangendo verso casa, ma per non prenderne ancora dalla zia, – il padre fortunatamente non c'era, – si rifugiò coi bambini della stiratrice nell'antro di questa. Tutti dentro, come pulcini spauriti dal passaggio del nibbio: tutti bianchi come la ricotta appena finita di mangiare. La zia però, col viso livido, venne a cercare i ragazzi, e avrebbe finito lo scempio se il piccolo nipote non si fosse d'un tratto piegato in avanti, stringendosi con le mani il ventre. E vomitò: vomitò un liquido rosso che colorì il pavimento bianchiccio di varechina. Le due donne si guardarono con terrore: poi la stiratrice mise la mano sulla fronte del ragazzo, aiutandolo a finire di sputare sangue e saliva. Mormorava:

– Non è nulla, non è nulla – ma tremava tutta, e quando il ragazzo fu adagiato su una sedia, vuoto e sudato come una camicia bagnata, ella spazzò con la scopa intrisa di varechina la pozza del sangue, accanendosi come per far sparire il segno di un assassinio.

L'altro fratello intanto, spinto da un furore di paura e di rabbia impotente, correva dietro il ladro: lo vide che risaliva la strada succhiando metà della melagrana, e con l'altra raschiando il muro; e questo evidente disprezzo del frutto proibito accrebbe la sua esasperazione. Cercò e trovò un sasso, lo lanciò giusto sulle spalle del malfattore: lo vide trasalire, e senza fermarsi, anzi correndo nel sentirsi inseguito, sputare anche lui qualche cosa che sembrava sangue: erano il succo e i chicchi masticati della melagrana. Della quale buttò via i residui, che potevano accusarlo. L'altro li raccolse, li pulì contro la sua giacchetta, ma cercando di nasconderli; e fuggì via in senso inverso al nemico. Dalla porticina della stiratrice vide, fra il gruppo dei bambini e delle donne pietose, il fratello che pareva un piccolo Cristo deposto col vestito sanguinante e il visino lilla stranamente invecchiato. E quando, per tentare in qualche modo di rianimarlo, gli avvicinò alle labbra uno spicchio della melagrana, dal quale aveva scorticato la buccia scoprendo i chicchi di perle granate, vide quel viso riprendere un respiro di vita, sì, ma con un brivido di raccapriccio: poiché il frutto, aspro e bastardo, aveva proprio il sapore della spugna con cui fu abbeverato Gesù.

AGOSTO FELICE

È una felicità un po' stracca e monotona, la nostra, appesantita dal caldo sciroccale di quest'agosto variabile, in riva al mare. Nulla ci manca; tutto, anzi, pare esclusivamente nostro. Nostra la casa, con intorno i freschi pioppi del Canadà sempre sorridenti e danzanti, col mare blu e il cielo lilla fra i tronchi sottili, il suolo sparso di foglie che al primo sole sembrano davvero monete d'oro; e dall'altro limite la strada litoranea asfaltata e coperta di rena, sulla quale scivolano veloci e silenziose le automobili in viaggio estivo; e le innumerevoli biciclette delle donne e dei ragazzi con la testa in giù, i capelli svolazzanti nella corsa sfrenata, mettono un movimento e un'allegria di rondini a volo.

Sono belli e schietti, i tramonti che si godono da questa strada, camminando sicuri, sui margini ancora felpati di erba biondiccia, come su una corsia di casa nostra. Avanzandosi verso i campi, si vedono ancora prati teneri: le lucertoline guizzano fra l'erba come pesciolini in acqua e certe farfalle rosa e gialle si confondono coi fiori delle siepi. Il grande sole granato cade fra gli alti pioppi, sopra i casolari dei contadini e i pagliai rinnovati: si sente un odore di campagna autentica, che fa dimenticare di essere al limite di una stazione balneare, un tempo primitiva e quasi esclusivamente riservata ai contadini abbrustoliti che il giorno di San Lorenzo vi facevano sette bagni trascinandosi appresso le loro cavalcature, adesso diventata di mezzo lusso, col suo bravo Grand Hôtel maestoso eppure bonario, con le sue dame come il Re Marco con Isotta la bionda: coi suoi eccellenti premî letterari: infine col suo periodico illustrato, fonte di gloria o di mortificazione per i personaggi dei suoi elenchi mondani.

Il piacevole, di queste spiagge arriviste, alla conquista di una ricchezza stabile, è quello di trovarsi fra due mondi del tutto diversi: ti volti verso il mare e vedi la spiaggia popolata di bellissime donne quasi nude, e sul metallo del mare, fra le rosse e dorate paranze dei rudi pescatori adriatici, la sagoma di imbarcazioni eleganti con a poppa uomini ricchissimi, cantanti, artisti celebri: ti volti dal lato opposto, e i tetti bassi di vecchie tegole, coi comignoli fumanti, il grido delle anitre, le voci gravi della terra, ti rimandano al tuo villaggio natio, al quale si torna volentieri col pensiero, specialmente quando si ha la sicurezza di non rivederlo mai più nella realtà.

Di notte, poi, l'incanto è maggiore, se la luna, nascosta dalla fascia dei pioppi, pare immersa nell'argento del mare, e si sente un fruscio come di canneti animati di spiriti notturni, o, se il mare ha le sue inquietudini, un lontano suono di organo che le comunica al nostro cuore, egualmente profonde e indefinibili. Purché il caldo non faccia dimenticare le superflue fantasie, e le stelle filanti che solcano la fronte buia dell'orizzonte non diano l'idea che anche il cielo sudi.

Felicità, dunque, completata da piccoli aiuti quotidiani, da risoluzioni di problemi materiali che in città assumono spesso, per quanto sembrino banali, colore di dramma, turbando l'equilibrio delle ore di lavoro e della pace domestica. Qui tutto è facile, pronto e cordiale: se si ha bisogno di un operaio, ecco l'uomo appare come il mago del bosco, coi suoi arnesi miracolosi; c'è, di faccia a casa, il vecchio adusto contadino, che coltiva il nostro piccolo parco, e se gli si offre un bicchiere di vino canta ancora un inno alla vita; e la gagliarda compagna vi fa il bucato con la cenere vergine del suo focolare, e vi porta, strette al seno perché non perdano il calore del nido, le uova salutari. Passano, rapide e asciutte, le donne con l'offerta dei doni della terra e del mare: eccole ai vostri piedi, col loro odore di pesce o di solco concimato, coi loro cesti; e insistono perché, oltre al necessario, sia accettato un piccolo regalo di pomidoro o di cannocchie ancora vive.

Gradito è anche il passaggio dell'uomo delle maglierie, gobbo come un cammello sotto le sue gualdrappe frangiate e colorate; quando le espone sul parapetto della loggetta terrena, tutte le donne di casa corrono come api intorno ai fiori, sedotte dagli scialli che ricordano la coda del pavone e dalle magliette zebrate o rosse, soprattutto rosse, il colore che attira poi a sua volta intorno alle belle ragazze i mosconi amorosi.

Ma fra tutte le agevolezze e le oneste provvidenze di questo luogo, dove la giornata passa simile a un gioco di fanciulli sulla rena, una è davvero straordinaria e quasi miracolosa. Tutti, più o meno, conosciamo le ore di inquietudine quando, nella metropoli, uno della famiglia si sente male, e si aspetta con ansia la visita del dottore. I dottori hanno sempre da fare, in città; per quanto premurosi, e alcuni veramente amici dei loro clienti, la loro visita non può essere immediata. Qui, invece, il dottore è pronto: come un arcangelo anziano ma arzillo ancora, arriva biancovestito sulle ali della sua bicicletta, e in un attimo le sue parole rischiarano l'abbuiato orizzonte domestico. E le sue ricette non sono dispendiose: «acqua fresca e pura» o, al più, qualche limonata purgativa. Se poi da Ravenna arriva con la sua macchina da traguardo la dottoressa, bisogna quasi far festa alla malattia, come ad un'ospite ingrata che sappiamo di dover fra qualche ora congedare.

La dottoressa è bella, elegante; alla sera si trasforma come la fata Melusina, coi suoi vestiti e i suoi gioielli sfolgoranti, e gli occhi e i denti più sfolgoranti ancora: ma fata lo è anche davanti al letto del malato, sia un principe o un operaio, al quale, oltre alle sue cure sapientissime, regala generosamente bottiglie di vino antico e polli e fiori. Il suo nome è Isotta.

Del resto, anche il perire, in questo soggiorno fiabesco, non dovrebbe essere agitato e pauroso: morire, appunto come nei racconti delle antiche genti, alla più tarda età; andarsene per l'ultima passeggiata in carrozza verso la pineta una sera di ottobre, accompagnati dall'inno sacro del mare, fra i candelabri accesi dei pioppi d'oro: fermarsi nel piccolo camposanto all'ombra glauca dei pini, tra i fiori azzurri del radicchio e le pigne spaccate che sembrano rose scolpite nel legno. Alla più tarda età.

NEL MULINO

Si era andati a passare quello scorcio di vacanze nella provincia di Mantova, in riva al Po.

La casa dei nostri ospiti, agiati e laboriosi artigiani, era proprio sotto l'argine, al quale si saliva per una *fuga*, largo sentiero ombreggiato da alti pioppi che parevano fatti di una sostanza evanescente. Davanti e intorno alla casa, separata dalle altre da prati e frutteti, si stendeva una luminosa cometa di saggine segate e messe ad asciugare; e del resto quasi tutta la distesa dei campi era bionda, e il verde della vegetazione ancora fresca aveva come un riflesso di quest'oro ogni giorno più intensificato dal sole di settembre. Nel pomeriggio faceva caldo: un caldo quasi afoso, senza respiro; ma col cadere del sole l'aria si inteneriva; veniva su l'alito sano del fiume; pur senza vento i pioppi tremolavano, quasi facendosi fresco da sé, e un profumo di fieno, di siepi, di terra umida si spandeva fin dentro la casa in quell'ora tranquilla e deserta. Tutti erano a lavorare nei campi, o nella fabbrica di scope dei nostri ospiti; quattro oche dure e fiere come scolpite nel marmo vigilavano l'aia, e guai a chi non da esse conosciuto, si azzardava ad avvicinarsi all'abitazione dei padroni: lo perseguitavano peggio dei cani, col becco potente; i loro strilli si sentivano sino al fiume.

Avvertita da questo allarme, un giorno, mentre ci si trovava a passeggio sull'argine, la più giovane delle nostre ospiti, una biondina fragile e con gli occhi cerulei come quelli di Ermengarda, corse giù a vedere, armata di una fronda. Niente paura: tornò su accompagnata da un bel vecchio alto, coi folti capelli candidi, vestito decentemente ma scalzo e coi pantaloni rimboccati sulle gambe rossastre.

Dopo aver rigirato più volte fra le mani callose il cappelluccio nero, egli arrossì, e infine ci invitò ad andare a mangiare i gnocchi nel mulino che suo figlio aveva, non molto giù di lì, per la sola ragione che eravamo amici di amici.

– Poi si va a pesca: ho la barca, ch'è mia. Vero, che è mia, Ninina?

La biondina, per tutta risposta, corse di nuovo giù per la china dell'argine, andò ad avvertire i genitori e tornò con la fronda convertita in un salame lungo e sodo come un randello.

Fu una gita indimenticabile. Il fiume era azzurro e, verso le rive boscose, d'un colore denso di lapislazzuli già venato dal rosso del tramonto.

La barca andava trasportata dalla corrente, e il vecchio, dritto coi remi a fior d'acqua, ci guardava orgoglioso e commosso come personaggi straordinarî, mentre la ragazza, piegata sulla sponda di prua, immergeva la mano nell'onda e la ritraeva con strilli di gioia, quasi avesse pescato perle. Anche la sua treccia sfiorava l'acqua che la rifletteva come un serpente d'oro. Passò un barcone carico di pomi che spandevano il loro profumo nell'aria ventilata: del resto tutto il paesaggio odorava di frutteto e di orto innaffiato.

Or eccoci al mulino che ha l'aspetto romantico di una palafitta: le ruote che però sembrano d'acciaio accolgono la corrente con tale forza da parer che giochino; ma l'acqua è seria, ha altro da fare, e s'impenna con dispetto, sfuggendo quasi rabbiosa. Il rumore monotono echeggia nel bosco della riva e ritorna come quello di una segheria fiabesca. D'altronde ogni cosa prende a poco a poco il disegno e le tinte esagerate di una illustrazione per libro di strenne all'antica. Si sale la scaletta scricchiolante e ci si ritrova in una specie di piattaforma di assi, davanti a un casottino di legno dentro il quale, in un pulviscolo argenteo, si muovono le figure bianche e nere dei mugnai. Tutto si muove e respira: il moggio che pare giri da sé, felice della sua attività incessante; la farina che vien giù come da una piccola sorgente naturale, i sacchi che si riempiono dondolandosi: e il rumore e l'ansito dell'acqua, addentata dalla ruota, nella gabbia dei pali, danno l'idea di un pachiderma irretito, che si dibatta e provochi con la sua forza selvaggia il semplice ingranaggio del mulino.

Il sole è già basso e nudo di raggi, sul cielo rosa, sopra i languidi salici della riva; ma l'acqua ha raccolto tutto il suo splendore che pare non debba mai venir meno: e le isolette di sabbia, coperte di cespugli e di fiori gialli, danno al paesaggio fluviale un'illusione di vastità marina. Si avrebbe voglia di approdare nella più estesa di esse, che sfida maggiormente la fantasia di chi guarda, con una capanna da pescatore, nera e pennuta, sotto un esile pioppo di stagnola, e un fuocherello sullo spiazzo sterposo. Che fa l'abitante dell'isola felice? Probabilmente scioglie un tegamino di pece per rattoppare la sua barca; o forse arrostisce l'unica tinca che ha potuto pescare durante la giornata; ad ogni modo, veduto di lontano, attraverso lo spazio liquido e mobile del fiume e nell'atmosfera illusoria del tramonto, egli si alza alla statura di un conquistatore di terre inesplorate.

Tutto è bello e buono quando si è ancora giovani, sani, compagni di gente leale e semplice: anche nel focolare del mulino arde la fiamma ospitale: il vecchio si era tolta la giacca e aveva impastato la farina, sull'asse bianca che tremolava quasi ridente. Con un accento di segreto, ammiccando verso la biondina che si era già messa a flirtare col più giovane dei mugnai, mentre io guardavo con curiosità la sua fatica, disse con aria da iniziato: – Per esser speciali, questi qui, bisogna impastarli con l'acqua del Po. Vedrà, vedrà: è ben altra cosa che quelli del paese.

Si trattava di gnocchi: in breve uscirono dalle sue mani come tante susine bianchicce, e il mugnaio anziano venne ad ispezionarli toccandone uno con la punta dell'indice. Bene, bene; non restava che cuocerli e condirli: il che fu fatto con rapidità incredibile. Ma dov'era la tavola? Bene o male vennero, sì, fuori le stoviglie: certe scodelle grigie e rosse di terra cotta che davvero parevano del tempo dei palafitticoli; e anche tre forchette di stagno che furono offerte come rarità archeologiche agli ospiti più illustri; ma la tavola fu il parapetto della piattaforma, con la lampada del sole all'orizzonte. Più che un banchetto sembrava un rito, una casta comunione in omaggio alle deità fluviali, con gl'invitati in piedi lungo la rozza balaustrata, al suono d'organo delle onde: e i gnocchi sparivano in religioso raccoglimento o meglio si liquefacevano in bocca, come ostie: ed era invece, il loro, un sapore indefinibile; qualche cosa fra il piacere, sì, della gola, ma anche quello di un verso dimenticato che d'improvviso torna alla memoria. L'acqua del fiume, con la quale erano impastati, c'entrava certamente in questa malìa.

Forse i mugnai non la pensavano così, sebbene anch'essi assorti e un po' in soggezione: anzi il più giovane, un bel ragazzo ancora liscio e imberbe, si ingozzò come un bambino, e, come appunto ai bambini, la bella dalla treccia d'oro, per mortificarlo di più, corse a battergli la mano sulla spalla. Per fare lo spiritoso, egli cominciò a gridare: «Aiuto, aiuto». Una voce lontana rispose: e pareva fosse anch'essa quella dell'eco, mentre era invece il pescatore dell'isola, che, a sua volta forse con invidia, si accorgeva della festa sul mulino. Il vecchio rispose a modo suo, col risolino beffardo della bocca sdentata: scuoteva cioè una bottiglia di lambrusco che scintillava al riverbero dell'acqua: la sturò, e il turbolento zampillo che ne saltò fuori parve un fiore violaceo.

Allora la timidezza del suo goffo figliuolo e dei giovani nipoti si cambiò in tanta familiare allegria; anzi il mugnaio si trovò ad essere un antico compagno di scuola di uno degli ospiti, e si ricordò la volta che erano caduti entrambi fraternamente in un fosso. E poiché tutti si era diventati amici e fratelli, con grandi grida e sventolii di fazzoletti fu invitato a venire il pescatore; ma egli faceva il difficile, come un vero sovrano di colonie, e anzi, forse credendosi un po' burlato, fece anche lui vedere una bottiglia, poi se l'accostò alla bocca in atto di bere.

– È piena d'acqua – gridò il mugnaio giovane, minacciandolo col salame che aveva cominciato ad affettare sul dorso di un piatto. Anche le fette del fragrante salume vennero mostrate al solitario isolano, che, con le braccia abbandonate sui fianchi, parve darsi vinto. D'un tratto però, quando si cominciava a lasciarlo in pace, egli balzò giù nel suo scalo da gioco, sciolse la barca e attraversò a volo lo spazio che ci separava. Aveva una gran barba bianca, ma non sembrava molto vecchio: e i suoi denti ancora intatti scintillarono al tramonto, quando egli venne su svelto sulla nostra terrazza, con un fazzoletto umido, entro il quale aveva avvolto qualche cosa. Tutti gli fecero festa: gli batterono le mani sulle spalle, lo volsero e rivolsero come per esaminarlo meglio. Sì, era proprio lui, il vecchio Justin, pescatore di professione, che tutti, da una riva all'altra del fiume, lungo la Valle Padana, avevano sempre conosciuto con la barba di schiuma, gli occhi color d'acqua e la bocca di pesce. Dei pesci aveva anche il saggio mutismo; e, infatti, solo a furia di domande, di colpettini, e soprattutto per virtù di un'altra bottiglia comparsa misteriosamente sopra coperta, si decise a rivelare, ma più a cenni che altro, la ragione per la quale, facendo una memorabile eccezione, era venuto a prender parte al nostro festino. Quel giorno compiva gli ottanta anni.

Per questa stessa ragione la festa fu prolungata fino al tardi, e l'anfitrione fece la polenta e arrostì i pesciolini portati da Justin. Fermata la ruota, un silenzio che stordiva più che il fragore dell'acqua si allargò intorno, con una sospensione di realtà. Pareva si fosse versata una abbondante quantità d'olio sul fiume, e le cose s'imbrunissero per il riverbero ambiguo: ma la treccia della fanciulla, appoggiata con le spalle al parapetto, tramandava ancora una luce dorata; e quasi fosforescente era la barba del vecchio pescatore che tutti noi guardavamo, un po' volutamente, eppure inteneriti, come l'immagine paterna del tempo.

LA FUGA DI GIUSEPPE

Giuseppe era fuggito di casa. Il perché non lo sapeva precisamente neppure lui. Aveva tredici anni; l'età ingrata; ed era come affetto da manìa di persecuzione. A suo parere, tutti gli volevano male; tutti lo disprezzavano, lo trascuravano; non solo, ma lo maltrattavano anche, se si trovavano a contatto con lui: il che, del resto, avveniva di rado, poiché la madre era sempre fuori di casa, e il padre nel suo frequentato studio di avvocato. Di questo studio era designato a successore il piccolo taciturno Giuseppe; ma egli non la intendeva così: egli detestava le chiacchiere, le interessate compagnie: amava i grandi silenzii, le vaste solitudini: dei rumori gli piacevano solo quelli dei motori, delle tempeste, delle folle plaudenti agli eroi vittoriosi. Per questo aveva deciso di scappare di casa, trovare una sua strada, vivere di sé stesso, come gli uccelli dell'aria. Intanto, cominciò col rubare: non dal cassetto del padre, per non accrescerne il furore, ma da quello della madre. Sapeva, poiché i misteri più complicati della casa gli erano noti, che la madre aveva, all'insaputa del padre, un discreto deposito destinato alle differenze del sarto: quindi non si sarebbe accusata. Ed egli attinse da quei fondi segreti il necessario per vivere i primi tempi dopo la fuga; poi pensò con abilità volpina al modo di disperdere le sue tracce: sarebbe andato a piedi fino alla prossima stazione, non eccessivamente lontana dalla città dove egli viveva.

La strada la conosceva bene: la fortuna lo aiutava: il padre assente per affari, dalla parte opposta dov'egli si dirigeva; la madre ad un ricevimento che sarebbe finito tardi. Egli non pensava alla disperazione di lei, sola in casa, nell'accorgersi della fuga di lui: gli spiriti forti e avventurosi devono essere duri, se occorre anche crudeli: ed egli credeva di essere già un forte.

Cammina cammina, intanto faceva di tutto per nascondersi ad ogni incontro; e gli era facile, perché la strada, tutta svolte, serpeggiava fra poderi assiepati, e ogni tanto aveva, come un fiume gli affluenti, scorciatoie e viottoli che si perdevano nel fitto delle vigne e dei frutteti. Frutteti estesi come boschi, che odoravano di pesche e di pere, del cui colore le casette dei coloni sembravano tinte: e tutto intorno era quieto, arioso, felice di offrire la sua pacifica ricchezza: solo l'anima del fanciullo si chiudeva sempre più in un'aridità stanca e senza sfondo.

Egli aveva calcolato male la distanza, percorsa sempre, prima d'allora, in bicicletta o nella macchina del padre: non finiva mai, adesso la strada; ed egli temeva già di non arrivare in tempo a prendere il treno. Affrettò il passo; quando non vedeva nessuno si metteva a correre, le sue gambe erano lunghe, corazzate dagli agili calzettoni sportivi; e allenate, anche; ma le vie del mondo sono più difficili di quelle ben tenute delle piste: corri, corri, Giuseppe; il sole al tramonto si diverte ad allungarle esageratamente, le tue gambe, e ingrandisce i tuoi piedi come se calzati con le scarpe delle mille leghe: d'improvviso il sole si nasconde dietro le vigne, ma per non ricomparire più; e anche Giuseppe si ferma e si sente solo, avvilito come l'uomo senz'ombra.

Riprese a camminare, cominciando però a credere di essersi smarrito: l'incontro con qualche viandante non gli dispiaceva più come prima; ma erano rapidi incontri; donne nere in bicicletta, violenti motociclisti che passavano come semidei avvolti in nuvole di polvere: carri di fieno, in cima ai quali il contadino filosofo si riposava come su un talamo ambulante. Oh, Giuseppe, piacerebbe anche a te partecipare a quel posto, per te, in questo momento, più fantasioso e comodo della prua di una nave, ed anche di una navicella di velivolo; e andare, andare, nel cerchio rosso-blu dell'orizzonte, così dolce sopra gli alberi già scuri; andare, andare, almeno fino alla stazione.

Ebbene, il suo desiderio fu in parte esaudito. Ecco che, dopo un'altra buona tirata, quando il rosso-blu del cielo si è spento in un colore di lavagna, egli arriva davanti a una specie di accampamento di selvaggi, fatto di capanne coniche, di paglia; ed anche di una casetta, in fondo, che sembra una di quelle piccole chiese, di assi e di mattoni, che i Missionari s'ingegnano di edificare appunto nei luoghi più lontani delle regioni non ancora civilizzate. Al nostro viaggiatore non dispiace il posto; e per un momento si incanta a guardarlo dal socchiuso cancello di rami che conclude il recinto, tanto più che una grande luna infocata sorge in una lontananza quasi marina, accrescendo il fascino nostalgico del paesaggio: anzi ha desiderio di fermarsi là, per una prima sosta: può anche darsi che ci sia da fare qualche cosa, utile per lui e per gli altri. Molte cose egli sa fare: potrebbe anche insegnare a leggere e scrivere ai selvaggi, come i suoi odiati maestri hanno fatto con lui: e quasi tutti i grandi uomini, scrittori, esploratori, inventori, hanno cominciato la loro carriera con l'esercitare i più duri mestieri. Poi ride e sbadiglia, con un ringhio di cane affamato: sa benissimo di fantasticare, e che il solo suo scopo è di introdursi nel recinto, avanzandosi fino alla casetta dei contadini per domandare se la strada per la stazione è quella: sa pure benissimo che non sdegnerebbe di comprare dagli stessi contadini una pera o un grappolo d'uva ancora acerba, per tappare in qualche modo il buco che gli si apre nello stomaco: ed entra, e passa fra l'una e l'altra delle fiabesche capanne, accorgendosi che sono alti e solidi pagliai, ad uno dei quali, già intaccato in cima, è appoggiata una scala a piuoli. Dai pagliai alla casa, della quale però Giuseppe osserva la porta e le finestre chiuse, c'è appena lo spazio dell'aia ancora ingombra di stoppa e di mucchi di pula; e tuttavia egli non ha il tempo di attraversarlo perché un grosso cane nero, con gli occhi di brage, sbucato di dietro la siepe, urla con un boato di mostro, e gli corre incontro. Freddo di terrore, il ragazzo ebbe però l'istinto e la prontezza di arrampicarsi sulla scala a piuoli e salvarsi in cima al pagliaio; ma non del tutto sicuro di sfuggire all'assalto della bestia, ancora più inferocita dalla presa di possesso di lui.

Invano tentò di nascondersi in mezzo al fieno, per fortuna già smosso dal tridente del contadino: il cane non si chetava, anzi raddoppiava i latrati. Mai Giuseppe aveva sentito urli simili: e altri cani rispondevano, da vicino e da lontano, con un coro che, nel silenzio del crepuscolo lunare, accompagnava, quasi con una certa unanime solidarietà, la protesta furibonda del guardiano dei pagliai. Siamo qui, pareva a Giuseppe che dicessero; anche se ti riesce di fuggire dal tuo nido, ti prenderemo noi e ti succhieremo come un osso.

Il cane, giù, protestava più sdegnato, spettava solo a lui far giustizia dell'intruso: che egli scivolasse appena dal pagliaio e avrebbe il fatto suo.

– Mi sbranerà i pantaloni, – gemeva Giuseppe, frugando tra il fieno per nascondersi meglio, – mi morsicherà; se non morrò, dovrò per lo meno fare la cura antirabbica. Ecco che adesso il maledetto scava con le zampe la base del pagliaio; lo farà crollare; farà di me una pizza. Ecco che si arrampica sulla scala: se la tirassi su? Ma c'è pericolo di precipitare. Ma che diavolo fanno i contadini? Non sentono il chiasso? Perché non vengono ad aiutarmi? Possono però anche tirarmi una fucilata. E, infine, che ho fatto io? Non sono un ladro; non avevo cattive intenzioni: non faccio male a nessuno. E dicono poi che i cani sono bestie intelligenti.

E gli veniva voglia di parlamentare col cane, di fargli intendere la ragione: si guardava bene però di aprir bocca e soprattutto di muoversi. Passerà anche questa; qualcuno verrà. Rassicurato alquanto, provava anzi, in fondo in fondo, un certo gusto al pericolo. Gli sembrava di essere un aquilotto, minacciato dal cacciatore, nel suo nido aspro illuminato dalla luna; e si pentiva di non aver preso, per paura di una contravvenzione, la rivoltella del padre. Così avrebbe dato una buona lezione al cane: e gli parve fosse questo suo coraggio, questo suo orgoglio di resistenza, a intimorire per suggestione la bestia; poiché i suoi urli cominciarono ad affievolirsi, a diventare quasi lamenti, a farsi anzi supplichevoli.

– Scendi, Giuseppe; vattene; sono stanco di abbaiare per un piccolo mascalzone quale tu sei.

Anche gli altri cani erano tornati ai fatti loro; e nel silenzio già glauco di luna, si sentivano, dalla strada, i fili del telegrafo vibrare come le corde di una chitarra. Così, almeno, sembrava a Giuseppe; e gli parve che quei fili lavorassero parlando di lui. La madre, a quell'ora, già scoperta la fuga del suo Giuseppe, ne comunicava la notizia alla questura: la questura la trasmetteva alla stazione, e questa alle altre stazioni del regno: tutta una nazione era in subbuglio per lui. Ma poi si accorse che si trattava dell'impassibile canto dei grilli.

Finché non tornò, in motocicletta, il contadino: aveva accompagnato la moglie per la visita annuale ai genitori di lei, con relativo banchetto per la lieta occasione: adesso egli era più allegrotto del solito.

Quando si accorse dello strano uccello appollaiato sul pagliaio si mise a ridere come un pazzo. Tuttavia Giuseppe scese con una certa dignità, anche perché l'altro teneva fermo il cane; e spiegò a modo suo l'avventura.

– Sono arrivato fin qui passeggiando; e adesso, per il vostro schifoso cane, faccio tardi a tornare a casa: sono il figlio dell'avvocato Volpini.

Allora il contadino, quasi intimorito, si offrì di accompagnarlo a casa in motocicletta.

LA LETTERA

Adesso che Gina era alta e soda, una vera Giunone ancora in sottanina rosa, e ancora tanto pacioccona da pensare solo alle faccende di casa, adesso che lo stipendio del babbino era calato, e lei poteva trastullarsi con l'aspirapolvere come con uno dei giocattoli appena abbandonati, si pensò di licenziare la serva elegante quanto birbante, e prendere una ragazzina di campagna, di quelle robuste e smaliziate che lavorano più delle grandi. Venne la ragazzina, con una testina nera, due codine di trecce, due occhietti vivi, i dentini acuti: tutto di topo campagnolo, ma di quelli buoni, che rovinano interi seminati.

Lavorare lavorava: e poi si affezionò subito alla casa, agli oggetti di cucina, ed anche alla signorina, che le faceva da maestra di economia domestica. Più che affezione era un senso di ammirazione quasi morbosa: le toccava i vestiti, le scarpe, le andava sempre appresso; e sembrava, accanto alla gigantesca bambolona, una di quelle figurine disegnate a fianco di un tronco d'albero secolare per farne risaltare e misurare la grandezza.

Però Gina si accorse che Topolina, per quanto rispetto le dimostrasse, altrettanto non usava con le sue robucce: trovava sempre l'armadio in disordine, e nei cassetti, i nastri, i collarini, le cianfrusaglie, persino i bottoni, tutto frugato.

– Ohé, che facciamo? Lascia stare la mia roba, o se no lo dico alla signora padrona.

Spauracchio della signora padrona! Più grande per la servetta non poteva esisterne.

– Senti, signorina, ti giuro che non ho toccato un filo: non so neppure aprire l'armadio e i cassetti; te lo giuro sull'anima mia.

– E allora? – dice la bambocciona, propensa a credere.

– Allora, bisogna parlare piano però; te lo dico in confidenza: c'è, nelle case, in tutte le case, dei poveri e dei signori, un folletto invisibile, che si diverte a frugare le robe, a nascondere gli oggetti, ad aprire e chiudere: per far male alla gente, per metterla in sospetto e subbuglio; ammazzato sia.

– Ma va, va, va...

– Altro che va: è proprio vero. Del resto tu, signorina, hai detto l'altro giorno che credi all'angelo custode: quello che è sempre alla nostra destra. L'hai detto? È vero, sì, perché mi pare di vederlo, alla tua destra, anche in questo momento, tutto con le ali d'oro.

– Ma sta' zitta; non bestemmiare.

– Vuol dire, – concluse imperterrita la servetta, – che l'altro sta dalla parte sinistra: nero come il pipistrello.

Sarà, non sarà. La fantasia di Gina è ancora come invasa da una chiara vaporosità mattutina, quella che, in certe giornate di marzo, precede lo sfolgorare diamantino del sole già primaverile.

Leggende, favole, novelle d'amore lette di nascosto dalla mamma, confusi desiderî e rimorsi senza causa, melanconie e pazzi impeti di gioia, si confondono in un trasparente gioco del suo cervello: il cuore non è intaccato; e neppure l'appetito e il formidabile sonno delle lunghe o corte notti dell'anno suo quindicesimo di età.

Ad ogni buon fine chiuse a chiave l'armadio e i cassetti, e si convinse che il folletto non era abbastanza sfrontato da possedere chiavi false.

Ma fu la volta dello scrittoio. Ella non andava più a scuola, e ne era felice; conservava però i suoi quaderni, possedeva carta da lettere, cartoline illustrate, calendari e buste chiuse, con dentro tutti i più misteriosi segreti di Pulcinella.

Il folletto aprì le buste, richiudendole malamente con la saliva, sfogliò i quaderni, rubò qualche cartolina con la viola del pensiero, macchiò d'inchiostro il panno del piccolo pulito scrittoio.

– Senti, Caterina; se tu ti azzardi a frugare qui ancora, ti prendo, ti lego stretta come un salame, e ti faccio rimandare a casa tua.

Questo si chiamava parlare: e Caterina si spaventò più che per lo spauracchio. Tuttavia insisteva, bugiarda per indomabile natura:

– Ti giuro che non ho toccato niente. Ma se non so leggere!

E neppure questo era vero, perché le cartoline che arrivavano alla famiglia portavano le impronte delle sue dita unte: le lettere no; perché erano sempre indirizzate al padrone, e con lui non si scherzava; e poi non attiravano neppure la curiosità di Caterina. Chi poteva scrivere a un vecchio bacucco grassone, già pelato, con due paia di occhiali sul naso di patata in germoglio? Anche la signora non riceveva lettere. Fu quindi un avvenimento straordinario, un lunedì di giugno, quando Caterina, di ritorno dalla spesa, ritirò la posta, e fra alcuni giornali trovò una lettera indirizzata alla signorina Gina Martelli: proprio a lei. Busta quadrata, di quelle grigie a ghirigori che non vogliono essere eleganti ma neppure meschine; calligrafia chiara, minuta e un po' angolosa, come quella degli intellettuali o degli studenti di matematica: (giusto, ce ne stava uno al secondo piano del palazzo); scrittura da uomo, ad ogni modo; e Caterina la sentiva dal fiuto, come il cane sente l'odore del tartufo anche se non sa che cosa è.

E Caterina non sa ancora che cosa è l'amore, ma la sua malizia va oltre questo sapere: sa che gli uomini e le donne si vogliono bene e si sposano, e ne sono tutti contenti: precisamente non sa perché; e vorrebbe istintivamente, saperlo; come appunto forse anche il cane ansioso vorrebbe sapere perché all'uomo piace il tubero scavato tra le foglie fracide del bosco. Per questo animalesco istinto, Caterina fa sparire la lettera nel saccoccino sdrucito della sua sottoveste, e non la consegna subito alla signorina. La signorina lavora, spolvera gli usci, come vuole la signora mamma, e non deve essere disturbata in questa religiosa faccenda.

Anche la ragazzina fu messa a lavorare: la casa era piccola e pulita come uno specchio, ma per la padrona era un vero castello, da lucidarsi tutti i giorni, da tener sgombro di mosche nemiche e di micidiale polvere. Ma, sfuggendo alla sua dispotica sorveglianza, le due ragazze trovavano il modo, ora l'una ora l'altra, di volare al balcone di marmo che dava sulla larga strada azzurra come un fiume, e pencolarvisi sopra, folli di giovinezza e di gioia.

Caterina, poi, con quella busta che le batteva sulla piccola coscia legnosa, sembrava una scimmietta sfuggita al laccio: avrebbe voluto arrampicarsi sui muri, correre sul tetto, aprire la lettera e godersela tutta per conto suo. Ma aveva anche paura: le sembrava che la signorina, con quei suoi grandi occhi nocciola, che sprizzavano raggi d'oro, le vedesse attraverso la sottana quel segreto scottante doppiamente colpevole: e già l'idea di mettere la lettera sul piccolo scrittoio della padroncina si affacciava al suo cervello di topo, quando sopraggiunse il padrone, con giornali, sbuffi e un irsuto involto dal quale scappò, sul marmo dell'acquaio, una aragosta ancora viva. Fu un subbuglio, una battaglia, ma anche un diversivo e, in ultimo, un divertimento.

La padrona ingaggiò lei, poiché gli altri scappavano ad ogni guizzo delle branche del crostaceo che pareva colto da epilessia, la non facile lotta. Con prudenza legò tutto intorno con uno spago i poveri arti della scabrosa vittima, e quando la ebbe ridotta all'impotenza, la buttò nell'acqua in bollore. Caterina guardava, da lontano, e si faceva rossa come l'aragosta nel suo bagno infernale; e pensava che sì, così, dev'essere l'inferno per i cattivi, per quelli che invece di rivolgersi alla destra, verso l'angelo custode, si volgono a sinistra verso il diavolo.

La padrona la scosse, ordinandole di tirar giù, dal secondo piano della credenza, il piatto speciale per il pesce: la signorina l'aiutò, anzi le fece paura togliendole la sedia di sotto i piedi e minacciando di lasciarla sospesa per aria. Ma non importa; salvo sia il piatto: ed ella saltò giù, si fece male a un piede, zoppicando cominciò ad apparecchiare la tavola. In fondo era felice: le piacevano le novità, il disordine, gli strilli della padrona e gli sbuffi beati del padrone che aiutava a sbattere la salsa per l'aragosta. Solo la signorina se ne stava silenziosa e distratta; pareva sapesse della lettera. La lettera! Caterina si tastò la sottana, e le parve di essere tutta vuota; poiché vuota era la tasca; e per quanto ella si palpasse in tutte le parti del corpo, e guardasse sotto e dentro la credenza, e poi in ogni angolo della casa, la lettera non si trovò più. Fu dapprima una disperazione paurosa, un desiderio di fuggire; poi, a poco a poco, l'astuta rassegnazione di chi sa il fatto suo. Era certo la signorina, che le aveva preso la lettera; ella preferiva credere fosse stato il folletto; e questa volta ci poteva giurare davvero; ma la signorina si guardava bene dal chiederle spiegazioni.

ORNELLO

Come una spina di pesce, dritta fra la coda e la cima di Montepetri, sale il corso Vittorio Emanuele, con le vie adiacenti intitolate ai gloriosi nomi del nostro Risorgimento: più che strada può dirsi una scalea, a larghi gradini lastricati di ciottoli; in alto, piazza Garibaldi appare sospesa sul cielo cilestrino, con una corona di alberelli sfrondati in ogni stagione dell'anno, per opera dei monelli che vi stazionano in permanenza. In ogni sfondo di vicolo sorride lo stesso cielo un po' pallido, ma dolce e tenero: le case hanno quasi tutte portoni medievali, con chiodi e stemmi e rimasugli di architravi austere: e quasi davanti a ciascuna di queste nobili abitazioni sta legato un ciuco, o una mula che sembra quella della fuga in Egitto; e anche un cavallo. La strada è così stretta che queste pacifiche bestie possono sbattersi le code con vicendevole amicizia: i rivoletti dei loro bisogni corrono giù per una parvenza di cunetta, mescolandosi, in fondo, con lo scolo oleoso di un frantoio per olive; e l'aria buona di montagna mette pace in ogni cosa.

Tutto, qui, è, o sembra, pace: gli animali e gli uomini si vogliono bene e vivono della stessa vita: una vecchia fila su una scaletta esterna, con una gallina bianca appollaiata sulla spalla, mentre ai suoi piedi un orfano porcellino da latte, nudo e roseo come devono essere quelli degli ovili celesti, succhia il latte da una capra barbuta nei cui grandi occhi di vetro si riflette l'azzurro della vetta.

In cima, con la facciata sulla piazza e il fianco incastrato in un blocco ciclopico di precipizio che sembra per sé stesso una torre inespugnabile, sorge il castello, o meglio la rocca, o meglio ancora il groviglio di antri, androni, sotterranei, stalle e caverne dove vivono due fratelli testoni ciociari che pretendono di essere i discendenti dei signori del luogo. E potrebbero pretendere di essere anche i più puri discendenti degli Ernici, tanto le loro persone sono ruvide e forti, e le teste nere coperte di riccioli con le punte rossicce come bruciacchiate dalla vampa gelida dell'aquilone.

Forza, vigoria, anche buon umore quanto ne volevano; ma quattrini pochi: e quindi escogitavano tutti i mezzi per farne, tanto più che avevano moglie, figli, sorelle e vecchie da mantenere; tutti appollaiati nelle nicchie della rocca come cornacchie felici.

Le famiglie erano però separate, e lo spazio tanto che le donne non avevano modo di incontrarsi e litigare; eppure una sorda gelosia li rodeva, anche i fanciulli, perché se il fratello maggiore, dal bel nome di Florindo, era più svelto e fortunato negli affari, il più giovane, Angioletto, aveva figli più sani e più belli: e questi avevano la meglio, quando nelle sere di estate scendevano in lizza, armati di canne e di sassolini, nella piazzetta pietrosa che era come uno spalto sopra la grande valle solitaria, massacrando di botte i cugini gobbi e rachitici, che a loro volta si vendicavano sugli alberelli intorno al parapetto, strappandone le fronde già tanto afflitte sul cielo rosso e dolce della sera.

Le donne non intervenivano, occupate a preparare il pasto per i loro uomini, negli antri dalle cui porticine uscivan il fumo e l'odore dei fagiuoli cotti col lardo. Il primo a tornare era sempre Angioletto, col suo cavallo nero e tozzo che pareva un mulo, attaccato a un biroccino azzurro e rosso sul quale egli portava certi sacchi ricolmi non si sa di che cosa. Era la merce dalla quale traeva scarsi guadagni; ad ogni modo da vivere ce n'era sempre, e i ragazzi vittoriosi correvano a lui con grida belluine, come se egli tornasse da grandi imprese, lo aiutavano a slegare il cavallo e rimettere il biroccino nella stalla cavernosa; e infine sedevano con lui intorno alla pentola ancora in bollore come leprotti ai quali il padre ha procurato il cibo. Gli altri, invece, arrampicati sul cielo cremisi, sembravano piuttosto scimmie; e quando il padre arrivava, con calma, sul suo bellissimo cavallo bigio, dalla testa fina e gli occhi che riflettevano il crepuscolo luminoso, non si disturbavano a scendere dal parapetto, tanto loro avevano già mangiato, poiché in casa loro nulla mai mancava; ed egli smontava agile ma nello stesso tempo dritto e duro, come se i suoi pantaloni di pelle e il corpetto a maglia fossero di acciaio, rimetteva il cavallo, lo accarezzava tutto, assicurandosi che non era sudato, gli riempiva la mangiatoia, e lasciava la porta spalancata perché la bestia potesse mangiare alla luce ultima del giorno. Allora il mite Ornello si scuoteva tutto, e la sua criniera e la coda, con le punte dorate come i riccioli del padrone, parevano i capelli che una donna si scioglie prima di andare a letto; volgeva la testa verso i bambini, quasi per assicurarsi che c'erano tutti, e infine nitriva. Era il suo saluto alla famiglia, alla giornata che finiva tranquilla, alla notte che cominciava serena.

E il sor Florindo portava dei buoni soldi a casa: faceva il sensale, di prodotti agricoli e di vino, e non mancava mai di render conto di tutto alla moglie. Eppure la moglie non era contenta: piantata sulle sue cioce come un ponte fra due chiatte di cemento, brontolava contro il marito che tornava tardi, e ne dava la colpa al cavallo. È delicato come una signorina, il tuo Ornello; e tu gli vuoi bene e lo vizi quasi fosse il tuo primogenito. Sì, va anche a dargli da bere il marsala: ubbriacone lo è pari tuo. E per questo tornate tardi; mentre tuo fratello, col suo bravo cavallo, è già a casa da un'ora.

Egli la lasciava dire, forse perché in fondo riconosceva ch'ella diceva la verità.

Ed ecco un giorno Florindo e Ornello si fermano all'osteria dei Tre Curati, giù ai piedi del monte, felici entrambi del buon viaggio già quasi compiuto. Gli affari sono andati bene; la salute è ottima, la giornata di ottobre già freschina e ventilata. Il padrone pensa che può permettersi di bere un mezzo litro, di quello buono, tanto più che per lui mezzo litro è come un bicchierino di rosolio per una signora.

L'oste era un suo amicone; e, poiché l'osteria campestre era già quasi deserta, venne a sedersi al tavolo, in fondo al cortile, accanto al quale stava legato il cavallo. E del cavallo si cominciò a parlare, mentre, oltre al mezzo litro di quello buono, l'oste ridanciano ne offriva un altro mezzo litro ancora più buono. L'aria ne era tutta profumata, anche perché nella cantina bollivano le botti del mosto, e sulle pendici dei colli le vigne ancora non vendemmiate odoravano al fresco del tramonto. Dice l'oste:

– Mi sembra dimagrito, il tuo Ornello: e ha l'occhio spento.

– Ha una passione. È geloso.

– Eh, sì, lo so: i cavalli buoni soffrono come i cristiani: si affezionano, hanno amici e nemici, sono gelosi e invidiosi: proprio come noi.

– Mia moglie, non so perché, non lo può vedere: non lo maltratta, perché altrimenti lei ne piglierebbe da me un sacco e una sporta, ma ne parla male, e gli contrappone quel ronzino del cavallo di mio fratello. E la bestia capisce; si accora, è gelosa dell'altro, dimagrisce. Sì, a volte le bestie sono più brave di noi.

Ornello allungava la testa, melanconico: pareva ascoltasse.

– E dàgli da bere, – consigliò l'oste, – vedrai che riprende coraggio.

L'altro, già allegrotto, si alzò, versò in una ciotola un fondo di bottiglia e lo porse al cavallo: e il cavallo bevette e si scosse tutto con un brivido giovanile.

– Hai visto, compare? Adesso offro io: però, dopo, non bisogna sforzarlo.

E, come due ragazzi, l'oste e l'amico si divertirono a ubbriacare il cavallo.

Il cavallo adesso è felice: sente di nuovo la gioia di vivere, e il suo nitrito vibra come una risata di donna. Anche il padrone è contento e naviga in un'atmosfera rosea: vorrebbe allentare la briglia al suo palpitante compagno, ma ricorda l'avvertenza dell'oste, di tenerlo a freno. E vanno su, di buon accordo, per la strada grande che tutta bianca, fra campi verdi e coste, dove ancora le ginestre fiorite danno alle rocce un colore di sole, e il bagliore di un lago sotto l'orizzonte perlato, pare salga al paradiso. D'un tratto però Ornello s'impennò: parve sollevarsi per veder meglio in alto: in alto, in vetta alla strada, quasi vicino al paese, trottava svelto il suo rivale, tirando il biroccino col suo carico misterioso. Nel grande silenzio si sentiva il sonaglio che lasciava come una scia d'argento.

Un attimo; e il sor Florindo fu più padrone né di sé né del cavallo: gli parve che un turbine lo portasse via; le sue grida fecero fermare il fratello, cosa che diede agio a Ornello di sorpassare il biroccino, entrare nel glorioso Corso del paese e fermarsi trionfante sulla piazza come un monumento di lucido bronzo. Sì, ma tre giorni dopo era morto, di polmonite fulminante.

SOTTO IL PINO

La località prendeva nome da questo pino solitario, superstite forse di antichissime foreste che neppure la tradizione ricordava: tanto più straordinario, oltre che per la sua grande altezza e il volume dei suoi rami potenti, per la sua quasi miracolosa vita in quell'estensione di pianure onduleggianti quasi selvagge ed aride, prive di ogni altra vegetazione. Vi allignavano solo i fichi, bassi, tozzi, grossi, con certi tronchi e rami biancastri che parevano membra di giganti storpi ripiegati sulla loro sconfitta: e anche la vite, che un volonteroso agricoltore aveva tentato di piantare su certe distese volte ad oriente verso le lontananze dei monti, ma che dava un vinetto chiaro, aspro, stentato. Eppure venne un uomo d'oltre mare, e credo fosse un coatto, condannato per non so quale colpa che doveva essere involontaria, perché bastava guardarlo negli occhi celesti attoniti in un viso pallido e liscio come quello di una donna, per aver fiducia in lui. Ed in lui ebbe piena fiducia il buon agricoltore che aveva coraggiosamente piantato la vigna nella desolata landa, appena l'uomo si presentò per chiedere lavoro.

– Va nella località detta *Il pino*, e guarda se c'è qualche cosa da fare.

L'uomo andò: tornò che sembrava un altro, con gli occhi che pareva avessero preso un po' dell'azzurro vivido e scintillante sopra il pino. Disse:

– Tutto c'è da fare: poiché c'è un tesoro nascosto fra le pietre sotto la muriccia di cinta.

E come l'altro lo guardava come si guardano gli idioti, aggiunse:

– C'è l'acqua.

Si chiamava Arcangelo. E come un arcangelo, a poco a poco egli mutò il luogo in un piccolo paradiso terrestre. Scavò fra le pietre, fece una vasca ove l'acqua si raccoglieva lentamente, sì, ma bastevole per alimentare un orto che egli piantò coi quadrati bordati di fiori. Cose mai vedute. Quando si andò a vederle, fu una festa, per noi fanciulle, selvatiche, sì, come il luogo prima che arrivasse Arcangelo, ma anche con naturali disposizioni ad essere, come il luogo, ingentilite e coltivate. E l'anima nostra rassomigliava al pino, altissimo e amico del cielo, delle nuvole, degli uccelli, dei colori orientali dell'orizzonte: il pino che sovrastava ogni cosa intorno, e pareva più alto dei monti lontani, e viveva per conto suo, sopra la piccola eppure grande fatica dell'uomo esiliato, senza badare ai cavoli e ai fiori; solo e potente con le sue calme, i suoi mormorii, le sue rabbie oceaniche quando lottava contro i venti e ne vinceva il rumore.

Venne un giorno in cui Arcangelo scontò la sua condanna: ma quando gli fu domandato se ripartiva, si sollevò sulla fedele vanga e disse, accennando il pino:

– Se mi sarà permesso costruirò là sotto una tettoia per passarci la notte, adesso che non dovrò più tutte le sere presentarmi alla polizia e chiudermi in uno stambugio vigilato dalla ronda: questa sarà la mia partenza.

Gli fu dato il permesso di costruire la tettoia: le pietre non mancavano; mancava il legname; e del pino non si doveva toccare una fronda: ma egli fabbricò mattoni e tegole, col fango impastato e cotto da lui con un suo speciale segreto; e andò lontano in cerca di canne, e di giunchi, coi quali, intessute solide stuoie, ricoprì il tetto della primitiva costruzione.

Un giorno, in ottobre, si andò a vedere questa nuova meraviglia. E meraviglia era, per averla fabbricata con le sue sole mani e l'aiuto della natura, un uomo debole, già quasi vecchio, che si nutriva di sole erbe come un eremita. Non una tettoia, ma una vera casa egli aveva costruito: due camere, con finestre, porte, focolare, giaciglio, sedili. Di sedili aveva provveduto anche lo spiazzo davanti rinforzato da una cintura di sassi nelle cui incavature aveva piantato, come in vasi naturali, piantine di rose selvatiche e felci e prunalbi. Anche intorno al pino si ripeteva la stessa decorazione; e sul rialto rotondo cresceva l'erba, e in mezzo all'erba e agli aghi dorati che cadevano dalla pianta, pareva si posassero strani uccelli, alcuni con le ali verdognole chiuse, altri con le ali scure aperte; erano le pigne, che egli aveva lasciato sul posto per miglior sorpresa e gioia delle sue piccole padrone. Fu dunque una nuova festa; tanto più che sui fichi protervi c'era ancora qualche frutto, la cui polpa granulosa ricordava il sapore del tamarindo, e nella vigna da poco vendemmiata, maturava qualche tardivo grappolino che pareva d'uva spina. La giornata era calda, fin troppo calda, e d'un tratto una nuvola nera venata di rosso stese dietro il pino uno sfondo apocalittico. Si levò il vento, caddero le pigne, e di alcune, già spaccate, coi pignuoli vennero giù, in fraterna allegria, grossi goccioloni e chicchi di grandine. Per le fanciulle e i bambini la festa poteva essere completa; e, infatti, sullo spiazzo sotto il pino fu subito intrecciata una danza come di lepri alla luna: salti, sberleffi, spintoni, agili ripiegamenti e gridi di gioia: e per un po' l'albero parve compiacersene, dalla sua altezza gigantesca, come un avo protettore si gode i giuochi dei pronipoti; ma poi, d'improvviso, parve ricordarsi la sua austera dignità: e i suoi rami si contorsero, come invasi da innumerevoli biscie, e sibilarono, frustandosi col vento che anch'esso, quasi profittando malignamente della prima distrazione dell'albero, s'era fatto di una violenza inaudita.

Ci si salvò a stento nella casetta, e Arcangelo, pallido e spaventato, accese il fuoco per asciugare i nostri vestiti. Per fortuna l'acquazzone veniva da nord, batteva contro il pino e contro il muro posteriore della casa, scorrendo poi ai lati del rialto, in due scanalature che il previdente colono aveva scavate l'inverno prima: in breve l'ortaglia fu allagata, fece una cosa sola con la vasca, e il rumore dell'albero e del vento diedero l'impressione di una burrasca marina.

Bisogna dire che una certa tremarella cominciò ad impossessarsi anche delle più coraggiose di noi: e il contegno incerto e spaurito di Arcangelo non era adatto a dissipare il terrore del momento; tanto più che egli non voleva aprire la seconda stanzetta del rifugio, con la scusa di aver perduto la chiave. Che cosa nascondeva egli nella seconda stanzetta? Forse un malvivente, di quelli che non mancavano di bazzicare nei luoghi, come quello, poco frequentati; o magari una donna?

Nonostante tutte le prove di attaccamento e di fedeltà di cui egli era già stato prodigo, un certo alone di sospetto rimaneva intorno a lui: l'uomo non si libera mai completamente dell'ombra di una colpa commessa; e la sua era tanto più indimenticabile quanto meno conosciuta. E poi quella voce implacabile del pino, che pareva raccontasse tante cose terribili e accusasse non solo l'uomo pallido venuto di lontano a turbare la sua solitudine, ma anche noi, piccole creature irrequiete, che lo si molestava con la nostra presenza. Ben vi sta, ben vi sta, bambine insolenti, che avete lasciato sola a casa la mamma, la quale adesso vi piange come in pericolo di vita; così imparerete a non venirmi oltre a rovinare la corteccia coi vostri temperini, od a spogliare il praticello dei miei pignoli.

Accovacciate intorno a una fiammata che Arcangelo alimentava con manciate di aghi secchi del pino, si ascoltava la voce minacciosa; e sembrava che l'acqua salisse, salisse, su dall'orto allo spiazzo, e a momenti penetrasse nel rifugio, per annegarci tutti.

E da mangiare? Arcangelo non aveva che un po' di pane d'orzo e di patate: qualche cosa si poteva ancora andare a prendere nell'orto, ma con quel diluvio? Eppure un certo senso di sollievo, se non di allegria, rischiarò i piccoli cuori smarriti, quando la donna che ci accompagnava, scuotendosi tutta come passera che va in cerca di cibo per i suoi uccellini, trovò un po' di farina e sull'asse che serviva di tavola ad Arcangelo la impastò e fece una focaccia: e spazzò la pietra sulla quale ardeva il fuoco, e ce la mise su, rotonda e pura come una grande ostia. La focaccia cominciava a gonfiarsi, quasi per rallegrarci e soprattutto distrarci con le sue smorfie, quando si sentì nella strada, fra il rombo del temporale, uno squillo di sonagli, che ci sembrò uno scampanìo della notte di Natale.

– È nostro padre, col carrozzino.

Era lui; e davvero che la sua presenza, come quella del padre celeste, parve sedare la tempesta; anche il pino si placò, brontolando, sì, ma con soggezione affettuosa. Tale era l'uomo che arrivava, che anche le cose e gli elementi sentivano l'influsso della sua bontà.

Allora Arcangelo aprì la seconda stanzetta: non dovevano esistere misteri per il suo benefattore. E in un angolo si vide una cesta; e dentro la cesta c'era una lepre coi suoi leprottini, tutti con le orecchie dritte come germogli dorati, tutti con gli occhi aperti come quelli dei bambini insonni.

IL GALLO

Adesso che gli hanno tirato il collo, si può parlare, di questo gallo, senza odio e senza disprezzo! Per un mese buono, e il più bello e santo dell'anno, il mese di maggio, il mese di Maria incoronata di rose, l'ardente volatile fu il terrore, il palpito, la passione di tutto un quartiere cittadino abitato da persone di valore e di ingegno: e se non generò la strage della famosa gallina della novella di Tolstoi è perché appunto i fatti si svolsero in una zona di intellettualità civilissima e, diciamo pure, di spregiudicatezza stracittadina.

I fatti sono questi (e un giorno forse saranno, con documenti alla mano, rievocati da qualche spulciatore di piccole ma pittoresche cronache antiche).

In un villino di un quartiere nuovo di zecca, e quindi ancora guarnito di fette di orti, di angoli campestri, di siepi di sambuco, viveva una signora malaticcia: i suoi malanni erano forse alquanto immaginarî, come quelli della gente che ha poche preoccupazioni; ad ogni modo, dopo una giornata di fantastiche sofferenze, alla notte essa aveva assoluto bisogno di dormire. Ed ecco una notte, verso le due, un canto di gallo la sveglia quasi di soprassalto. Ma è un canto straordinario, potente, mai sentito: sembra la voce di un uomo, e di un uomo in gamba, nerboruto, che non conosce legge né disciplina. La signora prova quasi un senso di sgomento. Per chi canta il gallo terribile, a quell'ora? Non certo per le galline, che dormono ancora, e che, del resto, ne devono avere abbastanza di lui e del suo sultanesco dominio, durante la giornata: non canta neppure per sé stesso, perché sa la sua potenza e non gli importa di essere vanitoso: e tanto meno per l'altro gallo, lontano, che gli risponde per dovere, assonnato e flebile come l'eco di una caverna: per chi, dunque? Sembra lo squillo di una tromba che desta i morti per il Giudizio Universale, con tutta la loro coscienza di peccatori: e la signora, al terzo canto dell'infernale araldo, ebbe quasi voglia di piangere. Ricordava la profezia di Gesù, la serva nel cortile di Caifa, e San Pietro, San Pietro, il fondatore della Chiesa, che rinnegava il suo Maestro.

E adesso che il gallo ha cantato tre volte, nella notte cristallina di maggio, voltiamoci nel grande letto ancora deliziosamente freschino; e riprendiamo a navigare sulle acque azzurre dell'oblio. Ma che! Il canto si ripete, a intervalli brevissimi; anzi si rinforza, batte davvero gli echi più lontani, spaventa persino i cani da guardia. Altro che ordinato e spicciativo Giudizio Universale: sembra la sveglia di un bivacco di guerrieri barbari: alzatevi, stringete la cintura, e rallegratevi: ché oggi c'è da mordere il fegato del nemico.

Chi non si rallegrava era la signora: tutti i suoi malanni l'aggredivano di nuovo, come quell'oste crudele, pungendola con le loro freccie avvelenate. Volta, rivolta, le tenere lenzuola di lino si cambiarono in tela d'ortica; all'alba ella vedeva rosso, in cielo e in terra: sangue e fuoco; e vedeva un capo-tribù di pellirosse, piumato e cannibale, che invitava il suo seguito a un banchetto di carne umana. Era il gallo.

– Se un'altra notte si ripete la stessa cosa me ne vado in una casa di salute; o ricorro a un avvocato.

– Senta, – consiglia la vecchia saggia domestica, – ricorra all'avvocato; è meglio: al suo bravo avvocato, che sta qui accanto; lo vedo tutte le mattine, che corre con una borsa come debba sempre partire.

– Aspettiamo un'altra notte.

Un'altra notte d'inferno; all'alba la signora si alza come una morta risuscitata, negli occhi la verde luce della follìa. Partire, fuggire, emigrare; introdurre una volpe nel pollaio; o ricorrere all'avvocato. La serva, suggestionata, ha pure lei sentito la tromba incessante del gallo, e vede la sua antica saggezza liquefarsi come il burro nelle sue casseruole. Però dice:

– Senta, non sarebbe bene pregare quei signori che hanno il pollaio, di chiudere il gallo? Un piacere ai vicini non si nega mai, fra gente educata.

– Proviamo un po'.

La buona donna prova: torna disfatta.

– Senta, la colpa è tutta della loro serva: è una prepotente, e mi ha risposto male. Il gallo è di razza; le galline fanno, adesso, molte uova grosse e anche col doppio torlo.

E qui la buona donna pronunziò, all'indirizzo della serva del pollaio, una sequela d'ingiurie e insinuazioni impossibili a ripetersi fra "gente educata".

Non restava che consultare l'avvocato, che non domandava di meglio. E quando egli sentì di che razza di causa si trattava, non si scompose: gli articoli della legge erano lì, pronti, fra le sue dita agili e bianche, come i fili di una rete che pesca le più introvabili marachelle umane: leggi di pubblica sicurezza, di pubblica quiete, di vivere civile. Anche lui però è del parere che prima bisogna tentare con le buone, di fare appello alla cortesia dei vicini. «Lasci fare a me, signora: vedrà che questa notte riposa».

Quella notte il gallo cominciò a cantare a un'ora: e pareva si beffasse della signora, della serva, dell'avvocato, dell'universo intero: persino le stelle, sul fresco cielo di giada, tremavano di rabbia.

Torna l'avvocato: la malattia gli si era attaccata come il morbillo; e infatti egli aveva una specie di prurito nascosto, un principio di febbre.

– Ma non sa che né io, né i miei fratelli abbiamo chiuso occhio tutta la notte? E da noi il maledetto bestione si sente più forte che qui. E dire che ieri la padrona stessa ha promesso al mio fattorino di chiudere il gallo: ma adesso tocca a noi. Ecco il ricorso, in carta da bollo da lire tre: e fatto bene, con arte: me lo ha riveduto, anzi, fra il burlesco e l'impegnato, poiché anche lui questa notte non ha dormito, mio fratello Gioele. Senta – poi firmerà – è un capolavoro di arguzia e di stile.

Ella ascolta, e respira un'atmosfera di epopea. Poiché il signor Gioele è uno dei più celebri scrittori lirici moderni.

Ma ne passarono, di notti tormentose, prima che la legge, la quale è necessario proceda con la stessa calma lentezza della giustizia divina, desse respiro agli abitanti del quartiere. Poiché l'epidemia si era rapidamente diffusa, un po' anche per raffinata vendetta della vecchia domestica, che metteva in avviso tutti i rivenditori e le persone di servizio; un po' perché, nel bar del quartiere, si rideva e si scherzava – ma non tanto – della faccenda. Si erano persino formati due partiti, avversi e contrarî, e qualche litigio ne nasceva. Ma alla notte tutti sentivano il gallo diabolico; le finestre si aprivano, i *moccoli* facevano accordo col tremolìo degli astri. È vero che cominciavano le notti calde e nervose: e anche l'insonnia di quelli ai quali il giorno dopo scadeva una cambiale veniva incolpata al gallo fecondo.

Finalmente una notte, – la luna nuova guardava col suo occhio di casta pietà le rose che si lasciavano impuramente succhiare il cuore dai maggiolini, – il gallo fu chiuso in un reparto coperto del pollaio: si sentiva egualmente, è vero, ma la sua voce era quasi musicale, piacevole a udirsi come il canto represso, monodico, nostalgico, di un esiliato: oltre i monti, oltre i fiumi e le torri della patria perduta; cose belle, antiche verità diceva, lamentandosi della crudeltà della sorte, della prepotenza del forte contro il debole, del dolore che incombe su tutte le creature di Dio. E si rivolgeva a Dio, adesso, col canto religioso del guerriero vinto e dissanguato: «Dio, se la mia vita è questa, riprenditela: te la offro con gioia, come offro il fiore purpureo della mia cresta alla cattiva serva che se la mangerà di nascosto, e offro l'onda gloriosa e volante delle mie piume lunghe nate dall'iride, ai pennacchi dei nostri divini bersaglieri. Amen».

La signora, nel suo letto tornato dolce come una spiaggia marina dopo la tempesta, lo sentiva e ne provava sincera, umana pietà: e le veniva persino cristianamente da piangere; ma si tratteneva, per paura che le sue lagrime avessero il sapore di quelle del coccodrillo. Chi non si placava era l'avvocato: aveva perduto una sfumatura del suo prestigio col non essere riuscito completamente nel suo intento, e non tollerava la beffa pungente, per quanto elegantissima, del suo collaboratore nel ricorso su carta bollata da lire tre; e allora si creò una procedura tutta sua: andò dalla padrona del pollaio e le disse che se non tirava entro quel giorno il collo al gallo glielo avrebbe tirato lui a lei. Così giustizia, o ingiustizia, fu fatta.

IL SIGNORE DELLA PENSIONE

Si rassomigliavano solo nella magrezza e nella cattiveria, i due piccoli fratelli, uno rossiccio e lentigginoso, l'altro simile a un malese, panciuto, tatuato dalle frustate e dai graffi paterni, materni e fraterni.

D'altronde la loro vita, dal giugno all'ottobre, un po' barbara e animalesca lo era di certo: chiusi in un cortiletto recinto da uno stecconato più inflessibile di un muro, dovevano tutto il giorno star lì a ringhiare, lottare, far esplodere in qualche modo la loro prepotente voglia di muoversi, di scavare il tempo. Sul cortiletto davano la cucina e la dispensa della pensione, della quale erano proprietari i loro genitori: quindi, da considerarsi un fatto naturale che i due ragazzi non dovessero inoltrarsi negli ambienti interni, per non disturbare con la loro presenza sgradita e chiassosa i signori villeggianti.

Ma un giorno Romolo disse a Remo:

– In cucina non c'è nessuno e l'uscio della sala da pranzo è aperto: anche lì non c'è nessuno – parlava sottovoce, con accento di mistero, quasi di spavento.

Tanto per fare qualche cosa, il fratello gli diede uno spintone, poi andò ad esplorare per conto suo. Era vero: la cucina, tutta in disordine, puzzava d'aglio soffritto, di caffè, di lisciva: nella grande sala da pranzo, con le persiane socchiuse inghirlandate di roselline rampicanti, tutto invece era lucido e quieto: sulle tavole coperte di doppie tovaglie damascate i vasetti di metallo con gerani freschi parevano candelabri accesi, mentre sulla mensola di mezzo della grande credenza una fila arcuata di bottiglie e bottigliette di liquori dava, per i suoi colori trasparenti, l'idea dell'arcobaleno.

Tutte queste cose, però, interessavano solo fino a un certo punto il bruno Remo, e il rosso Romoletto che lo seguiva silenzioso e guardingo, trattenendo il respiro. Quello che a loro premeva era la vetrata della sala, socchiusa sulla bella veranda che dava sul giardino: la spinsero, quasi senza toccarla, vi sporsero la testa. Pareva un sogno: veranda e giardino deserti: e in fondo al viale d'ingresso, fra due file di ortensie di seta lilla, il cancello rosso socchiuso. Non pareva: era proprio un sogno. Di volo Romoletto sorpassò il fratellino un po' incerto e fu nella strada bianca e nera di polvere e d'ombre d'alberi: d'impeto Remo lo seguì come un cagnolino ansante e quasi senza accorgersene furono nel vicino bosco: bosco umidiccio e verdone, di secolari castagni, di cui ogni esemplare aveva una famiglia di tronchi mostruosi: nonni, genitori, rampolli, tutti cariati, con buche entro le quali i monelli avevano cacciato pietre, carta sudicia, stracci e varie altre cose. Eppure erano questi ripostigli, più che gli sfondi azzurri del bosco e le vette dei castagni, alcuni dei quali avevano la grandiosa maestà di cupole di cattedrali, che attiravano la curiosità vibrante dei due ragazzi. Ce n'erano tante, e ciascuno poteva a suo agio ficcarci dentro la mano o magari la testa: invece no: appena Romolo cominciò ad esplorarne una, Remo lo respinse, lo sopraffece, si impossessò esclusivamente lui della buca.

– Ti ci caccio dentro la testa, in modo che non potrai levarcela più – disse l'altro, scuotendolo con furore. Subito però si calmarono; poiché nel sentiero si avanzava un uomo vestito di nero, con un berretto a visiera e una grande barba grigia; pareva il padrone del bosco. Essi lo conoscevano bene, ed anche lui li conosceva altrettanto. Era un'antica guardia campestre, adesso in pensione, che non avendo altro da fare continuava per conto suo a ispezionare il castagneto, perseguitando i monelli e le coppie amorose che lo frequentavano.

– Che fate qui? – domandò con voce minacciosa.

– Siamo qui... siamo qui... col permesso della mamma.

– Già, – brontolò il vecchio ricordando, – vi avranno levato di fra i piedi. Ho sentito dire che alla pensione c'è un morto.

Il maggiore dei fratelli spalancò gli occhi; l'altro invece colse la palla al balzo e disse:

– Sì, è morto quel signore grosso e rosso, arrivato avantieri: ha mangiato troppo, perciò tutti sono corsi a vederlo. Allora la mamma ha detto: andate nel bosco, finché non lo portano via.

– Oh, per questo ci sarà da aspettare un bel po'. Ad ogni modo non vi allontanate di qui: altrimenti l'avrete da fare con me – disse il presunto padrone del bosco.

Ed essi ben si guardarono dal lasciare le vicinanze della buca contesa: ma non più questa li attirava con i suoi segreti umili e neri; altra era adesso la profondità cavernosa alla quale pensavano. D'un tratto ammansiti, anzi liberati della loro protervia, sedettero sull'orlo terroso del sentiero, e Romolo disse:

– Morto? Quel signore che ieri ha mangiato tanto?

Convinto di aver detto la verità l'altro aggiunse qualche particolare.

– Sì, è morto di un male che viene agli uomini grassi, quando mangiano e bevono troppo. Gli si chiude il cuore e non possono più respirare; quel signore ieri ha mangiato tre porzioni di spaghetti, poi l'arrosto, poi tanto formaggio. E brontolava ancora, in modo che la mamma ha questionato col babbo: gli ha detto: «Ma se quello continua così, bisogna fargli pagare il doppio». Il babbo rispose: «E lascia fare; per quello che paga può mangiare anche così». Ma la mamma, sdegnata, diceva: «Già, tu parli sempre in questo modo perché la pensione non è tua. La pensione è mia, e anche tu ci stai a scrocco, tutto il giorno senza far nulla». Il babbo ha risposto male; si è infuriato, ha battuto i pugni sulla tavola. Anche lui era rosso rosso, come quel signore; e, come fanno spesso, ma con più forza, il babbo e la mamma hanno litigato.

– Morto! – ripeteva l'altro, senza badare troppo alle parole del fratello. – Ma come si fa a morire così? Si chiudono gli occhi, non si respira più. Io non ho mai veduto un morto.

– Si fa così. Si chiudono gli occhi, non si respira più – confermò il fratello: si stese sul terriccio coperto di foglie fracide, chiuse gli occhi, trattenne il respiro. Era pallido, anzi verdognolo, e il fratello lo tirò su, credendolo morto davvero. E stettero fermi, con le ginocchia strette fra le braccia, aspettando con ansia segreta che qualche cosa di nuovo avvenisse. Avevano soprattutto paura del vecchio ex-guardiano: eppure lo aspettavano, poiché l'avevano veduto dirigersi verso la loro casa, e da lui avrebbero appreso altri particolari sul signore morto: e questo signore morto, la cui spoglia avrebbe certo passato la notte nella pensione, destava in entrambi un folle terrore. Durante la notte, anche quando tutta l'allegra gente dell'albergo dormiva tranquilla essi avevano paura dei fantasmi: figurarsi adesso, che c'era un morto vero, sebbene grasso e col ventre pieno.

Di tanto in tanto sospiravano, e più il tempo passava, meno se la sentivano di tornare a casa. E nessuno passava; nessuno a cui aggrapparsi e domandare notizie, pareva che tutti fossero morti, quel giorno: solo essi vivevano, smarriti nel bosco, sul limite del quale s'intravedeva tuttavia il bianco delle case, e fra queste anche la loro. E la mamma che li aspettava, con la canna d'India in mano per accarezzare le loro spalle, e il babbo che sarebbe venuto a cercarli vociando! «Oh, ben venga il babbo!» col suo vociare sempre irato, ben venga pure la mamma, con la canna d'India; tutto era preferibile a quest'attesa paurosa. Sospirarono. E fu un sospiro di sollievo quello che accolse la ricomparsa del vecchio col berretto a visiera. Egli scendeva lento il sentiero: il berretto se lo era tolto, e il suo cranio rosseggiava come un frutto alla luce del tramonto. Arrivato davanti ai due fratelli li fissò come vedesse in loro due figure straordinarie: poi disse sottovoce:

– Andiamo –. E li prese per mano, li ricondusse alla loro casa. Là essi ebbero la spiegazione di tutte quelle cose strane: poiché il morto era il loro babbo.

IL CEDRO DEL LIBANO

In quel tempo la campagna, l'antica campagna romana, arrivava fino al nostro recinto. Pini e grandi platani si allineavano sul ciglione rotto per gli scavi del nuovo quartiere, e le pecore si affacciavano fra le alte erbe e le canne che gemevano al vento come un organo naturale. La casa, ancora odorosa di vernice e di calce, sorgeva nuda in mezzo al prato scavato e pieno di pietre e di cocci: le voci risonavano nelle sue stanze come nei luoghi disabitati. Durante tutta la giornata permaneva uno stupore, una frescura di alba; e il rumore della città arrivava come quello del mare in lontananza. E quando si andava in questa città, i vetturini non volevano riaccompagnarci a casa, specialmente di notte, come si trattasse di arrivare in un luogo impervio e remoto. E in verità si sentivano cantare le civette e l'assiolo. Così si prese l'abitudine di stare in casa: si rividero sopra il nostro esilio le stelle dimenticate, la luna, il corso delle nuvole. Ci si ripiegò a guardare il colore della terra, delle erbe, delle pietre.

Un giorno, scavando nel nostro ancora desolato recinto, fu rinvenuto, fra altri avanzi appartenenti certo a un'antica necropoli, un teschio umano. Intatto e perfetto, era, come levigato da un artista; con tutti i denti, il cranio lucente come d'avorio. Nella terra che c'era dentro formicolava la vita della natura: dalle occhiaie, come piccoli raggi, scappavano alcuni fili argentei di radici. Lo feci riseppellire, osservando poi quello che poteva nascervi sopra: ma passarono le stagioni, e solo qualche filo d'erba spuntò sul posto che nascondeva il teschio.

In autunno, però, al ritorno dalla vera campagna, una lieta sorpresa ci attendeva. Un piccolo cedro del Libano sorgeva come un verde candelabro sul posto delle mie cure: (prima di partire avevo piantato una specie di croce sul terreno che mi sembrava sacro). Si era la croce trasformata per miracolo in un cedro, o l'albero sorgeva, per miracolo ancor più grande, dalle radici del teschio? Ma dopo essere stata presa un bel po' in giro dai familiari, per queste elegiache supposizioni, venni a sapere che una signora nostra amica, padrona di un ben fornito giardino, presa a compassione per la povertà del nostro, aveva fatto trasportare e trapiantare un suo piccolo cedro, senza rispettare né la croce né il teschio.

E sulle prime, anzi, per un certo periodo di tempo, guardai con cattivo occhio l'intruso: preferivo la famiglia di margherite che vi nacque sotto, la primavera seguente, sull'erba già diventata un po' più spessa e tenace.

All'albero non importava nulla delle nostre attenzioni. «Basta, – aveva detto il giardiniere della signora donatrice, venuto a visitare la giovine pianta, – basta che non gli si stronchi l'estrema cima. Per il resto fa da sé. È una pianta che dura migliaia di anni. Anzi è precisamente al suo centesimo anno di età che fiorisce per la prima volta. Io non conosco questo fiore: non ne ho mai visti: ma deve essere bello e grande come una bandiera azzurra. Dicono che sulle colline di Gerusalemme, ancora esiste un cedro sotto il quale andava Gesù coi suoi discepoli, nelle notti lunari di estate: speriamo che anche questo campi altrettanto: e che i nipoti dei suoi nipoti, signora, lo conoscano in buona salute».

In buona salute, intanto, lo conoscevano per primi i nostri bambini, che vi giocavano attorno, e crescevano con lui. E come il tempo passa! Ecco, l'albero pare non abbia veramente molta voglia di crescere: s'indugia, quasi ad aspettare che i ragazzi lo raggiungano almeno fino all'altezza del tronco, e abbiano modo di giocare con lui attaccandosi ai suoi rami per fare l'altalena. Ma lavora di nascosto: se si scrosta un po' la terra, ai suoi piedi, si vedono le radici già grosse più degli stessi rami; e vanno in profondità, queste radici, prendendo possesso di tutto il terreno intorno. E si diverte a lavorare anche quando non è quotidianamente sorvegliato; poiché ogni anno, al ritorno dalla villeggiatura, i ragazzi osservano che il loro amico è cresciuto al doppio di loro; è diventato il loro fratello maggiore, e adesso bisogna fare un grande salto per arrivare ai suoi rami; e poi non ci si arriva più, e se si vuole abbracciarlo o averne dimestichezza bisogna arrampicarsi sul suo tronco e gareggiare in robustezza con lui. Ma l'amicizia non cessa, per questo, anzi si fa più intima, quasi più maschia. Seduti sul suo ramo più ospitale, i ragazzi, – che tali per la madre sempre rimangono, – accompagnano il canto del fringuello, nei bei meriggi della tarda primavera, coi versi di Orazio e di Catullo; e, sollevando gli occhi alla cima intatta dell'albero, vedono il fiore «meraviglioso come una bandiera azzurra» del loro avvenire.

E arriva il giorno in cui essi non danno più confidenza all'albero: bisogna rispettare la piega dei pantaloni e non farsi vedere dalle signorine che passano nella strada. Ohimè, la strada è mutata, adesso; è un'arteria cittadina, e l'odore dell'asfalto ha ucciso il profumo della campagna. Case e palazzi sorgono intorno alla piccola dimora un giorno solitaria; ma il cedro, e altri compagni vegetali che adesso vivono nel giardino, si prendono cura di nascondere la nostra modesta esistenza quotidiana ai curiosi vicini. Il cedro, specialmente, preso l'aire, si è slanciato in alto con impeto di difesa e di protezione: ha in sé solo la potenza, la freschezza, l'armonia di una intera foresta: il suo verde riempie il vano delle finestre della casa; la sua cresta si dondola, al di sopra di tutte le cose intorno, su un orizzonte che ha l'illusione di un grande spazio, e gioca con le nuvole, e arde col tramonto, e ride con la luna: è già per sé stesso una bandiera sempre soffusa di azzurro, che sfida il tempo, sventola, d'estate e d'inverno, la promessa di una vita millenaria.

Il nostro cedro ha adesso venticinque anni.

Secondo i calcoli del vecchio giardiniere che lo ha piantato, se il primo fiore di una creatura umana varia dai quindici ai venti anni, l'albero, che darà il suo primo fiore al compiersi del suo secolo, adesso è, sempre in relazione all'uomo, ancora un bambino.

E del bambino, nonostante il suo tronco dritto e potente come una colonna, e la robustezza dei rami che come la scala di Giacobbe pare raggiungano il cielo, ha tuttavia la freschezza, la bellezza intatta e pura, la gioia costante. Sempre vibrante della vita degli uccelli, ha, con essi, una voce in coro. Il fruscio dei suoi rami, e un mormorio che freme anche quando non c'è vento, annunziano la sua presenza, come il respiro di un essere vivente. La pioggia dei suoi aghi secchi, nella stagione propizia, è diversa dalla caduta delle altre foglie: non ha nulla di triste, e riveste la terra, intorno, con un'ombra violacea vellutata. E il suo lottare col vento, nelle giornate di tramontana, ha l'agilità e la sana letizia dei fanciulli che giocano con la neve o dei giovinetti sportivi che s'ubbriacano di moto sulle cime alpine.

E se romba il libeccio, anche l'albero intona una sinfonia tragica; racconta le leggende della foresta, i terrori delle bufere, l'ira degli spiriti demoniaci scatenati contro le deboli forze umane e naturali: ma in fondo al suo brontolio c'è sempre, come nella voce dei potenti, la promessa, la certezza della vittoria finale. Si placheranno gli elementi, tornerà la luce, tornerà la primavera.

La primavera, ecco, anche quest'anno è tornata: l'albero compie il suo venticinquesimo anno di età: la scorza del suo tronco brilla al sole, come una corazza di bronzo cesellato: i rami vibrano, come quelli degli alberi sacri ai quali gli antichi sacerdoti appendevano gli strumenti musicali che accompagnavano i loro riti.

Le famiglie delle margheritine, sempre più numerose, crescono sul praticello, e c'è chi si piega a guardarle, come una loro sorellina, sorpresa e felice più della loro minuscola bellezza, che della gigantesca maestà dell'albero alto sopra di lei come un tempio. I bambini vedono meglio dei grandi le meraviglie della terra vicina a loro: un sassolino, uno stelo di avena, una coccinella rossa sono miracoli, per loro: e non lo sono forse davvero? La piccola Piti, la più piccola della famiglia – diciotto mesi di età – è intenta a studiare questi misteri: la coccinella rossa, immobile su una foglia, è quella che più l'attira: non osa toccarla, mentre maltratta le mansuete margheritine; e balza, con un fremito e un grido, quando d'improvviso l'insetto si apre come un fiore e vola: in alto, sull'albero. Solo allora Piti pare si accorga dell'esistenza del gigante: guarda, per un attimo, il barbaglio dei suoi rami attraversati dal sole, appoggiando con diffidenza una manina al tronco; s'imbroncia; poi con una strana protesta, ch'è forse la prima della sua vita, afferma a sé stessa e alle cose intorno:

– Tutto Piti, oh!

Sì, tutto è di Piti; chi glielo può levare? Anche il grande albero è suo: suo più che le altre umili e passeggere cose intorno: è suo fratello, come lo è stato dei fanciulli che l'hanno preceduta, come lo sarà di quelli che la seguiranno: finché il suo primo fiore, il fiore alto e sventolante sul cielo come una bandiera fatta dell'azzurro stesso del cielo, benedirà le generazioni che hanno creduto con fede e con gioia alla sua leggenda.

BALLO IN COSTUME

Chi ci aveva insegnato a ballare? Nessuno. Eppure si ballava, per istinto, per bisogno naturale; e la polca pacata e casta, la mazurca più ardita, ed anche l'allora vertiginoso valzer, erano familiari alle nostre gambette non eccessivamente lunghe ma abbastanza agili e ben fatte. Del resto le gambe non si vedevano, nelle nostre deliziose feste da ballo, perché anche allora si usavano i vestiti lunghi; anzi, per assoluta mancanza di toelette da sera, si ricorreva spesso ai non vaporosi costumi: costumi nostri, di casa, ricordi di belle nonne paesane, di antiche spose, veramente confezionati con porpora, bisso e broccati d'oro; o ci si facevano prestare dalle giovani cugine, che ancora li indossavano e si beffavano dei nostri goffi vestitini borghesi come del resto si beffavano anche delle signore e signorine eleganti che seguivano scrupolosamente la moda. Per queste cuginette ricche, sebbene figlie di pastori e di orgogliosi proprietarî di terre, destinate a sposare pastori e proprietarî, a far figli che però un giorno sarebbero forse diventati dottori o avvocati o alti funzionari di Stato, – ragazze claustrali e impertinenti nello stesso tempo, – tutto, d'altronde, era oggetto di riso, di sarcasmo sottile e inesorabile, di pungenti critiche. Si consideravano di una razza superiore, e forse lo erano; e la loro casa, fornita di ogni bene di Dio, ricca di servi e serve, era un piccolo feudo dal quale dipendevano, sebbene indirettamente, tutti gli abitanti bisognosi del quartiere.

Prima dunque di chiedere in prestito, per una notte, il costume nuovo di mia cugina Elena ci pensavo due volte: d'altra parte quello antico di mia nonna era già troppo conosciuto e quelli delle altre mie parenti grasse e formose troppo larghi e voluminosi. Il costume di Elena, non privo di qualche modernità, col nastro in fondo alla gonna pieghettata più alto dell'ordinario e di un colore fra il rosso e il cremisi ondeggiante e lucente come le strisce del tramonto, il giubboncello in armonia, di una tinta purpurea lievemente granata, e i bottoni d'oro con la perla di falso rubino, tutto era adatto per me.

Il viso un po' camitico di Elena, – «bruno ma bello; il turgido labbro simile al fior del melograno», – si mascherò subito di ironia, appena mi vide entrare nel doppio cortile che ricingeva la sua grande casa bassa tutta scalette esterne, ballatoi di legno, tettoie e ripari contro gli occhi indiscreti. Ella attingeva acqua dal pozzo profondo, e le sue caviglie nude luccicavano come il bronzo. Senza una parola né di beffa né di raccomandazione mi consegnò il costume: la gonna piegata come un grande ventaglio, il corsetto di broccato con una carta velina in mezzo, il giubboncello piegato al rovescio, dove si vedeva il velluto della fodera come in un fiore a due tinte; ed io stessa me lo portai via, con la rapidità volante della gazza che va a nascondere il gioiello rubato.

Semplici e schiette erano le nostre feste da ballo; eppure chi ne ha vedute di più fantastiche e fastose? Ghirlande di edera e fiori di vilucchio, rose di carta e palloncini colorati adornavano le pareti: e le *sospensioni* a petrolio e i candelabri con le steariche finivano col far rassomigliare la sala a una chiesa, nella notte di Natale: tanto più che questa sala era stata davvero la grande cappella di un antico convento, ridotto poi a caseggiato scolastico: l'attiguo refettorio adattato a buffet e rifugio delle coppie accaldate, più che dal ballo, dal fuoco del loro cuore. Non mancava la buona musica: pianoforte, violini e chitarre; per certi balli finali, dopo che la contraddanza aveva convertito e preso nella sua rete anche i più indomiti miscredenti in amore, la fisarmonica poi richiamava in anticipo all'aria aperta, ai prati, ai boschi, alle feste campestri, alla vita primitiva, infine alle danze tradizionali che, oltre al nascondere l'agguato d'amore, fondamento d'ogni riunione e contatto fra uomini e donne giovani, celebrano ricordi e riti religiosi, sopravvivenze di costumi, di usi, di credenze e aspirazioni nate coi primi uomini e da questi espresse coi movimenti, col suono degli strumenti e, meglio ancora, con la voce stessa. Ci sono infatti certe danze sarde che si ballano col solo ritmo di un coro tutt'altro che ingenuo, anzi ricco di armonie e toni musicali e motivi raffinati: la melanconia e l'ebbrezza, la virile espressione di passioni che toccano le radici dell'anima, il piacere e la nascosta ma prorompente ansia di vivere, e persino un certo disprezzo, una sfida alle cose meschine d'ogni giorno, vibrano nella voce dei cantori, a loro stessa insaputa, come a insaputa dell'uccello che canta è la sua gioia di esistere, di procreare, di sopravvivere coi nati del suo nido.

Intonati a questa danza, che qualche volta dunque chiudeva i nostri balli, erano i costumi paesani; e la festa pigliava un colore di Sagra pastorale.

Episodi comici non mancavano: ed ecco una volta il direttore delle danze, prima del ballo finale, annunzia a bassa voce, ai varî gruppi specialmente delle ragazze, che ci sarà una sorpresa impensata, straordinaria, un avvenimento che accrescerà la gioia di tutti, a tutti farà piacere, a tutti porterà fortuna.

Non ha finito di bisbigliare, destando curiosità ma anche una certa diffidenza, che sulla soglia della sala attigua, nella cornice delle ghirlande d'edera e di vilucchio ancora fresco, come uno gnomo nel limite del bosco, si presenta un gobbo. Tutti i ventagli (anche le paesanine lo avevano) si aprirono per nascondere le bocche ridenti; i giovanotti si precipitarono incontro e intorno al nuovo venuto; molte dita si allungarono sulle spalle di lui, se ne accorgesse o no; e tutti lo accompagnarono in gruppo trionfale fino in mezzo alla sala: alcuni si piegavano, facendosi piccoli al pari di lui, per lasciarlo veder meglio alle ragazze, verso le quali qualche bellimbusto spregiudicato ammiccava come per dire: questo fa proprio per voi.

Egli lasciava fare: era un cuore semplice, un cuore d'oro; la sua piccola testa rossiccia, con i grandi occhi di cervo, spauriti e buoni, dava uno strano senso di dolcezza a guardarla, come appunto quella di una bestia mansueta e mite, sebbene selvatica, capitata fra gli uomini, che non tentavano di farle male, anzi le tributavano un rispetto interessato, una protezione mista di speranze e di idolatria.

Poiché tutti, anche gli spregiudicati, credevano nella sua virtù: e il primo a crederci era lui stesso, il generoso gobbino, e in piena buona fede, sebbene la sua misteriosa potenza a spandere la luce del bene intorno agli altri nulla valesse per lui, giovane, ricco, di buona famiglia, condannato a vivere senz'amore e senza illusioni. Senza illusioni? Forse no: poiché, se egli era venuto al ballo, se guardava timido le donne, se si era vestito bene, con le scarpe di coppale e in mano i guanti bianchi, se aveva una perla alla spilla della cravatta, qualche velleità ce la doveva pure avere: e se, soprattutto, quando la fisarmonica intonò, come in onore di un Dio silvano, una musica nostalgica, fatta di echi, di lamenti, di richiami insistenti e appassionati, richiami di amanti che si cercano ansiosi nella foresta, anche lui si unì al circolo magico dei danzatori, scegliendo il posto fra due fanciulle che per la loro statura non lo facessero troppo sfigurare.

Una ero io; sì, e confesso che sollevai con fiero dispetto la testa, e strinsi quasi con sfida la piccola mano calda del gobbo poiché l'altro ballerino accanto a me, alto e bello nel suo costume spagnolesco, mi stringeva a sua volta la mano e me la scuoteva con derisione. – Che c'è da ridere? – dicevano i miei occhi: – Non è un essere vivente anche lui? Egli non chiede nulla d'illecito: chiede solo un momento d'oblio, l'illusione di credersi simile agli altri, ammesso anche lui nel cerchio magico dei giovani che si divertono, dei cuori che si amano.

– Inoltre, – sciolto il ballo, nell'ultima sosta prima che l'alba ci richiami alla realtà quotidiana, dico al beffardo nobile spagnuolo, – il gobbo mi porterà fortuna: anche per questo sono felice che egli mi abbia preferito alle altre, e voglio, per farle dispetto, civettare con lui.

– Oh, s'accomodi pure. Ma che è la fortuna? – domandò il giovine: e si fece serio.

Il gobbo non osava riavvicinarsi; non cessava però di fissare coi suoi occhi allucinati, – lo avevano fatto bere, – non il mio viso, ma il mio vestito: pareva che quei colori d'aurora, l'ondeggiare delle pieghe, lo scintillìo dei gioielli, più che la modesta persona da essi trasformata in idolo, quasi in simbolo, gli destassero un fascino sovrannaturale.

Ci seguì, nella via del ritorno, nell'ora antelucana il cui freddo umido e spietato gelava i nostri visi e i nostri sogni.

– Attacca, attacca, – diceva il crudele "hidalgo", – la fortuna la segue, signorina –. E si mise a cantare, fra uno starnuto e l'altro: «Ella mi amava per la mia sventura. Ed io l'amavo per la sua pietà».

Altri starnuti rispondevano. Ma non era nella scìa interessata della mia compassione che il gobbo trasognato procedeva: era altro il segreto che lo attirava; e qualche tempo dopo la bruna corrucciata Elena mi investì con fredda rabbia:

– Ma che hai fatto, quella notte del ballo, al malaugurato gobbo? Gli hai dato il filtro? Adesso, ogni volta che vado a messa, mi aspetta davanti alla chiesa, mi attacca gli occhi addosso, non li stacca mai durante la funzione; poi mi segue fino a casa, come un cagnolino, e fa ridere la gente dietro di noi.

– È innamorato del tuo costume, Elena; abbi pazienza: almeno di un vestito può bene innamorarsi: quanti uomini non fanno altrettanto? E poi ti porterà fortuna.

Ma anche lei, che nonostante i suoi diciotto anni aveva già la saggezza melanconica della gente solitaria, domandò col suo languido riso di beffa:

– Che cosa è la fortuna?

FORZE OCCULTE

Piegata sul suo piccolo registro, la signorina Giovanna, levatrice, faceva i conti dei suoi proventi mensili. Era, nel pietroso paese di montagna, la sola donna che, oltre la maestra di scuola, guadagnava: anzi, quella che guadagnava di più. Ed era bella, giovane, forte: e, anche questo conta, onestissima. Eppure il fidanzato l'aveva piantata: perché la famiglia di lui, sebbene povera e a suo carico, cioè del suo magro stipendio di segretario del Comune, non solo si era opposta ai suoi progetti amorosi, ma lo aveva persuaso a sposare una cugina, anche lei senza dote e per di più malaticcia: così l'onore della casta era salvo.

Poiché la signorina Giovanna, di altro paese, era figlia, si diceva, di un domatore di cavalli.

Si era di giugno: mese laborioso, per lei; i paesani del luogo si sposavano quasi tutti a settembre, forse perché cominciava il fresco forse perché le raccolte erano finite e le vigne non allignavano nei terreni intorno, forse perché ricorreva la festa del paese. Giovanna aveva assistito tre spose novelle e una matrona al suo decimo figlio: e poi ce n'erano altre, e fra le altre *quella*, la sposa del suo traditore. Ma per costei ancora non era stata chiamata, e forse non lo sarebbe: si preferiva consultare il dottore, che in casi gravi funzionava anche da ostetrico e da chirurgo.

– Meglio – disse a voce alta la giovine donna, e la sua voce le tornò indietro, vicina eppur lontana, come un'eco, dalla muraglia di rocce che si alzava sopra il sentiero a fianco della sua casa. Casa un po' strana, grande e abitata solo da lei e da una sua serva; un tempo era stata la sede del Comune, ma da qualche anno, dopo la costruzione del nuovo Municipio, veniva offerta gratis ai dipendenti di questo. Nessuno però la voleva neppure la maestrina, perché le stanze erano grandi e, d'inverno, gelate, e piene di topi e di scarafaggi. La serva non chiudeva occhio quando la signorina doveva uscire di notte per il suo mestiere; e Giovanna, a sua volta, sebbene coraggiosa e senza pregiudizi, possedeva una rivoltella col relativo porto d'armi.

La rivoltella è lì, anche quella sera, sulla tavola da pranzo che serve da scrittoio, come la grande stanza, terrena, è adibita a uso di salotto e, occorrendo, da sala e ufficio di consultazioni. Un lume a petrolio rischiara la stanza; le finestre sono chiuse, sebbene la notte, fuori, sia già un po' calda, ricca di luna e di stelle.

Ma Giovanna aveva paura più delle stelle e del profumo del tasso e del lamento dell'assiolo sul ciglione, che dei malviventi notturni. Il pericolo, e pericolo di morte, e di cose più terribili ancora della morte, era nel silenzio di quelle sere di giugno, se ella si affacciava alla finestra; il nemico sobbalzava allora dalla profondità del suo spirito come da un cespuglio di rovi, e la rivoltella non bastava a difenderla, anzi passava nelle mani dell'assassino e diventava un'arma demoniaca. Poiché oramai era destinata alla vendetta, e Giovanna aspettava solo l'occasione favorevole per poter uccidere con sicurezza l'uomo che l'aveva tradita.

L'occasione si presentò appunto quella sera: ma in maniera così favorevole da sembrare un sogno. La serva era già andata a letto, non essendoci quella notte probabilità per la padrona di uscire: e questa finiva di fare i suoi conti sul piccolo registro quando uno dei vetri della finestra verso il ciglione parve incrinarsi. Qualcuno aveva buttato una pietruzza: la lieve vibrazione della lastra colpita si ripercosse nel sangue di Giovanna con una violenza quasi di terrore. Ella riconosceva quel segnale: quel segnale che aveva creduto di non sentire mai più nella sua vita, sebbene appunto nei sogni crudeli la ferisse come una freccia avvelenata.

Anche adesso, dunque, le sembra di sognare: sotto l'arco ombroso delle sopracciglia maschie, gli occhi s'aprono con fissità di spavento: il segnale si ripete. È lui, che, come un tempo, l'avverte della sua presenza.

Dopo il primo turbamento, ella pensò che potesse essere qualche altro: forse un ragazzo ancora in giro, con quella bella notte già estiva. Ma il cuore non la ingannava. Il colpo si ripeté una terza volta: poi non più. Questo era il vero segnale, convenuto un tempo fra loro, e che nessuno conosceva. E le venne da sogghignare, ricordandosi che si vedevano di nascosto per paura della famiglia di lui: era lui che faceva la parte donnesca. E invero qualche cosa di femmineo lo aveva: una dolcezza, una passionalità svertebrata, un colore d'incoscienza e quasi di abulia. Ed era cresciuto sempre in mezzo a donne: la madre, le zie, le sorelle, le cugine, prendendo la parte debole del loro carattere: anche per questo era piaciuto a lei, forte di spirito e di corpo.

Ricordò, in un attimo, le promesse che egli le faceva, nei momenti di maggiore abbandono: che l'avrebbe amata sempre, anche se costretti a separarsi, anche se lei lo avesse respinto e calpestato: e forse Dio le mandava adesso una occasione di vendetta ben più crudele di quella meditata da lei.

Si alzò e guardò attraverso i vetri della finestra, senza persiana, munita però d'inferriata. Egli stava lì, nel vicolo sotto il ciglione sopra il quale cadeva la luna: vestiva di nero, col cappello tirato sugli occhi, il viso in ombra: ma le sue mani bianche di scriba, illuminate dalla luna, parevano fosforescenti; avrebbe avuto una parvenza di fantasma senza il cerchietto d'oro dell'anello matrimoniale che egli sembrava mettere in mostra per avvisare Giovanna della distanza che li separava. Questa fu l'impressione di lei: e un tumulto di odio, di rabbia, di sdegno per l'insultante presenza di lui, la sospinse e risospinse, come un'onda malvagia, dalla finestra alla tavola, dalla tavola alla finestra, più volte, facendole afferrare e rimettere e poi riprendere l'arma.

La rimise ancora: infine, poiché l'uomo non se ne andava, aprì con dispetto le imposte, fingendo di non riconoscerlo. Egli sollevò il viso, col mento bianco di luna e il resto come mascherato da una bautta: non parlò; ma ella vide quel mento, con la fossetta profonda, tremare visibilmente, e si placò di nuovo, quasi beffarda. La sua voce vibrò nel silenzio, sforzata, come quella di uno che vuole spaventare un monello disturbatore.

– Beh, che vuole?

Egli fa due passi in avanti, si toglie il cappello, e adesso anche i suoi occhiali e i suoi capelli neri luccicano alla luna, mentre le mani si nascondono quasi impaurite.

– Signorina, – dice sottovoce, come ripassando una lezione, – bisogna che lei venga, a casa mia. Il dottore è fuori, per un consulto urgente, e la cosa è venuta d'improvviso, prima del tempo.

Ella capisce benissimo di che si tratta: e vorrebbe ridere, gridare: «E a me che importa? Vada via» ma egli prende coraggio, alza la voce, non ha paura di farsi sentire. – Bisogna che venga. Subito. C'è pericolo.

Le sembrò il grido di uno che, in pericolo di vita, domanda aiuto: e chi lo sente non può, senza tradire le divine e umane leggi, negarglielo. Lei, inoltre, era obbligata, per il contratto col Comune, ad assistere chi richiedeva la sua opera. Una cosa era vendicarsi, un'altra compiere il proprio dovere civile. In fondo, poi, soffiava il demonio. Pericolo? Per chi? Per la madre o per il figlio? In tutti i casi, forse, le si offriva la vera vendetta. Intanto, senza più aprire bocca, cercò la sua borsa di pronto soccorso, incerta, per un momento, se prendere o no la rivoltella. Non la prese: bussò all'uscio della serva, per avvertirla che usciva, e seguì l'uomo senza parlare.

La casa di lui non era distante, solitaria in riva allo stradone bianco del chiarore liquido della luna. Se Giovanna avesse voluto vendicarsi, nessuno se ne sarebbe accorto. Per il momento ella non vi pensava: quando però vide la casa di lui, con le finestre illuminate, un dolore quasi bestiale la riprese: e i pensieri malvagi, l'odio fiammeggiante, il desiderio di sangue e di morte la fermarono sull'orlo della strada. Sentì paura: paura di sé stessa, di entrare in quella casa e far del male alla donna innocente.

L'uomo dovette accorgersi della sua indecisione perché si volse a guardarla; e d'un colpo cadde riverso, con le braccia aperte, nero sulla polvere bianca, crocefisso sulla sua ombra.

– Sincope: soffriva di cuore – disse poi il dottore; e con malizia aggiunse: – la preoccupazione per la moglie, e qualche altra cosa lo colpirono.

Qualche altra cosa, sì, e Giovanna sentiva nel nido aggrovigliato e spinoso del suo cuore il serpente del rimorso e il terrore delle forze occulte, con le quali la volontà dell'uomo può, col suo odio, scatenare il male.

LE BESTIE PARLANO

Una sera di gennaio *Fancin* il famiglio, che sonnecchiava nascosto fra la parete della stalla e i fianchi caldi ed elastici della vacca rossa stretta a sua volta dai mucchi grigi e neri delle sue compagne, fu svegliato dalle voci delle donne che parlavano di Sant'Antonio abate protettore delle acque, del fuoco e delle bestie. La voce maschia della vecchia padrona pronunziava anche il nome di *Fancin*; *Fancin* quindi stette immobile ad ascoltare.

– No, le bestie non parlano; miracoli non ne accadono più, Sant'Antonio abate è in collera con la gente ladra, coi comunisti che non rispettano la roba altrui. Il nostro *Fancin*, del resto, un anno, mentre nella piazza si faceva la benedizione delle bestie, vide Sant'Antonio volger la testa indietro come per dire: benedite, benedite pure, a me non importa niente!

– *Fancin* non fa altro che burlarsi del prossimo – disse una voce aspra. – A diciott'anni, grande e grosso com'è non pensa che a ridere e a dir bugie.

– E a dormire e mangiare...

– Ah, brutta stirpe... – mormora *Fancin* dietro la vacca rossa: ma a difenderlo pensa la sua vecchia padrona. La voce maschia insiste:

– Questa di Sant'Antonio abate non è bugia. *Fancin* l'ha sempre raccontata: egli ha proprio veduto il santo volger la testa come per dire: benedite, benedite pure, a me non importa un corno.

Ma subito s'udì un trillo, una voce ridente, e tosto *Fancin*, sebbene ad occhi chiusi, vide la figurina bionda ed il viso rosso della padrona giovane.

– E questo non è un miracolo se non è bugia di *Fancin*?

– No, Palmira, i miracoli son quelli buoni.

Allora altre voci risuonarono, tutte alte e forti, e la discussione si fece viva, animata, fra il ruminare e l'alitare tranquillo delle vacche, fra il muoversi delle ombre delle teste e dei fusi sulle pareti e sul soffitto. Dal vetro appannato del finestruolo una scintilla della luna che rischiarava la pianura bianca e nera come un cimitero enorme, guardava, e pareva una pupilla meravigliata che in quell'angolo del mondo cristallizzato dal gelo si facesse ancora tanto chiasso.

Fancin ascoltava e si sentiva così beato che gli pareva d'esser disteso dietro la siepe, in una bella sera di giugno, fra il gracidare delle rane.

Ecco la vecchia padrona, il cui viso paffuto e roseo, la falsa trecciolina rossa, gli occhietti lattiginosi, gli zoccoli civettuoli e le calze azzurre giustificano pienamente il nome infantile di *Caterinin*, eccola trasformata in un bel rospo grassotto, che dirige il coro: la sua voce maschia e sgradevole stona ma vince le altre; e la rosea Palmira, la giovine nuora, è la ranella trillante, e la Peppa che ha il marito mugnaio ed è abituata a gridare per vincere il rumor della ruota, è una vecchia rana un po' rauca dal troppo gracidare, e solo la *Bustighina* che nessuno ha mai veduto senza il fuso e la connocchia, simile anch'essa a un fuso, piccolina, magrolina, tutta testa e dalle cui dita il filo grigio e lucente pare esca per virtù naturale, come l'acqua dalla fontana, solo lei ha una voce bassa e monotona di ranocchia stanca, che se ne va lungo il fosso e sta per addormentarsi fra i giunchi nerastri.

Fancin ride fra sé. Le donne discutono ed a momenti si accapigliano, chi sostenendo, chi negando che nella notte di Sant'Antonio le bestie parlano; ed egli pensa: – E loro adesso che cosa fanno? – e il desiderio di spaventarle urlando e mugolando come un bue, gli gonfia la gola. Ma una proposta della ridente Palmira lo richiamò al rispetto delle sue padrone.

– Sentite ragazze, facciamo una cosa: venerdì sera, vigilia di Sant'Antonio, restiamo alzate fino a mezzanotte, facciamo una bella cenetta e così sentiremo se le bestie parlano o no.

– *Mi no, mi no!* – disse la *Bustighina*, come parlando al suo fuso. – Io ho paura.

– Quella sì, è una brutta bestia, la paura. E l'avarizia? Brutta bestiaccia anch'essa. Eh, voi, *Bustighina*, non volete venire per non portare uno dei vostri conigli arrosto...

– Non è per il coniglio, ma io ho paura di stare al buio e se non è buio le bestie non parlano.

– Spegneremo il lume solo dopo la cena e vi daremo la mano.

– *Mi no, mi no.*

– Ebbene, vecchia avara, se non verrete, io vi ruberò il coniglio. E la mamma ci darà il cappone e la Peppa porterà la farina per fare i gnocchi, e voi *Carulina* il formaggio parmigiano da grattare e il burro ed io i salamini e due bottiglie di lambrusco, e voi Stellina la zucca arrostita, e tu, Fermina, tre bottiglie... e tu Tognina questo, e voi Cleonice, quest'altro...

Fancin, dietro la vacca, si sentiva di nuovo la gola gonfia dal desiderio di gridare:

– Brave! Invitatemi, ed io porterò il mio appetito...

– Quando saranno andati a letto gli uomini, – via, i maschiacci! – noi quatte, quatte, perdincolina, faremo un po' d'allegria. Vedrete che *Cesar* il bifolco ci troverà ancora qui all'alba quando verrà per "governare" le bestie. Ci divertiremo e staremo allegre. Su, *Bustighina*, sollevate il vostro musino: parlate!

Le donne ridevano, e più di tutte la *Caterinin*; sì, i tempi son tristi, la gente ladra, i santi sono in collera, ma, perdincolina, quando si tratta di spassarsi un poco, sia pure di venerdì, bisogna ricordarsi che la vita è breve e che più si è vecchi meno giorni restano.

Solo la *Bustighina* continuava a trarre il filo dalle sue dita ed a raccontare storie di morti, di spiriti, di bestie misteriose, di vendette divine. La sua voce, nel coro delle altre, finiva col mettere come una nota bassa, melanconica ma insistente e paurosa; tale la voce della coscienza nel tumulto delle tentazioni. Ma *Fancin* dietro la vacca approvava anche quella voce. Bene, bene, tutto può servire ai fini dell'uomo furbo.

Fancin era persuaso di essere quest'uomo. Nei giorni seguenti, mentre le donne non facevano che ridere alludendo velatamente al loro progetto, – i conigli della *Bustighina*, la farina del mugnaio, le bottiglie, i salamini, i morti, le bestie, la vigilia di Sant'Antonio, tutto era per loro oggetto di scherzo e di allusioni allegre, – *Fancin* sorrideva fra sé, con l'aria fra beata e inquieta d'un amante che sente approssimarsi l'ora d'un convegno agognato.

Il venerdì mattina, vigilia di Sant'Antonio, *Cesar* il bifolco sorprese il famiglio nel fienile sopra la stalla in attitudine sospetta. Toltasi la giacca ch'era lunga un metro, *Fancin* ne aveva distaccato la fodera, e adesso in maniche di camicia nonostante il freddo, praticava un buco nel pavimento, sollevando due mattoni già smossi, ma poi lasciandoli, appoggiati ai travicelli del soffitto della stalla. Il bifolco, un uomo secco e dritto di corpo e d'anima, era lo stesso che una volta, ad un frate questuante che domandava del frumentone, aveva presentato con bel garbo una zappa dicendogli:

– Volete del frumento? Ebbene, eccovi una buona zappa; prendetela: venite meco a zappare; e poi ricordatevi che c'è da fare la incalzatura, la battitura; e poi c'è da portare i cartocci sul fienile... e poi se il vostro buon Dio farà venire la pioggia quando occorre, in modo che il frumento cresca e maturi, ne avrete anche voi la vostra parte...

Il frate era scappato e non s'era più visto: la gente rideva ancora del fatto, ma i servi ed i famigli della vecchia *Caterinin* rispettavano più *Cesar* che la padrona, e s'egli si presentava all'improvviso trasalivano anche.

Fancin decise dunque immediatamente di spiegare la sua presenza ad ora insolita nel fienile, e raccontò al bifolco della cena progettata dalle donne e del proposito, da parte sua, di spaventarle per farsi almeno invitare.

Egli non sperava in *Cesar* un complice; quindi fu doppiamente felice quando l'austero bifolco disse con la calma di un giudice che sentenzia e castiga:

– Ah, birbanti di donne! Noi a letto e loro a gozzovigliare? Sta bene: ora a noi!

E i due complici e giustizieri presero gli accordi necessari: *Fancin* si mise a cucire la fodera della sua giacca, dandole la forma d'una calza enorme, pungendosi le dita che sembravano rosei salamini, e *Cesar* portò su nel fienile un grande imbuto arrugginito.

Alla sera il famiglio dovette ripetere alle donne la storiella della sgarbatezza di Sant'Antonio abate, visto da lui ragazzetto a volger la testa dall'altra parte mentre nella piazza i bifolchi distribuivano il pane alle bestie e il prete le benediceva; e *Cesar* raccontò anche lui un fatto impressionante.

– Sì, le bestie parlano. Qualche anno fa nel Parmigiano un padrone volle rimanere alzato tutta la notte della vigilia di

Sant'Antonio per sentire ciò che esse dicevano. Difatti alla mezzanotte precisa un bue si alzò e disse:

– Il padrone...

– Morrà... – rispose subito una vacca; e un altro bue concluse:

– Domani...

Il padrone scappò inorridito e vagò a lungo nella notte gelida. L'indomani lo trovarono svenuto sull'argine del Po; lo portarono a casa, ma dopo qualche ora di febbre violenta morì...

Le donne si guardavano fra loro e ridevano, ma un lieve fremito di terrore vibrava nelle loro risate: la piccola *Bustighina* sollevò il viso dal suo fuso, ma uno sguardo imperioso della *Caterinin* glielo fece riabbassare.

La conversazione languiva: era una serata fredda, nebbiosa, e tutti sembravano preoccupati.

Finalmente i vecchi si ritirarono e solo il bifolco ed il famiglio s'indugiavano giocando a carte.

Fancin fissava le sue e si morsicava le labbra rosee per non ridere; ma la dama di picche, alla quale egli pareva ripetesse la storiella di Sant'Antonio, gli sorrideva beffarda col suo viso giallo stretto fra due raspi neri, e il fante di cuori col suo berrettino rosso, la piuma, i lunghi baffi violetti, era così buffo che infine *Fancin* scoppiò. Fu una risata rumorosa, ma breve, *Cesar* sotto la panca gli aveva schiacciato un piede.

– *Fancin*, sei più scemo del solito! Va a letto, che farai meglio: domani mattina devi alzarti presto per pulire le bestie e condurle alla benedizione.

Fancin era un ragazzo obbediente. S'alzò subito e si stirò tutto, piegandosi all'indietro sulla schiena, sporgendo i gomiti e stendendo poi le braccia al di sopra del capo: le sue giunture stridevano come cardini di ferro.

– Vado, vado: sono stanco e farò tutto un sonno.

Il bifolco lo seguì, ed entrambi cauti e tragici come ladri salirono sul fienile.

Le donne stettero alquanto in silenzio, tra il ronfare ed il ruminare delle bestie; e avevano anch'esse sul viso, rischiarato solo a metà dall'oro tremulo di una lampadina posta su un angolo della tavola, qualcosa di tragico come una maschera d'ombra. Ma il trillo della giovine nuora ruppe l'incantesimo.

– Ohé, che si fa, ragazze? Si recita il rosario? *Bustighina*, e il vostro coniglio come va di salute? *Andom, andom!* Voi Peppa accendete il fuoco in cucina, e tu, Stellina, e voi Carulina, e voi Cleonice... su, su, fate questo, fate quest'altro... presto... presto... *andom, andom* che è tardi... prima di mezzanotte tutto deve essere finito, perché come sapete allora bisogna spegnere il lume...

E mentre la *Bustighina* continua a filare, rigida e melanconica come una Parca, la vecchia *Caterinin* scuote il capo e sul suo viso di melograno brilla un sorriso d'approvazione, – sì, sì, bisogna affrettarsi, la vita è breve; – e le altre donne si agitano, escono, rientrano, s'incontrano sull'uscio, confabulano, apparecchiano.

Già tutto è pronto sulla mensa improvvisata con due panche unite; il vassoio col salame rosseggia come una macchia di sangue; il coniglio che la *Bustighina* aveva consegnato vivo e bianco alla Stellina, riappare intero ma tutto coperto da una crosta dorata e raggomitolato come in uno spasimo di terrore; dalla zuppiera coi rosei gnocchi esala una nuvoletta fragrante e le fiammelle dei fuochi fatui della gioia brillano entro le bottiglie nere.

E le donne si dispongono in circolo attorno alla mensa: ciascuna di loro ha in mano una scodella dorata, con dentro un po' di gnocchi sui quali aspettano che la Palmira versi il vino spumante: silenziose, gravi, sembrano intente ad un rito. La giovine nuora, curva e coi bei capelli biondi dorati dalla luce della lampadina, stura una bottiglia, stringendola fra le ginocchia, e prega sottovoce il tappo di venir fuori, di non far rumore, di non far scoppiare il vetro... Ma il tappo fa tutto il contrario e, come un uccello liberato dopo lunga prigionia, appena tagliata la corda, vola e la spuma rossa del lambrusco lo segue follemente su fino al soffitto.

Allora, come svegliati e offesi da questo soffio di vita e di gioia, i terribili spiriti che pareva avessero per tutta la sera sonnecchiato negli angoli bui della stalla, scoppiarono anch'essi: e una gamba mostruosa apparve fra i travicelli del soffitto, come la gamba d'un gigante che stesse per precipitare sulle donne, e una voce cavernosa, fra muggiti e mugolii, urlò:

A let a let: Santantoni al c'manda;
S'an vrì mia creder
Guardé qé la gamba[1].

Seguì l'urlo della *Bustighina*: le donne deposero le scodelle rovesciando la lampada. La vacca rossa si alzò spaventata e mugolò e in un attimo tutte le altre bestie furono su scalpitando e muggendo, fra un rumore di stoviglie rotte, di gridi soffocati, di gente in fuga.

Poi fu buio, mistero: la vacca rossa pareva parlasse con una voce mostruosa e terribile. Allora i due burloni, visto che le donne non tornavano, scesero per la botola del fienile, e il bifolco chiuse con calma la porta e il finestrino della stalla, mentre *Fancin* si aggirava di qua e di là al buio, cercando, annusando come un cane da caccia.

1. A letto a letto: Sant'Antonio lo comanda; / Se non ci credete / Guardate qui la gamba.

L'ANGELO

L'appuntamento era alle cinque, in cima al molo. Alle cinque, verso la fine di ottobre, il sole è già basso sull'orizzonte, sopra la pineta violacea e rossa di tramonto: ma c'era abbastanza tempo per fare appunto una passeggiata in pineta, o procurarsi qualche altro modo per stare assieme almeno un paio d'ore. Assieme, in un incontro alla superficie innocente e luminoso come quel mare calmo e già freddo dove le paranze uscite dal porto si riflettevano come in un vero specchio: alla superficie: ma sotto? Come il mare più celestiale copre gli abissi e i mostri più infernali, così è un amore che non ha uno sbocco se non nel peccato. E che altro sbocco poteva avere la relazione fra un'operaia e un ricco giovine signore? Ma lui era un sensuale, sciocco e momentaneamente innamorato, e lei aveva il dono della bellezza e la forza dell'ambizione.

Uscendo dalla piccola fabbrica di maglie, dove lavorava a cottimo, scese per il viale deserto che conduce al mare. Aveva una falsa volpe nera intorno al collo, sul vestito scuro succinto che lasciava vedere le belle gambe e indovinare le linee del corpo perfetto; e se la stringeva al viso quasi per tentare di nascondersi. E camminava rapida, come fingendo di tornare a casa, nell'umile borgo dei pescatori, dove viveva con la nonna, poiché il padre era morto in un naufragio, e la madre poco dopo, stroncata dal dolore; ma in realtà aveva detto alla vecchia che sarebbe rimasta fino a tardi nella fabbrica; e si diresse quindi alla spiaggia. Era più sicura la spiaggia, in quell'ora e in quel tempo assolutamente deserta.

Tutti i villeggianti erano andati via; le ville chiuse, tranne quella, in forma di castello, del giovane signore, che vi era rimasto solo, e in quei bei mattini d'ottobre – quando il mormorio di conchiglia della bassa marea accompagnava le cantilene dei vecchi raccoglitori di *poverazze*, e in lontananza, dalle vigne azzurre e dai campi arati arrivavano le voci dei contadini che aizzavano i buoi – si affacciava ancora al balcone, in pigiama di seta celeste, come il principe della leggenda.

La ragazza sapeva che era rimasto per lei, che la voleva, che l'aspettava quel giorno, per "concludere" qualche cosa. Che cosa si poteva concludere? Tutto e nulla. Forse dipendeva da lei, dalla sua volontà, ma anche dalla passione malsana in cui si sentiva travolta: poiché l'uomo non le piaceva molto, ma le piacevano i suoi milioni. E dopo tutto era libera: c'era la nonna, ispida e umiliata come una scopa vecchia, c'erano i pochi parenti, tutti uomini di mare, statue di stracci e di sale, sempre alle prese con la povertà e con la morte. Che potevano farle? Forse anche rallegrarsi della sua fortuna. Tuttavia procedeva guardinga, ricordando però molti esempi, viventi e vicini, di relazioni simili alla sua, se non peggio, oh, molto peggio anche; e il mondo camminava lo stesso: e lei era stanca della sua vita miserabile, e giacché s'era presentata l'occasione, dopo tante altre occasioni modeste o addirittura meschine, voleva profittarne.

La spiaggia era deserta, l'arenile duro come una strada battuta: fin là si vedeva nitida, sulla punta del molo, la figura nera di un uomo. Ella affrettò il passo, leggera e trepida. Le pareva di volare, sulla linea perlata del mare, come una rondine marina che insegue il suo compagno.

Ma d'improvviso si sentì inseguita, raggiunta, non sorpassata, più che da un passo da un soffio, come appunto di ali: e lievemente trasalì, quando alla sua destra, a poca distanza, vide una ragazza, quasi una bambina, coi capelli corti e lisci, di un biondo di rame, fasciati da un nastro azzurro. Anche il vestito, ancora estivo, era azzurro; e anche il profilo, le braccia esili e nude, le gambe nude, sottili come ceri, i sandali di pelle bianca, avevano una luminosità azzurra, come se tutta la figura di lei fosse balzata dal mare. Non doveva essere una villeggiante, una frequentatrice della spiaggia, perché sotto quella vaporosità incorporea, la sua pelle era bianca, quasi trasparente come l'alabastro. Gli occhi, l'altra non glieli vide, anche perché li sfuggì, nascondendosi di nuovo il viso con la sua volpe tenebrosa. Del resto la fanciulla, pur camminandole a poco più di due metri di distanza, pareva non la vedesse: a volte si piegava a raccogliere una conchiglia o un osso di seppia, che lasciava ricadere sulla sabbia: e allora sembrava proprio una bambina.

E l'altra cominciò a infastidirsi: ecco passata l'ultima villa, ecco la duna che precedeva i macigni di sostegno del molo: adesso si vedeva chiara, sul cielo d'argento azzurro, la figura del giovine, fanciullesca, in costume sportivo, e anche quella di un cane che egli teneva al guinzaglio. Come attirato dallo sguardo della ragazza, egli si mosse per venirle incontro, ma quando fu a metà della palizzata si fermò, incerto, e aspettò che salisse lei la duna e s'inoltrasse sul molo. Certo, vedeva la signorina dal vestito azzurro, che pareva si accompagnasse amichevolmente all'altra, e si fermava con prudenza. Poiché neppure lui voleva che la gente molto pettegola del paese chiacchierasse delle cose sue, e queste cose venissero poi riferite a papà e mamma. D'un balzo, indispettita, la ragazza della volpe salì la duna, fu sulle pietre del molo: sperava che l'importuna tornasse indietro; ma la vide che saliva anche lei, più leggera di lei, la piccola duna e si librava sull'orlo della palizzata, azzurra sull'azzurro del mare, quasi irreale.

Che fare? Non le si poteva certo impedire di fare il comodo suo: la passeggiata era di tutti, e anche un gruppo di ragazzi irruppe dalla strada erbosa che andava verso il borgo dei pescatori. Ma di essi la ragazza non aveva soggezione: erano troppo presi da loro stessi per badare a lei: quella invece, l'importuna, sempre alla sua destra, sull'orlo del molo, le sembrava una spia pericolosa, quasi una rivale gelosa che la seguisse per far magari, al momento opportuno, uno scandalo. Del resto il giovane sembrava più preoccupato dei ragazzi del borgo che della signorina in celeste: pareva non la vedesse neppure, un po' chino come a guardare i pesciolini allegri che affioravano sull'acqua trasparente, in una rete d'oro che ondulava intorno ad essi senza volerli pescare. Anche il cane, piccolo e duro, li guardava: ma i suoi occhi, pur riflettendo il lucente gioco dell'acqua, sembravano, nella bautta marrone che li circondava, attoniti e tristi come quelli della volpe della ragazza.

Ella d'un tratto, impazientita, se la tolse, questa volpe, e la sbatté; poi sedette su uno dei ceppi levigati dei pali che circondavano l'estremità del molo, e sollevò il viso con aria di sfida, anzi con un po' di sfrontatezza. L'altra sedette anche lei, due ceppi distante, e le voltò un po' le spalle guardando il tramonto. Sullo sfondo ardente, dentellato dal profilo della pineta, ella parve disegnarsi su una lamina d'oro con l'estremità azzurra del vestito sciolta nell'azzurro del mare. E gli occhi non si vedevano mai, anche adesso che l'altra li cercava coi suoi, cupi e avidi di peccato, di dispetto, col riflesso del sole che pareva li iniettasse di sangue.

E perché quel badalucco rimaneva impalato là in mezzo alla palizzata, con la catenella del cagnolino da signora fra le dita intrecciate sulla martingala della sua giacca, anch'essa di un taglio femmineo? Ebbe voglia di avvicinarlo, di sollecitarlo lei: ma d'improvviso sentì vergogna e anche umiliazione: e forse anche un po' di orgoglio. Le pareva che l'altra sapesse tutto, di lei e dei suoi cattivi propositi, e dentro di sé la irridesse: questo, più che l'ambiguo contegno del giovane, la irritava e l'umiliava. Ma questa stessa contrarietà le fece, per un momento, apparire il quadro grigio della casetta, ove la nonna, povera e irsuta come una vecchia bestia da fatica, puliva il pesce per la loro cena: povera e irsuta, sì, ma col peso degli anni e dei lunghi dolori, e della pazienza e dell'amore, gettato sulla schiena come il sacco del frumento sulla groppa dell'asino.

Il sole intanto andava giù, rosso infocato; anche il mare si faceva rosso, e il vestito azzurro risplendeva, ma come rischiarato dallo splendore interno del corpo della sconosciuta. E, ormai sicura ch'ella non se ne sarebbe andata, l'altra le volse anche lei le spalle e guardò le paranze che si libravano fra cielo e mare, sul tremulo fuoco dei loro riflessi. E là erano gli uomini della sua razza, le statue di stracci e di sale, sempre in lotta con la povertà e la morte: ma in questo momento anch'essi risplendevano come statue d'oro.

La prese una specie d'incantesimo; ricordò la notte in cui suo padre era stato divorato dal mare. Qualche cosa, però, la trasse subito dall'abisso spaventoso di questo ricordo; le parve di cadere, come si cade nei brutti sogni, e di svegliarsi di soprassalto col sollievo di aver solo sognato.

Allora si volse e vide che l'uomo se n'era andato e sentì un disgusto, un profondo disprezzo per lui; e nello stesso tempo un senso di gioia per constatarne in tempo la vigliaccheria.

Si alzò; guardò in viso la fanciulla che rimaneva al suo posto, ma aveva volto finalmente gli occhi verso di lei. E anche questi occhi erano azzurri, di quell'azzurro che si vede negli archi.

Anni dopo, in cima al molo, raccontò, a modo suo, l'avventura al rude e arguto marito, padrone di una bella coppia di paranze; egli sorrise e le disse:

– Era l'angelo custode.

I GUARDIANI

Il vecchio salinarolo Tromba aveva ereditato da sua figlia Orsola un sacco: per di più era un sacco di carta, spessa e solida, sì da sembrare stoffa, di un colore neutro, fra il grigio e il giallo, ma sempre carta. Dentro, però, profumata di canfora e naftalina c'era una pelliccia quasi nuova, di martora, di un certo valore.

– Cosa ho da farmene io, di questa bestia? – egli diceva, senza tirar fuori la pelliccia, che era ben fornita del suo attaccapanni brevettato, in modo che bastava collocarla nel guardaroba e star sicuri della sua incolumità. L'affare è che Tromba non aveva guardaroba: solo una cassapanca, già stata, col corredo di lenzuola grandi e grosse come vele, e una coperta di lana di capra, la sola dote della sua prima moglie. La seconda, che aveva fatto scappare di casa la figliastra Orsola, la quale, bisogna dirlo, aspettava la prima occasione per pigliare il volo, di dote possedeva esclusivamente la lingua lunga e le mani vivaci. Adesso le tre donne erano morte, sia pace all'anima loro, e il vecchio viveva anch'esso in pace, nella sua casetta nel borgo dei salinaroli. Durante la bella stagione lavorava, anche lui a cottimo come gli altri suoi compagni, nelle saline poco distanti: d'inverno si beveva in tanto buon Sangiovese i guadagni estivi: una bicicletta, un cagnolino bassotto bastardo, chiamato Trombin in omaggio al padrone, una cornacchia nera, con gli occhi celesti, formavano la sua famiglia: e mai famiglia era andata più d'accordo di così: veramente qualche volta la Checca, la bella cornacchia, autoritaria e dispettosa, per semplice gelosia rubava il cibo al cane e lo nascondeva; e durante la notte dormiva appollaiata sul manubrio della bicicletta, spruzzandola di schizzi che parevano di calce. Eppure la più ben voluta era lei; la vera padrona della casa era lei: più del tremebondo Trombin badava lei alla roba del vecchio, che del resto era ben poca, ed egli poteva lasciare aperta la sua dimora, tanto i ragazzi e i grandi, anche, conoscevano le furiose e sanguinose beccate dell'inesorabile guardiana. Del resto tutti nel borgo le volevano bene, la chiamavano passando nella strada, ed essa rispondeva, con gracchi benevoli o cattivi, conforme capiva se i suoi amici erano veri o falsi. A sua volta, specialmente se il vecchio era fuori di casa, essa chiamava il cane, con una strana voce gutturale, e la bestia accorreva al richiamo come a quello di un energico padrone.

Durante il cattivo tempo il salinarolo non andava al lavoro: e quell'anno la stagione era davvero disgraziata, per lui e per tutti: pioveva sempre; la raccolta del sale scarseggiava quindi, e si prevedeva un inverno di carestia: carestia di vino, più che di pane, poiché al pane quotidiano il padre nostro che è nei cieli provvede sempre. Ma per il vecchio Tromba il pane passava in seconda linea: egli aveva bisogno assoluto del Sangiovese, anche non di prima qualità, e l'inverno gli faceva paura. Potevi risparmiare un poco, l'anno scorso, vecchio sibarita; i guadagni erano stati cospicui, addirittura incredibili, poiché la stagione calda non cessava mai; tutti finiti nelle tasche dell'oste della piazza, che serviva anche gli americani che svernavano nel Grande Albergo della Marina.

Quest'anno, dunque, piove: e sono, a giorni, piogge torrenziali che del fosso lungo la strada del borgo fanno un fiume tumultuoso: ed è una fortuna, questo fosso, per i salinaroli, altrimenti le loro catapecchie verrebbero allagate e schiantate. Il vecchio chiudeva la porticina e accendeva il fuoco: ma tali erano i suoi sospiri che la fiamma ne tremava, e la Checca, quasi per confortarlo, gli saltava sull'omero e gli beccava lievemente i peli della nuca.

– Lasciami in pace, figlia di Dio; come si farà quest'inverno? Non avrò da darvi neppure da mangiare, a meno che non si vada a chiedere l'elemosina in piazza.

Quello che egli voleva in piazza, sotto i portici dell'osteria, lo sapeva ben lui: e la Checca, che lo sapeva anche lei, gli beccava più forte i peli della nuca.

Ma quando si trattò del sacco, l'orizzonte si schiarì come in un bel tramonto di estate. Il vecchio sapeva, per averlo sentito dire, che quelle robe da signora costano: e sua figlia Orsola, disgraziata, se non era stata una signora, le robe da signora le aveva usate: probabilmente, anzi, si era perduta per quelle: sia pace all'anima sua.

Egli chiamò quindi una sua vicina di casa, stata anche lei in città, e che adesso andava a fare qualche servizio nell'albergo della Marina, per chiederle se trovava da vendere la pelliccia: le avrebbe dato una percentuale.

La pelliccia, collocata lunga distesa ancora dentro il sacco, nella cassapanca nera, fu tirata fuori, per la prima volta, con cautela religiosa; e la donna la scosse, la portò accanto alla porticina per meglio esaminarla. Una scena curiosa avvenne allora. Il cane si mise ad abbaiare come non lo aveva fatto mai; e la Checca, scesa a precipizio dal manubrio della bicicletta, dapprima si gonfiò e volle investire la donna, poi, veduta meglio la pelliccia, si nascose spaventata sotto il giaciglio del padrone. Rise questi, con la sua bocca sdentata, e rise la donna, sebbene avesse una faccia seria e preoccupata, poi esaminò e palpò la fodera di raso fulvo della pelliccia, e passò la mano ruvida sul pelo dai riflessi dorati, assicurandosi che non fosse tarlato. Il vecchio rideva ancora, facendo amichevoli cenni al cane.

– La credono una bestia viva – disse; – ohi, Trombin, di quelle che tu non hai mai cacciato.

Pensierosa, la donna rimise la pelliccia nel sacco e il sacco dentro la cassa. Sì certo, qualche signora dell'albergo avrebbe potuto comprarla, o anche la moglie del dottore; ma trattandosi di roba usata c'era poco da guadagnare.

– Su per giù, quanto?

– Un migliaio di lire.

– Figlia di un cane, – pensò Tromba, – se dici così vuol dire che ne vale almeno duemila – ma fece mentalmente i suoi conti, e gli risultò che anche con mille lire poteva lottare e aver vittoria contro il crudo inverno, suo personale nemico.

Attese, però: i primi freddi potevano aumentare il valore della pelliccia, ed egli intanto si mise in giro in cerca di compratori. Tempo ne aveva; poiché era tempo sempre umido e buio, e già i salinaroli sedevano melanconici e irritati nell'osteria del borgo e litigavano fra di loro o bastonavano le mogli e le belle figlie civette. Lui solo, Tromba, era tranquillo e animato di speranza: poiché tutti oramai sapevano della sua eredità, lo sbeffeggiavano, bonariamente, e gli domandavano denari in prestito: egli scuoteva la testa; andava in giro coi calzoni di fustagno ancora rimboccati sulle gambe ricoperte come da una scaglia di sale, e si recava a confabulare con l'oste della piazza, che, sapendo bene dove i soldi sarebbero andati a finire, si occupava anche lui della vendita della pelliccia. Nulla però si concludeva; e anche il vecchio si immelanconiva.

– Va a finire che me la metto io, quella roba, per scaldarmi: non poteva lasciarmi piuttosto un po' di quattrini quella benedetta creatura di Dio? Sia pace all'anima sua, però.

No, egli non le serbava rancore; né di essere fuggita, né di aver fatto la vita che aveva fatto, e neppure della strana eredità: egli voleva bene a tutti, morti e vivi; e non si arrabbiò eccessivamente quando una notte, rientrando a casa più sereno e ottimista del solito (l'oste della piazza gli faceva credito), trovò il cane sveglio e ringhiante, e la Checca gonfia, vigile anch'essa; ma invece che al suo solito posto passeggiava furiosa sopra il coperchio della cassa, beccandone il legno e gracchiando come quando aveva fame. Il vecchio indovinò la sua disgrazia: fece saltare la cornacchia sul suo braccio e sollevò il coperchio: il sacco c'era, ma floscio, vuoto.

Gli avevano rubato la pelliccia: ebbene, sia fatta la volontà di Dio. Era di origini impure, destinata a finire come la farina del diavolo. Ed egli sedette accanto al fuoco, e parlò col cane e la cornacchia, come con due buoni amici: e le bestie gli rispondevano, a modo loro, con brividi di rabbia il cane, che gli morsicava e tirava l'orlo dei calzoni, quasi volesse trascinarlo a ritrovare il ladro; con lievi gorgoglianti gracchi di protesta e quasi d'angoscia la sensibile Checca: finché tutti e tre si calmarono, ripresero i loro posti, e il vecchio, sotto la coperta di lana di capra della prima sua sposa, sbadigliò e recitò una filza di avemaria, per i morti e per i vivi; sì, una persino per il ladro, va tu pure con Dio, poiché solo a Dio spetta giudicarti e punirti.

Ed ecco, la mattina dopo, viene la vicina di casa, quella che già conosceva la pelliccia: viene come i delinquenti che, spinti da una forza misteriosa, tornano sul luogo del loro delitto: ma appena s'è affacciata alla porta il cane le si avventa addosso come un cinghiale, e la Checca si precipita di volo dalla cassa ormai inutilmente vigilata e le becca le gambe in modo che il sangue macchia le calze della malcapitata.

– Figlia di un cane, sei stata tu – urla il vecchio, chiudendo la porta e sollevando il bastone. La ladra mugolava, correndo da un angolo all'altro della stanzetta, inseguita dai tre giustizieri: finché confessò, atterrita:

– Sì, l'ho presa per farla vedere alla moglie di un forestiero: oggi vi porterò i soldi.

VIA CUPA

Quando si venne a vedere il terreno sul quale doveva sorgere questa nostra casa, su per i ruderi di un viale ancora assiepato di bossi fioriti di calcinacci, fino all'antico cancello che pareva un viso di vecchia dama ancora nobile e austero, con lo stemma e una coroncina di merli e due palle dorate che gli facevano diadema, ma il tutto già devastato dal tempo e dai colpi dei muratori, una bella comitiva di illusioni ci si fece tuttavia incontro, nella limpida mattina di aprile. Il luogo si ostinava a conservare la sua gaudente beatitudine: era stato per molti anni, col suo giardino movimentato, coi viali di pini e querce, con la villa rossa tutta scalini e finestre irregolari, il soggiorno di un cardinale, che vi si era ritirato sdegnosamente dopo il Settanta, ma continuando a combinare feste e ritrovi estrosi di nobili uomini e dame dell'aristocrazia pontificia.

Una quercia cresceva su un piccolo poggio in fondo; e dalla cima di questo romantico belvedere si godeva la distesa dei ciglioni circostanti, azzurri di rugiada; via, fino alla linea dei Monti Albani.

Dunque, ci si illuse che la casetta potesse sorgere su questo poggetto, con la quercia a fianco; e che la villa secolare, la vaccheria primitiva dietro il nostro recinto, con la sua tettoia e i sambuchi intorno, e soprattutto il sentiero incassato fra il muro del giardino e un rialto incoronato di quercioli e di un maestoso platano fremente di foglioline nuove e di uccelli, restassero tali, duraturi, come in una stampa del Piranesi. Ma a cacciar via le graziose provinciali speranze, venne su, zoppicando e ansando, il grosso impresario della Cooperativa per il nuovo quartiere. Stese la mano grassoccia, inanellata, e con un solo gesto, molle e benevolo, cancellò il paesaggio:

– Qui va tutto spianato; qui è la zona dei villini; là delle casette a schiera. Per un po' di tempo resterà la via Cupa, perché abbiamo una divergenza col Municipio; ma sparirà anche quella.

Per consolarci si andò ad esplorare la via Cupa, che era il sentiero fra il muro e il rialto delle querce; tutt'altro che cupo: il sole vi spandeva una luce tiepida e rosea, di fiamma discreta: e c'era come un odore e un'atmosfera di bosco, di fiume vicino. Rampicanti sempre verdi ricoprivano le coste del ciglione, e le ombre dei quercioli si affacciavano, in alto, spiando il nostro incantato procedere; ma pareva che il luogo fosse abituato a questo modo di camminare delle coppie felici, perché le lucertole ci sfioravano i piedi senza spaventarsi, e un gatto nero con un curioso musetto di gufo, appollaiato in una nicchia soleggiata del ciglio, aprì solo un occhio per fissarci quasi insolente.

La spiegazione ce la diede il vecchissimo vaccaro, che appunto come una figura di altri tempi, fra di buttero e di eremita, ci apparve sullo sbocco della sua proprietà, in un cancelletto di canne ornato di sambuchi: era accigliato, e domandò dapprima se lo avrebbero cacciato via presto dal suo regno.

– Capirai, signore, – disse a mio marito, – sono qui da cinquanta anni; ho veduto il Papa passeggiare nel giardino, col cardinale e altri preti: scherzavano come ragazzi. Nessuno mi ha mai molestato. Questa strada, può dirsi, è stata sempre mia, perché ci passavano, e ancora ci passano gli uomini con le loro amorose: voglio dire quelli che non vogliono esser veduti a fare all'amore. Una volta ci ho visto anche una signora nobile e ricca sfondata con un damerino spiantato di quelli che andavano a mangiare e suonare nella villa. Ma nessuno mi dava fastidio: anzi mi ci divertivo, a sentirli parlare: e spesso litigavano, anche, e correvano botte: qualche coppia veniva a chiedere un boccale di latte; e lo pagava il doppio: si capisce, sì.

Egli affermava questo suo piccolo vantaggio come una cosa dovutagli. Per confortarlo si entrò a bere una tazza di latte, appena munto; anzi egli, poiché la vaccheria restò alcun tempo anche dopo la costruzione della casa, fu il nostro onesto e sincero lattaio.

Rimase, finché la vertenza fra il Municipio e l'impresa del nuovo quartiere, a proposito della via Cupa, non fu risolta. Intanto la quercia, il poggio, il viale con le siepi di bossi, tutto era stato cancellato dalla mano molle e inanellata che pareva lo facesse solo con pochi tratti di lapis. Fra mucchi di mattoni e vasche di calce bollente sorgevano le nuove casette: oh, come brutte e tristi quelle *a schiera*, vecchie prima di nascere: accanto al loro grigiore, i piccoli villini, con le torrette pretensiose e le terrazze di cemento, sembravano castelli.

Nello scavo delle fondamenta della nostra, i bambini buttarono, per il buon augurio, alcune monete di rame: il più piccolo anche dei fiori: la madre vi fece su, come aveva veduto al suo paese, un segno di croce: e la casa fiorì e fu benedetta.

Poi, un giorno, si sentì un allarmante fracasso, come di una soldatesca che atterra le mura di una città assediata: era l'antico cancello che veniva abbattuto. E i nuovi abitanti, scesi dalla grande città, presero possesso del quartiere.

Rimase lui, finché rimase la via Cupa. Era utile, perché ci dava il latte sincero; ma l'odore della stalla disturbava i vicini: quindi proteste e sollecitazioni: e col suo destino fu segnato quello della strada degli amanti. Di giorno, le coppie si erano diradate, poiché la solitudine più non le proteggeva: di sera, però, dai ruderi del muro del giardino, si sentivano ancora bisbigli, sospiri, paroline dolci e parolacce amare: e furono anche imprecazioni quando si trovò sbarrato l'imbocco del sacro sentiero, e parve agli amanti che anche il loro amore fosse minacciato di distruzione.

Questo arrivare delle coppie, e tornarsene indietro deluse, durò alcun tempo: tanto che, nelle belle e complici sere di estate, ci si divertiva ad aspettarle; e i ragazzi, già smaliziati e partecipi al fatto, le perseguitavano coi loro fischi. Sgombrati gli avanzi del muro, appianato il terreno, questo fu assegnato a noi: e sorse un altro muricciolo, con relativa cancellata; rimase il ciglione e sul ciglione i quercioli che ancora si sporgevano a guardare mandando in giù le loro ombre oramai inutili, e melanconiche anche, nelle sere di luna, quando già le coppie non venivano più neppure all'angolo della nuova strada.

Eppure qualche cosa di loro deve essere rimasta nell'atmosfera del luogo, poiché, senza contare le foglie rosse ardenti dei rampicanti della cancellata, che l'autunno fa cadere come cuori morti, un campo di tennis è sorto sul terreno del ciglione spianato; e giovani coppie, ardimentose e spregiudicate, in piena gloria di sole, vi intrecciano il gioco delle racchette e dell'amore.

Gli uomini anziani, ed anche qualche signora affaccendata, con una spazzola o l'ago in mano, guardano il campo dall'alto delle logge di ferro, seguendo con svago piacevole e quasi protettore il volo dei bei giocatori, che ricorda quello delle rondini marine sulle spiaggie solitarie; e pensano che anche per essi, i giovani, il tempo passa e un giorno chiuderà lo sbocco delle strade d'amore. Ma intanto... Intanto, da una loggia che gode la completa visione della strada nuova e del campo attiguo, un vecchio signore da poco tornato dall'America del Sud, con molti quattrini e un diamante al dito, guarda con occhi melanconici e beffardi il nuovo paesaggio, e racconta che un tempo anche lui frequentava la villa del cardinale e partecipava alle feste nel giardino di querce, di pini e di rose.

– C'era un viottolo, qui sotto, incassato fra il muro e un ciglione erboso: pareva il sentiero di un bosco: lo chiamavano via Cupa, per la sua ombra profumata di mentuccia: tante volte ci sono passato anch'io. E, dico la verità, adesso, al mio ritorno, giorni fa, mi sono spinto fin quaggiù, con l'illusione che il luogo fosse ancora quello. Si viaggia il mondo, cara signora, si cambia stato e fortuna, si diventa vecchi, eppure, in fondo, si rimane sempre ragazzi.

Egli, discretamente, non dice se nelle passeggiate per via Cupa lo accompagnava una donna, forse di quelle leggiadre e grottescamente eleganti, che frequentavano la villa e il giardino del cardinale; forse quella ricordata dal vaccaro. Ma con la mano ancora fina, sebbene inguantata di rughe, fa un segno simile a quello della manaccia dell'impresario, cancellando il panorama del passato.

MEDICINA POPOLARE

Ricordo sempre le visite che si facevano a comare Marghitta, nel suo antro quasi sibillino in fondo ad uno dei vicoli più stretti, tortuosi, pietrosi e pittoreschi della nostra piccola città. Comare Marghitta era una specie di medichessa, diciamo pure di fattucchiera; ma non lavorava se non sicura di fare opera innocua ed anzi giovevole alla sua clientela: e non accettava denari, sebbene povera tanto da non avere scarpe, da non avere di che coprirsi d'inverno; ed era malaticcia, cerea, asmatica. Il suo primo dovere sarebbe stato quello di curarsi lei; eppure il suo stesso aspetto di vecchia fata travestita da mendicante per meglio provare il cuore della gente; e l'ambiente adatto alla sua figura, lo sfondo ove questa si delineava come in una illustrazione pubblicitaria, le giovavano a meraviglia.

Veniva gente di lontano, a consultarla; e sapendo che non accettava monete né oggetti di vestiario, le portavano roba da mangiare, anche dolci, anche vasetti di miele e di vino cotto; carne no, perché non ne voleva.

E noi dunque si andò, una prima volta, a consultarla per una presunta malattia della piccola nostra amica Giulietta: la tenevamo una per mano, io e un'altra amica, la bionda Giulietta tremante e paurosa; ma si ansava allegramente in compagnia, inciampando fra i ciottoli del vicolo, come su un sentiero di montagna; e si esitò, davanti alla porticina nera, in fondo, alta su due alti gradini di pietra corrosi e umidi; ma quando la donna apparve, sullo sfondo dell'antro, alta, scalza, con un grande fazzoletto nel cui cerchio il viso giallo pareva si affacciasse dalla feritoia di una torre, ogni timore dileguò: poiché i suoi occhi erano azzurri e dolci, e ci sorridevano, da una profondità luminosa, come quelli di una bambina felice. Nonostante la nostra curiosità alquanto morbosa, non ci lasciò entrare in casa: sedette sugli scalini, tirandosi la vecchia gonna di orbace sui grossi piedi che avevano come una suola di cuoio, e ci fissò in silenzio. Poi disse, con voce bassa e allegra: – Voi siete venute per divertivi: è giusto, è giusto: è la vostra età. Che mi avete portato di buono?

Le avevamo portato, legate in un fazzoletto da naso, noci e nocciole.

Ella le guardò, ma non mosse le mani, che aveva nascoste sul grembo entro le spaccature della gonna: e di nuovo ci sorrise, come a compagne di giuoco.

– Io non ho denti, per spezzarle: mangiatele voi, – disse, – e andate in pace.

Ce ne andiamo, mortificate e felici: allo sbocco del viottolo ci si presenta una coppia di paesani di un lontano villaggio; la donna è giovanissima, vestita bene, con ricami colorati intorno al corsetto e al grembiale di panno; ma è sottile e un po' curva, col viso che sembra una miniatura di avorio e gli occhi frangiati d'ombra: l'uomo pare il suo servo, alto e squadrato, con un viso barbuto di guerriero fenicio. Posa la grossa mano pelosa sulla spalla della fanciulla e sembra spingerla per aiutarla a camminare. Giulietta, la nostra finta malata apre la bocca per la meraviglia.

– Sono i nostri ospiti, padre e figlia, – dice, – sono parenti della nostra serva.

Così, per suo mezzo, più tardi si seppe che quei due erano venuti di lontano per consultare la brava Marghitta la quale aveva consigliato all'uomo, povero pastore di porci, che viveva tutto l'anno in un bosco di lecci in cima alla montagna, di condurre con sé la figlia già toccata ai polmoni, e farla vivere lassù. Per maggior scrupolo aveva versato in un bicchiere di acqua alcune gocce di un liquido magico, che, salite a galla, confermavano la sua ricetta.

Lassù, lassù, nella capanna del porcaro fra gli elci sempre verdi; lassù, anche nei tempi di vento, di freddo, di neve. Nessuno, neppure il padre, credeva efficace questa cura; eppure, in primavera, egli tentò. E la fanciulla rifiorì, come i ciclamini del bosco riprese colore; come le ghiandaie in cima agli elci, ritornò allegra e vivace. Così, anni ed anni prima che la scienza indicasse la cura della montagna per i tisici, la vecchia Marghitta aveva fatto il miracolo.

Se ne raccontano altri; di paralitici che, al suo comando, dopo pazienti fregagioni di balsami composti da lei, muovevano almeno le mani e si facevano il segno della croce; di bambini che, tardando a parlare, dopo certi suoi scongiuri e beveraggi pronunciavano il nome di *mamma*; di malati di otite che con gocce di latte spremute dalle mammelle di una giovine madre dopo il suo primo parto, guarivano quasi immediatamente; e casi di congiuntivite, guariti con l'alito di una gemella, dopo che ha masticato la ruta; e febbri di malaria troncate con polverine vegetali e gli immancabili scongiuri contro il demonio: poiché è sempre lo spirito maligno quello che procura il dolore all'uomo; se pure non si impossessa di lui, cacciandosi nelle sue viscere col verme solitario, con le infezioni, coi tumori e il mal di fegato; e, peggio ancora, con le idee fisse e deliranti. A tutto la donna trovava rimedio, facendo concorrenza persino ai sacerdoti per gli esorcismi permessi dalla Chiesa: e quando non arrivava a sollevare i malati con le sue erbe, le sue gocce, i suoi cataplasmi, per lo più di malva, di ortica, di giusquiamo e di altre erbe medicinali ritentava con gli amuleti, il sale e le pietre; ricorreva alle preghiere, e soprattutto le ordinava ai suoi clienti: il tale santo per la tale malattia, la tale santa per i casi più gravi; la Madonna, stella sopra tutte le stelle, sorriso di gioia che allieta anche il pensiero della morte, faro inestinguibile nel porto dove anche i ciechi ne vedono lo splendore, ultimo farmaco per le malattie senza più speranza.

E così, i preti brontolavano contro la donna, minacciandola di scomunica; ma le persone che ricorrevano a lei uscivano dal suo antro come da un tempio, con un senso di sollievo straordinario.

Ella aveva certamente, a sua insaputa, un potere di suggestione efficacissimo per gli spiriti semplici che si rivolgevano a lei: ma quello che le creava maggior credito era la sua stessa semplicità, la sua miseria permanente, il suo modo di fare materno e convinto. Era una donna in fondo sana e normale; certi suoi rimedi tradizionali risalivano ai primi tentativi dell'uomo sofferente che, come gli animali, dopo aver per istinto cercato le erbe, le acque, i semi e i frutti medicamentosi, si rivolse alla divinità e si sentì lenire il male con la sola speranza di una vita di là dove il male muore col nostro miserabile corpo.

Una volta, sul finire dell'estate, scoppiò un memorabile temporale, di quelli dei quali si dice: «A memoria d'uomo non si ricorda l'eguale». La terra tremò come per il terremoto, e il vento mugolò peggio di un mostro; ma il disastro maggiore fu la grandine, d'uno strano colore grigiastro; parevano ciottoli, lanciati da monelli infernali: tutti i vetri delle nostre finestre non riparate da persiane andarono in schegge; una servetta fu trovata svenuta, e quando riprese i sensi ci spaventò a sua volta, tanto era gialla e sconvolta in viso: anche le mani sembravano le zampe di un uccello di malaugurio; e gli occhi uova sode spaccate.

Era l'itterizia; ma la ragazza cominciò a contorcersi e piangere terrorizzata, affermando che una strega con un vestito rosso era saltata sopra di lei, riducendola in quel modo. Nessuno, neppure il vecchio apostolico medico di casa, neppure l'autorità un po' brusca del nostro zio canonico, riuscirono a convincerla del contrario. Ella aveva veduto la strega sinistra e fiammeggiante saltare sopra di lei, come un cavallo in corsa su una palizzata; e si rannicchiava, cercando di nascondersi; poiché le pareva che il gioco satanico dovesse ripetersi. Infine fu lei stessa che si propose di andare da Marghitta, per dissipare ogni dubbio. Marghitta sola poteva dire se ella era stregata, e trovare il rimedio: ma la ragazza si confidava solo con me, perché gli altri la disapprovavano.

Avevo allora quattordici anni, l'età della servetta, ed anche sopra di me era già passata una vampa soprannaturale, il volo di un arcangelo con gli occhi di sole, la spada di luce e di tenebre. E con questa spada aveva segnato, intorno a me, un cerchio, dal quale sentivo di non poter più uscire. Il male che ne risentivo era forse più grave di quello della ragazza, certo più inguaribile: mi assaliva già un'ansia di uscire dal cerchio fatale, di vedere le cose come le vedevano gli altri, di vivere come vivevano gli altri; e nello stesso tempo una specie di incantesimo pieno di una gioia che gli altri, anche i più felici, non potevano intorno a me provare, mi legava, come, si diceva dai credenti della scienza di Marghitta, certe fattucchiere di amanti legano, per tutta la vita, le persone amate.

Insomma, la malìa dell'arte. Ma, oltre l'istinto di guardare la vita sotto una luce che attraversando uomini e cose ne faceva vedere anche l'interno, provavo una curiosità, anzi un forte bisogno di controllare la realtà di queste, diremo così, rivelazioni: così, mi piaceva di andare nella valle o sui monti, per il godimento della natura, ma anche per vedere nel loro sfondo preciso i contadini e i pastori: e di penetrare nelle stamberghe dei poveri più che per carità per desiderio di studio. E così andai con la servetta nell'ambulatorio neolitico di comare Marghitta: con la scusa che anch'io avevo forse bisogno di consultarla. La ragazza ne fu tutta felice:

mal comune mezzo gaudio: e poi, a dir la verità, aveva un po' di tremarella addosso all'idea di sottoporsi chissà a quali esorcismi, o di ingoiare una medicina amara. – Niente ingoiamenti, – le dico, stringendola per il braccio che sembrava un cero, – non ti lascio bere neppure acqua: ti devono bastare le cure esterne.

Si va, verso sera, con la scusa di un passeggino intorno a casa, e questa volta si riesce a vedere tutto l'interno della tana misteriosa: che poi non era come lo si immaginava; alla nera fuligginosa cucina di entrata seguiva una stanzetta pulita, con pavimento di fango battuto, sì, ma le pareti imbiancate con la calce e piene di immagini sacre: un finestrino alto, quasi sotto il tetto, dava luce alla camera: per chiudere lo sportello bisognava salire sulla spalliera di una seggiola. E fu mio il compito, quando la donna, che già aveva guardato la ragazza e capito di che si trattava, accese un lumicino ad olio e disse: – Bisogna chiudere.

Mi arrampico: un quadro noto, mai abbastanza ammirato, si apre di là dei bassi tetti sui quali guarda il finestrino: sono i monti, violetti sul cielo roseo del crepuscolo: una dolce luna d'alabastro vi si affacciava sopra, fra due ali di vapori orlati d'argento: e pareva l'angelo paffuto della sera di settembre.

Chiusi a malincuore lo sportello e saltai giù. La donna si era seduta sul suo giaciglio e stringeva la ragazza fra le sue ginocchia, mormorando versi in un gergo incomprensibile: erano i *verbos*, le antiche parole magiche, che mandavano via gli spiriti maligni: poi con una fettuccia unta la misurò dall'alto in basso, dalla punta di una mano all'altra, con le braccia ben distese: le misure non tornavano; mancava qualche centimetro alla lunghezza delle estremità: la ragazza era stregata. Io stavo bene attenta che la donna non le facesse ingoiare qualche intruglio, poiché la responsabilità era mia; Marghitta non ci pensava neppure; anzi mi accorsi che mi guardava in modo quasi malizioso quando, piegato il viso alla paziente, le fece tre segni di croce, domandandole con voce bassa e insistente:

– Sei stata in compagnia di qualche ragazzo? Rispondi: rispondi: tanto Dio sa tutto. Rispondi: ti ha baciato?

E fu una delle mie prime emozioni artistiche, quando sentii l'innocente vittima delle streghe rispondere che, sì, il figlio dell'ortolano, quel giorno del temporale, mentre si erano rifugiati in un ripostiglio, l'aveva baciata.